Николас
СПАРКС

Николас СПАРКС

Лучшее во мне

АСТ
Москва

УДК 821.111(73)
ББК 84 (7Сое)
С71

Nicholas Sparks

THE BEST OF ME

Перевод с английского М.Г. Фетисовой
Оформление дизайн-студии «Три кота»

Печатается с разрешения литературных агентств The Park
Literary Group LLC и Andrew Nurnberg.

**Подписано в печать 17.01.2013. Формат 70×108 ¹/₃₂.
Бумага офсетная. Печать офсетная.
Усл. печ. л. 15,4. Тираж 7000 экз. Заказ 297.**

Спаркс, Николас

С71   Лучшее во мне : [роман] / Николас Спаркс; пер. с англ.
М.Г. Фетисовой. — Москва: АСТ, 2013. — 350, [2] с.

ISBN 978-5-17-077575-0

Каждому хочется верить: настоящая любовь бессмертна.

Каждому хочется надеяться: истинное чувство можно пронести сквозь годы и испытания... Доусон Коул и первая красавица школы Аманда полюбили друг друга, — однако жизнь развела их. Прошло много лет. Аманда стала женой другого, у нее семья, дом, дети... Но случай приводит ее в родной городок и дарит новую встречу с Доусоном.

Их любовь вспыхивает вновь, — и Аманда, и Доусон понимают, что расставание было трагической ошибкой.

Неужели, им представился шанс начать все с начала? Или у судьбы свои планы?

УДК 821.111(73)
ББК 84 (7Сое)

*Посвящается Скотту Швимеру,
замечательному другу*

1

Галлюцинации начались у Доусона Коула после взрыва на нефтяной платформе, в тот день, когда он должен был погибнуть. А ведь чего он только не навидался за четырнадцать лет работы на буровых вышках! В 1997 году на его глазах потерял управление и взорвался, упав прямо на нефтяную платформу, идущий на посадку вертолет. Страшный огненный шар взметнулся ввысь. Доусон уцелел, только сильно обгорела спина — он получил ожоги второй степени. Четырнадцать человек — в основном пассажиры вертолета — погибли. Потом на платформу рухнул кран, а через четыре года после этого Доусону чуть не снесло голову куском оторвавшейся металлической арматуры размером с баскетбольный мяч. В 2004 году он и еще несколько рабочих, оставшись на нефтяной вышке, попали в ужасающий ураган «Иван», порывы ветра которого достигали более ста миль в час. Невероятной высоты волны реально грозили снести вышку, и Доусон даже подумал, не надеть ли парашют.

Случалось и другое. Всегда существовала опасность поскользнуться и упасть, получить удар какой-нибудь оторвавшейся от оборудования штуковиной, а на порезы и синяки уже никто из членов бригады давно не обращал внимания. То же касается переломов, их Доусон на своем веку видел-перевидел. Кроме того, он пережил два повальных отравления, от которых пострадала вся бригада. А два года назад, в 2007-м, на его глазах начало тонуть только что отчалившее от вышки грузовое судно, которое лишь в последнюю минуту спас оказавшийся неподалеку катер морской приграничной службы.

Но взрыв — другое дело. Хорошо, не произошло утечки масла — приборы безопасности и дублирующие их системы это предотвратили, и сюжет про аварию в новостных выпусках прозвучал неотчетливо, а через несколько дней о нем и вовсе забыли. Однако для свидетелей происшествия, в том числе и Доусона, он превратился в преследующий их ночной кошмар. Поначалу, вплоть до той самой минуты, это было утро как утро. Но когда Доусон стал осматривать насосные установки, один из нефтяных резервуаров вдруг взорвался. Доусон не успел даже понять, что произошло, как его взрывной волной отбросило на соседний ангар. А потом все потонуло в пламени. Покрытая маслом и нефтью платформа тут же превратилась в ад, поглотивший все сооружение полностью. Еще два более мощных взрыва потрясли всю вышку. Доусон помнил, как тащил чьи-то тела прочь от огня, однако четвертый, самый сокрушительный, взрыв подбросил его в воздух второй раз. В голове смутно отпечаталось, как он летел в воду. Все говорило за то, что он должен погибнуть. Но течением его унесло в Мексиканский залив, на расстояние примерно девяносто миль к югу от залива Вермилион, что в Луизиане.

Ни надеть спасательный жилет, ни достать индивидуальное плавсредство Доусон, конечно же, как и все остальные, не успел. Между волнами, в отдалении, он рассмотрел махавшего ему рукой темноволосого человека — тот словно бы звал Доусона к себе. И вот изможденный, страдающий от головокружения Доусон, преодолевая океанские волны, направился к незнакомцу. Одежда и сапоги тянули вниз, силы были на исходе, и Доусон понял, что его ждет гибель. Казалось, до берега недалеко, но точно сориентироваться ему мешали волны. И вот тогда Доусон увидел поблизости сиротливо дрейфующий среди обломков спасательный круг. Собрав последние силы, он ухватился за него. Позже он узнал, что пробыл в воде почти четыре часа, в течение которых удалился от вышки на целую милю, и только потом его подобрало грузовое судно, поспешившее на место трагедии. Доусона подняли на борт и поместили в трюме, как и остальных выживших. От переохлаждения Доусон пребывал в бессознательном состоянии, его трясло от озноба, но, несмотря на застивший его глаза туман (позже у Доусона обнаружилось сотрясение мозга средней степени), он осознал, как ему повезло: у некоторых из выживших после взрыва руки и плечи обезображивали ужасные ожоги, а у других из ушей текла кровь. Кто-то придерживал сломанную конечность. Почти всех этих людей Доусон знал по именам.

Пространство для передвижений на вышке ограниченно. Это, по сути, маленькая деревня среди океана — и каждый рано или поздно оказывался либо в кафетерии, либо в комнате отдыха, либо в спортзале. И только одного из присутствующих, пристально смотревшего на Доусона из противоположного конца помещения, Доусон не мог вспомнить, хотя явно где-то его видел. Одетому в синюю, наверное, позаимствованную на корабле ветровку брюнету можно было дать на вид лет сорок. Казалось, в его облике было что-то странное, неуместное. Он скорее напоминал офисного служащего, чем рабочего. Человек махнул ему рукой, и Доусон вспомнил его — это был тот, кого он недавно видел в воде. Осознав это, Доусон вдруг ощутил приступ тревоги, однако не успел обнаружить причину беспокойства — на плечи ему накинули одеяло и отвели в угол, на медицинский осмотр.

Когда же Доусон вернулся на прежнее место, брюнет исчез. В течение всего следующего часа на борт продолжали поднимать других уцелевших. Постепенно отогреваясь, Доусон гадал, что сталось с остальными членами бригады. Людей, с которыми он вместе проработал не один год, рядом не было. Позже он узнает, что двадцать четыре человека погибли. Почти все тела, за небольшим исключением, были найдены. Поправляясь в больнице, Доусон все думал о том, что некоторым семьям не удалось даже попрощаться со своими родными.

После этого взрыва Доусон стал плохо спать — не из-за мучивших его кошмаров, он никак не мог отделаться от чувства, что за ним наблюдают. Пусть это звучало нелепо, но он ощущал себя... преследуемым объектом. И днем, и ночью он то и дело боковым зрением подмечал какое-то движение, но когда поворачивал голову, ничего подозрительного не обнаруживал. Уж не сходит ли он с ума, спрашивал себя Доусон. По мнению врача, Доусон страдал от посттравматического синдрома. Его мозг еще не оправился после контузии. Подобное объяснение имело под собой основание и звучало вполне логично, вот только Доусона оно не устраивало. Впрочем, он все равно согласно кивал, но выписанное врачом снотворное так и не купил.

Доусону дали шестимесячный отпуск. Колесо закона заработало. Через три недели компания предложила ему еще и денежную компенсацию, и Доусон подписал бумаги. К тому времени к нему уже обратилось полдесятка адвокатов, каждый из которых стремился первым подать коллективный иск, но Доусону эти хлопоты были ни к чему. Получив денежную компенсацию, он в тот же день положил чек в банк. Имея на своем счету достаточно средств, чтобы в глазах некоторых выглядеть богачом, он отправился в свой банк и перевел большую часть денег на Каймановы острова. Оттуда деньги попали на его общий счет в Панаме, открытый им при минимуме документов, а уже оттуда — в место их конечного назначения. Отследить эти деньги, как всегда, было практически невозможно.

Здесь Доусон оставил себе лишь столько, чтобы хватило оплатить жилье, да еще немного на кое-какие расходы. Ему не нужно было много. Он и не хотел много. Он жил в небольшом трейлере, припаркованном в конце грунтовой дороги в пригороде Нового Орлеана, и видевшие это жилище люди, верно, полагали, что главное его преимущество в том, что оно пережило ураган «Катрина» 2005 года. Обитый потрескавшимся, выцветшим пластиковым сайдингом, трейлер стоял на шлакоблоках — временном основании, постепенно ставшим постоянным. Трейлер состоял из спальни, ванной, загроможденной жилой комнаты и кухни, где едва умещался мини-холодильник. Полы от сырости со временем вздулись, и поэтому казалось, что ходишь по наклонной плоскости. В тесной кухоньке, заставленной мебелью, на протяжении лет собираемой по комиссионкам и дешевым магазинам, линолеум растрескался по углам, а маленький коврик окончательно облысел. На стенах никаких фотографий. Хоть Доусон и жил здесь уже пятнадцать лет, трейлер воспринимался им не как дом, а скорее место, где он ел, спал и мылся.

Однако старенький трейлер Доусона всегда сиял чистотой, так же как и дома в районе Гарден. Доусон был помешан на чистоте. Дважды в год он замазывал трещины и заделывал швы, чтобы внутрь не проникли грызуны и насекомые, а перед возвращением на нефтяную вышку драил кухню и полы в ванной дезинфицирующим средством, вытряхивая из шкафов все, что могло испортиться или заплесневеть. Обычно он тридцать дней работал и тридцать отдыхал, и все, что не было герметично запечатано в металлические банки, портилось менее чем за неделю, тем более летом. По возвращении с вышки Доусон снова отмывал дом снизу доверху и как следует проветривал.

Однако при всех недостатках этого жилища здесь было тихо, ничего другого Доусон, в сущности, не желал. Он жил в четверти мили от главной дороги, а ближайший жилой квартал находился еще дальше. После месяца на буровой хотелось лишь тишины. Привыкнуть к постоянному шуму на вышке он так и не смог. К неестественному шуму и лязгу — от кранов, постоянно что-то передвигавших с места на место, от вертолетов, — в общем, к не смолкавшей ни на миг какофонии. Нефтяные вышки качали нефть круглые сутки, лишая ночами Доусона сна. Находясь на вахте, он как-то отключался от этого шума, но по возвращении в трейлер всякий раз поражался почти непроницаемой тишине даже днем, когда солнце стояло высоко в небе. По утрам до него из гущи ветвей доносилось пение птиц, по вечерам, вскоре после захода солнца, он слушал слаженную песню сверчков и лягушек. Обычно эти звуки его успокаивали, правда, иногда напоминали ему о доме, и тогда Доусон закрывался в трейлере, чтобы прогнать воспоминания. Пытаясь отвлечься, он старался сосредоточиться на простых, обыденных вещах, наполнявших его жизнь по возвращении на сушу.

Он ел. Он спал, бегал, упражнялся с гантелями и чинил машину, на которой время от времени ездил куда глаза глядят. Иногда рыбачил. Каждый вечер читал, иногда писал письма Таку Хостлетеру. Вот и все. Ни телевизора, ни радио Доусон не держал, правда, имел сотовый телефон, в списке которого содержались лишь рабочие номера. Раз в месяц Доусон запасался основными продуктами и всем необходимым, заезжал в книжный магазин и больше ни по каким делам в Новый Орлеан носа не высовывал. За четырнадцать лет он ни разу не побывал на Бурбон-стрит и не прогулялся по Французскому кварталу, не выпил кофе в «Кафе-дю-Монд» или коктейль «Ураган» в «Лафит-Блэксмит» или «Шоп-Бар». Доусон не посещал спортзал, он тренировался за трейлером под видавшем виды брезентом, который натянул между домом и соседними деревьями. В кино Доусон тоже не ходил и не просиживал в гостях у друга воскресные дни, когда играли «Сейнтс». В свои сорок два на свидания он в последний раз ходил в подростковом возрасте.

Большинство не пожелало бы или не смогло так жить. Его никто не знал. Никто не знал, кем раньше был Доусон или что он раньше делал, и Доусона это устраивало.

Но как-то в один из теплых дней середины июня Доусону позвонили, и воспоминания нахлынули на него с новой силой. От своего отпуска Доусон использовал почти девять недель, но все равно собрался домой впервые, кажется, за двадцать лет. Предстоящее тревожило его, но делать было нечего. Так был ему больше чем друг — он был ему как отец. Размышляя в тишине о времени длиной в год, ставший в его жизни переломным, Доусон снова заметил какое-то движение. Он обернулся и, в очередной раз ничего не увидев, решил, что, видимо, сходит с ума.

Доусону звонил Морган Тэннер, адвокат из Ориентала, что в Северной Каролине, который и сообщил, что Так Хостлетер умер.

«В некоторых случаях желательно личное присутствие», — сказал Тэннер.

Первой мыслью Доусона после того, как он отключил телефон, было купить билет на самолет, по прилете снять номер в местной гостинице, позвонить флористу и заказать цветы с доставкой.

Утром, заперев дверь своего жилища, Доусон подошел к жестяному сараю за трейлером, где он держал машину. Был четверг, 18 июня 2009 года. С собой он взял только единственный имевшийся у него костюм да сумку, которую собрал ночью, мучаясь бессонницей. Он отпер сарай, поднял дверь, и машина — за ней он ухаживал еще со школьных времен — блеснула ему солнечным лучом. Автомобиль представлял собой фастбэк 1969 года выпуска, из тех, на которые с восторгом оборачивались во времена президента Никсона и которыми восхищались и по сей день. Машина выглядела так, будто только что сошла с конвейера, и были люди, которые на протяжении многих лет уговаривали Доусона ее продать.

«Для меня это больше чем машина», — отвечал он, не вдаваясь в подробности. Так сразу бы понял, о чем он.

Бросив сумку с костюмом на пассажирское сиденье, Доусон уселся за руль. Он повернул ключ зажигания, и мотор ожил, громко зарокотав. Аккуратно вырулив на гравийную дорогу, Доусон остановился и выскочил из автомобиля, чтобы запереть сарай, — при этом он мысленно прошелся по списку необходимых дел, проверяя, не забыл ли чего. И уже через две минуты мчался по шоссе, а еще через полчаса парковался на стоянке у новоорлеанского аэропорта. Оставлять здесь машину ему очень не хотелось, но другого варианта не было. С вещами он направился к терминалу, где на стойке его ждал билет.

В аэропорту было людно: шли, держась за руку мужчины и женщины, целые семьи, собирающиеся навестить бабушек и дедушек или побывать в Диснейленде, студенты, направляющиеся либо домой с учебы, либо, наоборот, в учебные заведения, командированные, катящие за собой чемоданы и что-то тараторящие в сотовые телефоны на ходу. Встав в еле ползущую очередь, Доусон, через какое-то время оказавшись у стойки, предъявил документы и, ответив на традиционные вопросы секьюрити, получил посадочный талон. Ему предстояла лишь одна пересадка — в Шарлотте, при этом следующий самолет вылетал меньше чем за час. Неплохо. В Нью-

Берне он возьмет напрокат машину. Ехать оттуда сорок минут. Если задержек в пути не возникнет, к вечеру он прибудет в Ориентал.

Лишь расположившись на своем месте в самолете, Доусон понял, как устал. Он точно не помнил, когда в конце концов уснул — последний раз, когда он смотрел на часы, было около четырех, — хотя планировал поспать в самолете. Кроме того, сразу по прибытии в город у него не было никаких срочных дел. Доусон был единственным ребенком у своих родителей. Однако его мать сбежала из семьи, когда сыну исполнилось три года, а отец осчастливил мир, окончательно спившись. Долгие годы Доусон не общался с родственниками и сейчас восстанавливать отношения с ними не собирался.

Просто съездит туда по-быстрому, и все. Сделает что надо, но дольше не останется. Хоть он и вырос в Ориентале, всегда чувствовал себя там чужим. Тот Ориентал, который он знал, не имел ничего общего с благостной картинкой из рекламы местного туристического бюро. Большинству приезжих Ориентал представлялся маленьким чудесным городком, пользующимся популярностью у художников и поэтов, а также пенсионеров, желающих одного — провести закат жизни, плавая по реке Ньюс. В городе было все, что требовалось: очаровательный старинный центр с неизбежными антикварными магазинами, художественными галереями и кафе, а еженедельных фестивалей здесь проходило больше, чем это, кажется, возможно в городе с населением менее тысячи человек. Но настоящий Ориентал, тот, который Доусон в детстве и юности знал не понаслышке, был городом, где хозяйничали семьи, предки которых здесь обосновались еще

16

в колониальные времена. Именно таким, как судья Макколл и шериф Харрис, Юджиния Уилкокс и семьи Коллиер и Беннет, испокон веку принадлежала эта земля. Это они выращивали зерно, торговали древесиной и налаживали бизнес, представляя собой мощное подводное течение города, которым, по сути, руководили и формировали его облик по своему усмотрению.

Доусон узнал это, когда ему было восемнадцать, и получил подтверждение в двадцать три, решив навсегда отсюда уехать. Быть Коулом в округе Памлико вообще нелегко, а тем более в Ориентале. Насколько Доусону было известно, ни один из представителей семейства Коулов, вплоть до прапрадедушки, не избежал тюрьмы. В чем только Коулы не обвинялись — и в нападении с применением физической силы, и в поджоге, и в попытке убийства, и, наконец, в самом убийстве! Каменистый, покрытый лесом участок, где обитали Коулы, был все равно что отдельная страна со своими собственными правилами и обычаями. Горстка ветхих домиков, стандартных трейлеров да сараев-развалюх покрывали землю, которую Коулы называли домом, и даже шериф старался держаться подальше от этого места, появляясь там лишь в случае крайней необходимости. Обходили это поселение стороной и охотники, справедливо полагая, что объявление «НАРУШИТЕЛИ БУДУТ РАССТРЕЛЯНЫ НА МЕСТЕ» не предупреждение, а прямой посыл. Коулы занимались контрабандой и торговлей наркотиками, пили, били жен и детей, воровали, сводничали и при этом отличались патологической жестокостью. Как отмечалось в ныне уже закончившем свое существование печатном издании, Коулы в какое-то время считались самым порочным, мстительным семейством к востоку от Роли. Отец Доусона был типичным его представителем. Почти все время, начиная от двадцати с небольшим и до тридцати с небольшим, он провел в отсидке за различные преступления, в том числе за использование холодного оружия (ножа для колки льда) в отношении подрезавшего его на дороге водителя. Дважды — после исчезновения свидетелей — с него снимали обвинения в убийстве, и даже родственники его старались не сердить. Как и почему мать Доусона вышла за него замуж, для Доусона оставалось загадкой. Он не винил мать за то, что она сбежала — большую часть своего детства он мечтал о том же, — как не винил ее за то, что она не взяла его с собой. Мужчины в семье Коул никому и ни за что не отдали бы своих детей, и его отец, вне всяких сомнений, все равно бы выследил мать и забрал его к себе. Он не раз повторял это Доусону, и тот не спрашивал отца, что бы тот сделал, если б мать отказалась вернуть сына, — это и без того было ясно.

Интересно, думал Доусон, сколько родственников еще живы? Когда он уезжал, кроме отца, у него там оставались дед, четыре дяди, три тетки и шестнадцать двоюродных братьев и сестер. Теперь, когда все двоюродные выросли и обзавелись собственными детьми, родственников у него, наверное, прибавилось, но желания уточнять Доусон не испытывал. Хоть он и вырос среди этих людей, не чувствовал себя с ними своим, как и вообще в Ориентале. Возможно, его мать, какая бы она ни была, имела с этим миром нечто общее, но только не Доусон. Он единственный среди двоюродных братьев никогда не дрался в школе и прилично учился. Не притрагивался к наркотикам, не пил и, будучи подростком, избегал компании двоюродных братьев, когда те отправлялись в город на поиски приключений, обычно отговариваясь тем, что нужно караулить самогон или помочь разобрать машину, угнанную кем-то из родственников. Он старался держаться в тени и не привлекать к себе внимания.

Ему все время приходилось выступать в двух лицах. Тот факт, что Коулы бандиты, вовсе не означал, что они дураки, и Доусон инстинктивно понимал, что ему следует всеми силами скрывать свое отличие от них. Наверное, он был единственным учеником в истории своей школы, которому приходилось прилагать невероятные усилия, чтобы намеренно провалить зачет. Которому надо было научиться подделывать свой табель успеваемости, делая его хуже, чем он был на самом деле. Научиться незаметно, пока никто не видит, опустошить банку пива, воткнув в нее нож, и использовать работу в качестве повода избегать общества двоюродных братьев. Поначалу эти хитрости ему удавались, но со временем все изменилось в худшую сторону. Однажды кто-то из учителей Доусона обмолвился одному алкоголику — приятелю его отца, что он лучший ученик в классе. К тому же родственников стало настораживать отсутствие у него одного из всей семьи конфликтов с законом. В клане, где верность и послушание своим ценились превыше всего, Доусон казался белой вороной, а страшнее греха не придумаешь.

Эта информация привела отца в ярость. И до этого Доусона били регулярно — с тех пор как он начал ходить. Отец любил ремень. К двенадцати годам к побоям уже примешивалось желание оскорбить Доусона как личность. Отец избивал сына до тех пор, пока спина и грудь у того не становились черно-синими, потом примерно через час побои повторялись, только теперь отец уже переключался на лицо и ноги мальчишки. Учителя знали о происходящем, но, опасаясь за свои семьи, предпочитали не вмешиваться. Встречая направляющегося домой из школы Доусона, шериф делал вид, что ничего не видит: ни синяков, ни кровоподтеков. Родственники тоже закрывали на это глаза. Эби и Сумасшедший Тед, старшие двоюродные братья Доусона, сами его не раз метелили не хуже отца. Эби — потому что, по его мнению, Доусону так и надо было, а Сумасшедший Тед просто любил это дело. Эби, высокий и широкоплечий, с кулачищами размером с тазобедренную кость, отличался необузданным нравом и вспыльчивостью и был умнее, чем хотел казаться. Сумасшедший Тед подлым родился. Уже в детском саду в потасовке из-за шоколадки он пырнул товарища ручкой. А в пятом классе, пока его не отчислили, отправил своего одноклассника на больничную койку. Еще поговаривали, что, будучи подростком, он порешил какого-то наркомана. Поэтому Доусон решил, что лучше не сопротивляться, и научился закрываться от ударов, пока его двоюродные братья не уставали или не теряли интереса к этому занятию, а иногда и то и другое.

Короче, он не пошел по стопам родственников, не включился в семейный бизнес и укрепился в уверенности, что никогда ничем таким заниматься не станет. Со временем он понял: чем больше кричишь, тем сильнее бьет отец, а потому стал молчать. Как бы ни был жесток отец, это не подняло его выше урки, а урки, как представлял себе Доусон, связываются только с теми, кого точно смогут одолеть. Он знал: придет время, и он станет сильным настолько, что сможет дать отпор и больше не будет бояться отца. Пока удары сыпались на него градом, он все пытался представить себе, какой силой характера должна была обладать его мать, чтобы порвать все связи с семьей.

Он делал все, что мог, лишь бы поскорее вырасти и окрепнуть. Привязав мешок с тряпками к дереву, он колотил по нему четырежды в день; укреплял мускулы, поднимая камни и части двигателя, то и дело подтягиваясь, отжимаясь от пола и делая приседания. В результате этих усилий он к тринадцати годам набрал десять фунтов мышечной массы, а к четырнадцати — еще двадцать. В пятнадцать лет он по росту почти догнал отца. Однажды вечером — месяц назад ему как раз стукнуло шестнадцать — отец после очередной попойки набросился на него с ремнем. Доусон, разозлившись, выдернул ремень из руки отца и пригрозил, что, если тот еще хоть раз его тронет, убьет его.

В тот вечер он ушел из дома и, не зная, где приткнуться, нашел приют в мастерской Така. Когда утром Так его обнаружил, Доусон попросился к нему на работу. Ничто не обязывало Така помогать Доусону — мало сказать, постороннему человеку, но еще и члену семейства Коулов. Пытаясь понять, что он за птица, Так вытер руки банданой, вытащив ее из кармана, затем достал сигареты. Ему, овдовевшему пару лет назад, в то время уже стукнул шестьдесят один год. От него пахло алкоголем, у него, курящего с детства «Кэмел» без фильтра, был хриплый голос и деревенский выговор, как и у Доусона.

— Разобрать-то ты ее, наверное, сможешь, а вот как насчет того, чтобы собрать?

— Смогу, сэр, — ответил Доусон.

— Ты сегодня учишься?

— Да, сэр.

— Тогда приходи сразу после школы — посмотрим, как это у тебя получится.

Доусон пришел и сделал все возможное в доказательство того, что он чего-то стоит. Тогда почти весь день шел дождь, и когда Доусон после работы снова юркнул в гараж, чтобы от него укрыться, Так его уже ждал.

Он ничего не сказал, лишь глубоко затянулся «Кэмелом», молча покосившись на Доусона, и снова ушел в дом. На земле, принадлежавшей Коулам, Доусон больше никогда не ночевал. Так за жилье денег с него не брал, а питался Доусон сам. Прошли месяцы, и ему пришлось задуматься о будущем. Он откладывал от заработка сколько мог — потратился только на фастбэк со свалки да покупал в закусочной сладкий чай в кувшинах объемом с галлон. По вечерам Доусон ремонтировал машину, попивая чай, и мечтал, как пойдет учиться в колледж, первый из Коулов, а также думал о том, чтобы пойти в армию или снять собственное жилье, но никакого решения так и не принял. Однажды в мастерской появился отец, который привел с собой Сумасшедшего Теда и Эби. Оба были вооружены бейсбольными битами, а в кармане Теда Доусон различил очертания ножа.

— Гони деньги, которые здесь заработал, — без предисловий начал отец.

— Нет, — сказал Доусон.

— Я знал, что ты ответишь так, мальчик, потому и привел с собой Теда и Эби. Они либо выбьют из тебя всю дурь, и я все равно заберу деньги, либо ты сам мне их отдашь в качестве компенсации за свой побег.

Доусон промолчал. Отец ковырял зубочисткой в зубах.

— Чтобы положить конец твоему спокойному существованию, нужно всего лишь дождаться любого преступления в городе, будь то кража или небольшой пожар. Чего угодно. Потом нужно просто подкинуть улики и сделать анонимный звонок шерифу. А дальше пусть закон работает как положено. Ты здесь ночью один, алиби у тебя нет, и мне плевать на то, что ты будешь до скончания своих дней гнить за железной решеткой и бетонной стеной. Мне до лампочки. Так почему бы тебе не отдать все сразу?

Доусон знал, что отец не блефует. Потому, храня невозмутимое выражение на лице, он вытащил деньги из бумажника. Пересчитав банкноты, отец выплюнул зубочистку и осклабился.

— Приду на следующей неделе.

Доусону пришлось крутиться. Ему удавалось припрятать немного денег из заработанного на ремонт фастбэка и сладкий чай, но большая часть уходила отцу. Он хоть и подозревал, что Так в курсе происходящего, однако тот никогда ни словом ни о чем не обмолвился. Не потому что боялся Коулов, а потому что это его не касалось. Вместо этого он стал готовить себе на ужин гораздо больше еды, чем раньше.

— У меня тут осталось кое-что, возьми, если хочешь, — говорил он, принося тарелку в мастерскую. После этого он чаще всего без лишних разговоров уходил назад в дом. Вот такие у них с Доусоном были отношения, и Доусон их ценил. Ценил Така, который занял самое главное место в его жизни, и Доусон не представлял себе, что могло бы изменить ситуацию.

До того самого дня, когда в его жизнь вошла Аманда Коллиер.

Вообще-то он знал Аманду очень давно. В округе Памлико имелась лишь одна средняя школа, и Доусон учился там с Амандой с самого начала, но больше чем несколькими словами они обменялись весной в старших классах. Он всегда считал Аманду красивой, но в этом он был не одинок. Аманда пользовалась популярностью. Она была из тех девчонок, которые за столом в кафетерии всегда сидели в окружении друзей, в то время как мальчишки соперничали за их внимание. Аманда была не только лидером в классе, но и главной участницей группы поддержки спортивной команды. Вдобавок ко всему она происходила из богатой семьи, что делало ее для него недоступной вроде актрисы с экрана телевизора. Доусон не сказал ей ни слова, пока они не оказались в паре во время лабораторной работы по химии.

Пока они колдовали над пробирками и вместе готовились к итоговым контрольным, Доусон понял, что она вовсе не такая, какой он себе представлял ее вначале. Во-первых, тот факт, что она Коллиер, а он Коул, для нее, кажется, не имел никакого значения, что Доусона удивило. Она была смешлива и могла долго и безудержно хохотать, а когда улыбалась, в ее улыбке мелькало что-то озорное, словно она знала нечто, чего не знал, кроме нее, никто. Волосы цвета меда, цвета летнего неба глаза. Иногда, записывая в тетрадь уравнения, она, чтобы привлечь внимание Доусона, дотрагивалась до его руки, и он после этого еще долго ощущал это прикосновение. Днем, по дороге в гараж, он часто ловил себя на мысли, что не может не думать о ней. Дожив таким образом до весны, он наконец собрался с духом, чтобы спросить, можно ли ему купить ей мороженое. Чем ближе становился конец школьного года, тем больше времени они проводили вместе.

Это происходило в 1984 году, когда Доусону было семнадцать. К концу лета он понял, что влюблен, а когда похолодало и осенние листья один за одним стали сыпаться сверху, образуя красно-желтые ленты, никаких сомнений у него не осталось: он готов провести с ней всю жизнь, каким бы безумием это ни выглядело. В следующем году они сблизились еще больше и старались проводить вместе каждую минуту. С Амандой ему было очень легко, впервые Доусон был доволен жизнью. Даже сейчас он иногда не мог отделаться от воспоминаний об их последнем годе, что они провели вместе. Не мог больше ни о чем думать или, точнее сказать, ни о ком, кроме Аманды.

Доусон занял место в самолете и приготовился к полету. Он сидел у окна в середине салона, рядом с долговязой рыжей женщиной лет тридцати пяти. Не в его вкусе, хотя довольно симпатичная. Пытаясь нащупать ремень безопасности, она наклонилась к Доусону и виновато улыбнулась.

Доусон кивнул, но, уловив ее желание завязать разговор, устремил взгляд в окно. Наблюдая за отъезжающей от самолета багажной тележкой, он, как это нередко с ним случалось, растворился в воспоминаниях об Аманде. В его памяти воскресали картины прошлого — то, как они в их первое лето ходили купаться на Ньюс и их гладкие тела легко касались друг друга; как Аманда сидела на скамейке, обхватив руками подтянутые к груди колени, пока он возился со своей машиной в гараже Така. И тогда Доусон думал, что ничего в жизни ему больше не нужно — лишь бы смотреть вот так на нее. В августе, когда его машина впервые заработала, он повез Аманду на пляж. Они лежали на полотенцах, переплетя пальцы и обсуждая любимые книги, понравившиеся фильмы, поверяя друг другу свои тайны и мечты о будущем.

Случались между ними и размолвки. И тогда Доусон мог наблюдать ее взрывоопасный темперамент. Не сказать, чтобы ссоры между ними случались постоянно, однако и редкими их не назовешь. Но что примечательно: как бы стремительно их разногласия ни вспыхивали, они почти всегда так же быстро затухали. Иногда они ссорились по мелочам — Аманда была на редкость самоуверенна и упряма — и какое-то время яростно и обычно бестолково пререкались. Однако даже когда Доусон по-настоящему злился, он не мог не восхищаться искренностью Аманды, искренностью, без которой их отношения были бы невозможны, потому что Доусон в ее жизни был самым главным человеком.

Никто, кроме Така, не понимал, что она в нем нашла. На первых порах Доусон и Аманда пытались скрывать свои отношения. Но Ориентал — городок маленький, и слухи все равно поползли. От Аманды один за другим начали отдаляться друзья, и в конце концов обо всем узнали ее родители. Он — Коул, а она — Коллиер, и это стало более чем веским основанием для беспокойства. Сначала ее родители еще тешили себя надеждой, что Аманда переживает период подросткового бунтарства, и старались закрывать на происходящее глаза. Но по прошествии какого-то времени жизнь у Аманды осложнилась. У нее забрали водительские права и лишили телефона. Как-то осенью ее изолировали на несколько недель, запретив выходить из дома по выходным. Доусону путь в их дом был закрыт, и единственный раз, когда отец Аманды разговаривал с ним, он назвал его «рвань подзаборная». Мать Аманды умоляла ее порвать с ним, а отец к декабрю перестал с ней разговаривать.

Однако враждебность окружающих лишь еще больше сблизила Аманду с Доусоном, и, когда он на улице предлагал ей свою руку, Аманда крепко сжимала ее, тем самым бросая окружающим вызов. Но Доусон не был наивен. Что бы Аманда для него ни значила, он всегда знал, что их время ограниченно, что они как бы берут его взаймы. Казалось, все и вся ополчились на них. Узнав про Аманду, отец Доусона, всякий раз являясь к нему с очередными поборами, начал расспрашивать о ней. Никакой угрозы в его тоне вроде бы не слышалось, но от одного лишь упоминания этим человеком ее имени у Доусона тошнотворно сосало под ложечкой.

В январе Аманде исполнилось восемнадцать, но, несмотря на крайне отрицательную реакцию ее родителей на их отношения, они не выгнали ее из дому, хотя дело к этому шло. Аманду к тому времени уже не волновало, что они там думают, по крайней мере именно так она всегда говорила Доусону. Иногда после очередной резкой перепалки с родителями она среди ночи потихоньку через окно своей спальни сбегала из дома и отправлялась к нему в гараж. Частенько Доусон поджидал ее, а бывало просыпался от того, что она устраивалась с ним рядом на матрасе, который он себе расстилал на полу в гараже. Иногда они уходили в бухту и сидели там на нижней ветке старинного дуба, и тогда Доусон обнимал ее за плечи. Луна высвечивала летающую над водой кефаль, в то время как Аманда дрожащим голосом пересказывала свои стычки с родителями, но при этом всегда старалась щадить чувства Доусона. И Доусон ее за это любил, хотя и сам знал, какого мнения о нем ее родители. Однажды вечером, глядя, как из ее глаз после очередной схватки с ними бегут слезы, он как можно деликатнее предложил ей расстаться.

— А ты этого хочешь? — срывающимся голосом прошептала она.

Доусон, обняв, притянул ее к себе.

— Я просто хочу, чтобы ты была счастлива, — так же шепотом ответил он.

Аманда прильнула к нему, склонила на его плечо голову. Он же, держа ее в своих объятиях, ненавидел себя за то, что родился Коулом.

— Для меня нет большего счастья, чем быть с тобой, — пробормотала она.

Той ночью они впервые занимались любовью. И все двадцать с лишним лет после этого Доусон глубоко в сердце хранил воспоминания об этой ночи и мог повторить в точности слова, что говорила ему Аманда.

Приземлившись в Шарлотте, Доусон перекинул сумку и пиджак через плечо и, полный воспоминаний об их с Амандой последнем лете, зашагал по терминалу, едва замечая происходящее вокруг. Той весной она получила подтверждение о зачислении в Университет Дьюка, учиться в котором мечтала с детства. Ожидание близкого отъезда Аманды лишь усилило их желание проводить как можно больше времени вместе. Они подолгу сидели на пляже, катались на машине, запуская на всю катушку радио, или просто околачивались в гараже у Така. Они дали клятву друг другу, что ее отъезд не повлияет на их отношения. Он будет ездить в Дарем, а она навещать его. Аманда была уверена, что все у них будет по-прежнему.

Однако у ее родителей были другие планы. Как-то субботним утром, в августе, за неделю с небольшим до ее отъезда в Дарем, они успели поймать ее до того, как она сбежала к Доусону. Говорила только мама, но подразумевалось, что отец с ней солидарен.

— Дело зашло слишком далеко, — начала мать на удивление спокойным голосом. — Если ты не прекратишь видеться с Доусоном, — заявила она, — тебе придется покинуть дом в сентябре и оплачивать свои счета, а также учебу в университете самостоятельно. Ради чего нам тратить деньги на твое образование, когда ты губишь свою жизнь?

Аманда хотела возразить, но мать перебила ее:

— Он утащит тебя за собой на дно, Аманда, но ты сейчас слишком молода, чтобы это осознать. И если ты хочешь свободы как взрослый человек — будь добра, как взрослый человек бери на себя ответственность. Хочешь погубить свою жизнь, оставшись с Доусоном, — пожалуйста, мы не станем тебя отговаривать, но и поддерживать тоже не будем.

С единственной мыслью — разыскать Доусона — Аманда выбежала из дома. Но когда увидела его, то не могла произнести ни слова — рыдания мешали ей говорить. Прижав ее к себе, Доусон слушал прерываемый слезами рассказ Аманды. Наконец она успокоилась.

— Мы будем жить вместе, — сказала она. Ее щеки были мокры от слез.

— Где? — спросил он. — Здесь? В гараже?

— Не знаю. Что-нибудь придумаем.

Доусон молча смотрел в пол.

— Ты должна ехать в колледж, — наконец заявил он.

— Плевать мне на колледж, — возразила Аманда. — Ты для меня важнее всего.

Доусон уронил руки.

— И ты для меня тоже. Именно поэтому я не могу принять от тебя эту жертву, — проговорил он.

Аманда озадаченно покачала головой.

— Ты ничего не можешь от меня принять. Это все из-за родителей. Они обращаются со мной как с ребенком.

— Все дело во мне, и мы оба это знаем. — Мыском ботинка он ковырял землю. — Если кого-то любишь, нужно дать ему свободу, отпустить его, ведь так?

Ее глаза в первый раз вспыхнули.

— А если тот, кого любишь, не хочет уходить, говорят, судьба? Ты эти прописные истины имеешь в виду? — Она крепко схватила Доусона, вонзившись пальцами в его руку.

— Но к нам они не имеют отношения, — продолжила она. — Мы придумаем, как быть. Я могу устроиться куда-нибудь официанткой или еще кем, и мы снимем жилье.

Доусон говорил спокойно, стараясь, чтобы не сорвался голос.

— Что ты говоришь? Думаешь, мой отец перестанет заниматься тем, чем занимается?

— Мы можем уехать отсюда.

— Куда? С чем? У меня ни гроша за душой. Неужели ты этого не понимаешь? — Его слова повисли в воздухе, Аманда молчала, и он продолжил: — Я просто стараюсь смотреть правде в глаза. Ведь речь идет о твоей жизни. И... мое дальнейшее присутствие в ней исключается.

— Что ты говоришь?

— Говорю, что твои родители правы.

— На самом деле ты не думаешь так.

Он понял, что напугал ее. И хоть Доусона нестерпимо тянуло крепко обнять ее, он сделал шаг назад.

— Иди домой, — сказал он.

Аманда подалась к нему.

— Доусон...

— Нет! — отрезал он, поспешно отступая еще дальше. — Ты не слушаешь меня. Между нами все кончено, ясно? Мы пытались, но у нас ничего не вышло. Жизнь идет дальше.

Лицо Аманды превратилось в безжизненную маску.

— Вот, значит, как?

Ничего не ответив, Доусон с трудом развернулся и зашагал к гаражу. Он знал: стоит ему лишь обернуться назад, и он сразу передумает, а этого сделать он не мог. Он так с ней не поступит. Не желая, чтобы Аманда видела его слезы, он поспешно нырнул под открытый капот фастбэка.

Когда Аманда наконец ушла, Доусон бессильно опустился на пыльный бетонный пол возле машины и очень долго сидел так, пока не пришел Так и не уселся рядом с ним молча.

— Стало быть, решил положить этому конец, — в конце концов проговорил Так.

— Я должен был это сделать. — Слова давались Доусону с трудом.

— Да, — кивнул Так. — Тяжело это.

Солнце поднималось все выше над головой, покрывая, словно одеялом, все видимое за пределами гаража каким-то смертоносным покоем.

— Я был прав?

Так вытащил из кармана пачку «Кэмела», выгадывая время для ответа. Постучав по пачке, он вытряхнул оттуда сигарету.

— Не знаю. Вас очень влечет друг к другу, это сразу видно. А когда такое случается, забыть бывает очень тяжело. — Потрепав Доусона по спине, Так встал, чтобы уйти. Никогда еще Так не посвящал Аманде такой длинной речи. Он ушел, а Доусон щурил на солнце глаза, из которых снова катились слезы. Он знал, что Аманда навсегда останется самой лучшей частью его существа, той частью, которую он всегда будет стремиться познать.

Одного он только не знал, что больше не увидит Аманду и больше не скажет ей ни слова. На следующей неделе Аманда уехала в Университет Дьюка, а через месяц после этого Доусона арестовали.

Последующие четыре года он провел за решеткой.

2

Оказавшись на окраине Ориентала, Аманда вышла из машины и устремила взгляд на лачугу, которую Так называл своим домом. Она провела за рулем три часа и теперь радовалась возможности размять ноги. Все еще ощущавшееся напряжение в шее и плечах напомнило об утренней ссоре с Фрэнком. Фрэнк все никак не мог взять в толк, какая ей нужда присутствовать на похоронах, и теперь, оглядываясь назад, Аманда думала, что, возможно, он в чем-то был прав. За почти двадцать лет их брака она ни разу не говорила ему о

Таке Хостлетере. Поэтому на месте Фрэнка она тоже, наверное, обиделась бы.

Однако причиной ссоры явились вовсе не Так или секреты Аманды и даже не то, что еще один долгий уик-энд семья проведет без нее. В глубине души они оба знали, что эта размолвка на самом деле продолжение спора, который шел у них почти десять лет. Выяснение отношений у них происходило как обычно, без криков, без ярости — слава Богу, Фрэнк не из таких, — а в конце, перед тем как уйти на работу, Фрэнк коротко, тихо извинился. И как обычно, остаток утра и весь день Аманда изо всех сил пыталась это забыть. В конце концов, ничего поделать с этим она не могла, а потому со временем научилась отключаться и гасить в себе гнев и тревогу, которые со временем стали постоянными спутниками их жизни.

Пока она ехала в Ориентал, ей позвонили Джаред и Линн, ее старшие дети, и Аманда обрадовалась возможности отвлечься от своих мыслей. У детей были летние каникулы, и последние несколько недель в доме стоял несусветный гвалт — обычное дело для подростков. Лучшего времени для похорон Така и не придумаешь. Джаред и Линн уже давно планировали провести выходные с друзьями: Джаред с девочкой по имени Мелоди, а Линн хотела со своей одноклассницей покататься на лодке по озеру Норман, где у родственников ее подруги имелся дом. Аннет — их «счастливая оплошность», как называл ее Фрэнк — на две недели уехала в лагерь. Она, наверное, тоже позвонила бы, если б им там разрешали пользоваться сотовыми телефонами. Но им не разрешали, и это хорошо, не то маленькая болтушка, без сомнения, звонила бы ей с утра до ночи.

Мысли о детях заставили Аманду улыбнуться. Несмотря на то что она состояла волонтером в Педиатрическом Раковом центре Университета Дьюка, жизнь ее вращалась вокруг своих детей. С рождением Джареда и других детей она окончательно осела дома. При этом роль домохозяйки Аманду вовсе не тяготила, напротив, она даже наслаждалась ею, но все же некая часть ее существа восставала против ограничений, которые накладывала эта роль на ее жизнь. Аманде нравилось думать, будто она способна на большее, чем просто жена и мать. А потому она поступила в колледж, чтобы получить профессию учителя, и даже подумывала о научной степени и преподавании в одном из местных университетов. После окончания учебы ее взяли учителем в третий класс... Но тут в ее планы вмешалась жизнь. Теперь, в сорок два, она иногда посмеивалась над собой, говоря, что ей не терпелось повзрослеть, чтобы понять, чем ей хочется зарабатывать на жизнь. Кто-то мог сказать, что у нее кризис среднего возраста, вот только Аманда в этом сомневалась. Ей никогда не хотелось купить спортивную машину, пойти к пластическому хирургу или сбежать на какой-нибудь из островов в Карибском море. Дело вовсе не в том, что ей стало скучно — работа в больнице и дети не оставляли ей свободного времени. Просто чем дальше, тем больше она стала понимать, что ей уже никогда не стать такой, какой она когда-то мечтала быть, не представится подходящего случая. Долгое время она считала, что ей очень повезло — в основном из-за Фрэнка. Они познакомились на студенческой вечеринке, когда Аманда училась на втором курсе Университета Дьюка. Несмотря на царивший на вечеринке полный бедлам, они умудрились найти тихий уголок, где проговорили до рассвета. Фрэнк был на два года старшее ее, серьезный и умный, и даже в тот первый вечер Аманда уже знала: он непременно добьется успеха во всем, за что бы ни взялся. И для начала этого вполне хватило. Через год, в августе, Фрэнк перешел в стоматологическую школу Чепел-Хилл, но они продолжали встречаться следующие два года. Помолвка была делом решенным, и в июле 1989 года, всего через несколько недель после того, как Аманда закончила университет, они поженились.

По окончании медового месяца, который они провели на Багамах, Аманда устроилась учителем в местную начальную школу, но через год, летом, родился Джаред, и она взяла отпуск. Спустя восемнадцать месяцев на свет появилась Линн, и отпуск Аманды растянулся на неопределенный срок. К тому времени Фрэнку удалось взять кредит. Денег хватило, чтобы открыть собственную практику и купить на первое время маленький домик в Дареме. Это были тяжелые годы. Фрэнк всего хотел добиться самостоятельно и помощь как от своей семьи, так и от семьи Аманды отказывался принимать. Хорошо, если после оплаты счетов им хватало денег, чтобы на выходные взять напрокат видеокассету. Они редко выбирались куда-нибудь поужинать, а когда их машина сломалась окончательно, Аманда оказалась на месяц прикованной к дому, пока у них не появились деньги на починку. Чтобы сократить счета за отопление, они спали, укрываясь несколькими одеялами. Какими бы напряженными и изнурительными ни были эти времена, думая о прошлом, Аманда считала эти годы также и самыми счастливыми годами их брака.

Практика Фрэнка постепенно росла, и их жизнь во многих отношениях стала предсказуема. Фрэнк работал, а Аманда вела хозяйство и смотрела за детьми. Третий ребенок, Бея, родился сразу после того, как они продали свой маленький дом и переехали в дом побольше, который построили в более престижном районе города. Времени стало еще меньше. Практика Фрэнка цвела пышным цветом, а Аманда возила Джареда в школу и из школы, а Линн по паркам и поиграть с другими детьми — Бея при этом сидела между ними в машине, пристегнутая в детском кресле. Именно в те годы Аманда снова стала подумывать о том, чтобы поступить в аспирантуру, даже нашла время просмотреть пару программ для соискателей степеней. Эти планы она начала строить, когда Бея пошла в сад, но Бея умерла, и амбиции Аманды сами по себе заглохли. Без всякой суеты она тихо отложила в сторону учебники, а бланки заявления спрятала в ящик стола.

Новая беременность окончательно поставила крест на учебе и стимулировала ее желание целиком и полностью посвятить себя семье. И, лишь бы не давать воли горю, Аманда страстно взялась за воспитание детей. Со временем их воспоминания о младшей сестре начали блекнуть. И, к удовлетворению Аманды, жизнь медленно, но верно для Джареда и Линн стала возвращаться в прежнее русло. С жизнерадостной Аннет им всем стало веселее, и Аманде иногда почти удавалось делать вид, будто у них счастливая семья, которой не коснулась трагедия и где все любят друг друга.

Однако притворяться, что у нее все отлично с мужем, было тяжело.

Аманда никогда не питала иллюзий насчет их брака — что он бесконечное блаженство и невозможная любовь. Да и в самом деле, если взять двух человек, живущих вместе, с неизбежными в их жизни **подъемами и спадами**, то любому станет ясно: бурных ссор не **избежать, как бы** люди друг друга ни любили. Но время шло, **жизнь создавала все новые и новые проблемы. Комфорт и совместная жизнь** — это прекрасно, но они притупляют **ощущения и охлаждают страсть.** Предсказуемость и привычка **делают почти невозможными** сюрпризы. Нечего было **рассказывать** друг другу; зачастую один знал, чем закончит **фразу другой. Аманда** с Фрэнком достигли той стадии в **отношениях, когда** хватало одного взгляда — слова становились **лишними.** Однако смерть Беи изменила супругов. Аманду **она заставила** посвятить себя добровольной работе в больнице, **Фрэнка же,** до этого иногда любившего выпить, **превратила в самого** настоящего алкоголика.

Аманда в отношении **выпивки никогда не была** ханжой. Будучи студенткой колледжа, **она, случалось,** перебирала на вечеринках, да и теперь **любила выпить** бокал-другой вина за ужином. И этого ей почти **всегда хватало.** Однако Фрэнк, поначалу пивший, чтобы **притупить боль, сорвался.**

Оглядываясь назад, **Аманда теперь понимала,** что настоящий результат можно было **предвидеть, когда** он был еще студентом. Он и тогда практически не расставался со спиртным: и когда с приятелями следил **за волейбольным матчем,** и в стоматологической школе, **расслабляясь после занятий с** помощью двух-трех бокалов **пива. В те страшные месяцы,** когда болела Бея, два-три пива за вечер постепенно выросли до упаковки из шести бутылок. А после смерти дочери уже двадцати. Спустя два года после **смерти Беи** — Аманда тогда была беременна Аннет — **Фрэнка уже можно было назвать** беспробудным пьяницей — он пил, даже если на следующее утро ему предстояло идти на работу. Последнее время он пил четыре-пять вечеров в неделю, и последний вечер не стал исключением. Вдребезги пьяный, Фрэнк, ввалившись после полуночи в их спальню, своим оглушительным храпом никак не давал Аманде уснуть. Ей пришлось уйти спать в комнату для гостей. Так что истинной причиной их утренней ссоры стал вовсе не Так, а поведение Фрэнка.

Каким только не видела его Аманда за долгие годы: и что-то бормочущим заплетающимся языком за ужином или на барбекю, и валявшимся в беспамятстве на полу спальни. Но поскольку при всем том он считался отличным дантистом, он редко пропускал работу, всегда платил по счетам и пьяный не буйствовал. Фрэнк не считал, что у него есть какие-то проблемы. Да и какие, по его мнению, могут быть проблемы: ведь пил он обычно только пиво.

Однако проблема была, поскольку он постепенно превратился в человека, за которого Аманда никогда бы не вышла замуж. Сколько слез она пролила из-за этого. Сколько раз пыталась наставить его на путь истинный, увещевая подумать о детях. Умоляла обратиться к специалисту и раздражалась из-за его эгоизма. По нескольку дней игнорировала его, на несколько недель выгоняла спать в комнату для гостей и истово молилась Богу. Где-то раз в год, вняв ее мольбам, Фрэнк пытался завязать и какое-то время держался. Но через несколько недель за ужином выпивал пива. Всего один бокал. И вроде бы даже в тот вечер все еще было ничего. Как, возможно, и на следующий, когда он тоже выпивал один бокал. Но дверца уже открылась, демон снова вселялся в него, и все начиналось снова. Аманду мучили те же вопросы, что и в прошлом. Почему Фрэнк, когда у него вдруг возникало такое желание, не мог просто взять и уйти? И почему он отказывался признать, что его поведение разрушает их брак?

Аманда не знала ответа на этот вопрос. Но была уверена в одном: все это высасывает из нее силы. Она отдавала себе отчет, что дети почти полностью на ней. Пусть Джаред и Линн достаточно взрослые, чтобы водить машину, но что будет, если с одним из них что-нибудь случится, а Фрэнк в это время будет в запое? Сможет ли он запрыгнуть в машину и, пристегнув Аннет на заднем сиденье, помчаться в больницу? А если кто-нибудь заболеет? Ведь такое уже случалось. Не с детьми, а с ней. Несколько лет назад, после употребления каких-то испорченных морепродуктов, Аманду несколько часов кряду выворачивало в туалете. В это время Джаред, имея ученические водительские права, еще не мог ездить ночью, а Фрэнк в это время пил. В конце концов когда ситуация с Амандой стала критической, Джаред около полуночи все-таки повез ее в больницу. Фрэнк тем временем полулежал на заднем сиденье, изо всех сил пытаясь казаться трезвее, чем был на самом деле. Аманде было очень худо, но все же она заметила, как Джаред то и дело поглядывал в зеркало заднего вида, и на его лице попеременно отражались то гнев, то разочарование. Иногда ей приходило в голову, что именно в ту ночь он, еще ребенок, впервые лицом к лицу столкнувшись с ужасными пороками своего родителя, во многом лишился наивности.

Все это было постоянным, изнуряющим источником беспокойства, и Аманда устала волноваться о том, что думают или чувствуют дети, видя, как отец с трудом передвигается по дому, или о том, что Джаред и Линн, наверное, потеряли уважение к отцу, или о том, что в будущем Джаред или Линн, а может, и Аннет могут последовать примеру отца, регулярно находя утешение в выпивке, таблетках или еще бог знает в чем, пока окончательно не погубят свои жизни.

Никто ей, в сущности, не помог. Даже без группы «Анонимные алкоголики» она понимала, что бессильна изменить Фрэнка. Пока он не признает свою проблему и не захочет исправиться, он будет пить. А что это значило для нее? Это значило, что ей нужно сделать выбор. Решить, будет ли она и дальше терпеть это, и если нет, то отчетливо представить себе все последствия своего решения и твердо держаться избранной позиции. В теории это было просто, а на практике вызывало раздражение. Почему, спрашивается, она должна брать на себя ответственность за его проблемы? И если алкоголизм — болезнь, разве это не означает, что он нуждается в ее помощи или по крайней мере в ее преданности. И как тогда ей, его жене, поклявшейся оставаться с ним и в радости, и в горе, после всего, что им пришлось вместе пережить, оправдать развод и раскол семьи? В одном случае она явит себя бессердечной матерью и женой, в другом — бесхарактерной потатчицей, тогда как ей хотелось только одного — чтобы ее муж снова стал тем, кого она когда-то полюбила.

Вот что делало ее жизнь такой тяжелой. Аманда на самом деле не хотела разводиться и разрушать семью. Несмотря на кризис их семейной жизни, в ней подспудно все еще тлела верность некогда данным ею брачным клятвам. Аманда любила того Фрэнка, которым он был когда-то и которым, она знала, он мог бы стать. Но здесь и сейчас, когда она стояла перед домом Така Хостлетера, ей было грустно, она чувствовала себя одинокой и все продолжала спрашивать себя, как же все так вышло.

Аманда знала, что мать ждет ее, но не была готова к встрече. Прошло еще несколько минут, и как только начало темнеть, она через заросший двор направилась к заваленному всякой всячиной гаражу, где Так реставрировал антикварные машины. В гараже стояла «корветт-стингрей» — наверное, модель 1960-х годов, угадала Аманда. Она провела рукой по капоту, и у нее возникло ощущение, будто в дверном проеме на фоне заходящего солнца вот-вот обозначится силуэт Така. Он войдет в запятнанной рабочей одежде, с лицом, изборожденным такими глубокими морщинами, что они больше похожи на шрамы.

Фрэнк сегодня утром расспрашивал о Таке, но Аманда не стала распространяться — сказала только, что он старый друг семьи. Это было далеко не все, но что еще она могла сказать? Она и сама признавала, что ее дружба с Таком была необычной. Аманда знала его школьницей средних классов, потом они долго не виделись и лишь шесть лет назад, когда ей исполнилось тридцать шесть, они возобновили знакомство. Она приехала в Ориентал к матери и, сидя за чашкой кофе в «Ирвинз-дайнер» случайно услышала разговор пожилых мужчин за соседним столиком, судачивших о Таке.

— То, что Так Хостлетер до сих пор творит с машинами, иначе, чем чудом, не назовешь, но бесспорно и то, что он окончательно спятил, — рассмеялся, качая головой, один из них. — Разговаривать с покойной женой — это бы еще ладно, но божиться, что и она ему отвечает — совсем другое дело.

— Он всегда был чудак, это точно, — хмыкнул приятель говорившего.

На Така, которого когда-то знала Аманда, это было совсем не похоже, и, заплатив за кофе, она села в машину и выехала на полузабытую проселочную дорогу, ведущую к его дому. Устроившись в креслах-качалках на обветшалой веранде Така, они провели весь день, и с тех пор Аманда наведывалась к нему всякий раз, когда бывала в городе. Сначала это случалось раз или два в год (она не могла видеть мать чаще), но последнее время Аманда стала приезжать в Ориентал и навещать Така даже в отсутствие матери. Частенько она готовила ему ужин. Так старел, и Аманда уверяла себя, что просто приезжает навестить старика, однако на самом деле истинная причина ее приездов была известна обоим.

Человек в кафе в некотором смысле оказался прав. Так изменился. Он уже не был молчаливым, загадочным и порой неприветливым, каким Аманда его помнила со школьных времен, но и не выжил из ума, как считали многие. Он пока еще различал, где фантазия, а где реальность, и помнил, что жена его давно умерла. Однако, как представлялось Аманде, он мог одним лишь усилием воли материализовать свои мысли. По крайней мере для него они были реальностью. Когда наконец Аманда отважилась задать ему вопрос о его «беседах» с покойной женой, он как ни в чем не бывало ответил, что Клара до сих пор с ним рядом, и так будет, пока он жив.

— А ведь я не только разговариваю с ней, но еще и вижу ее, — признался он.

— Вы имеете в виду ее призрак? — переспросила Аманда.

— Нет, — сказал Так. — Я имею в виду, что ей не хочется оставлять меня одного.

— А сейчас она здесь?

Так устремил взгляд куда-то поверх плеча Аманды.

— Нет, сейчас не вижу, но слышу, как она слоняется по дому.

Аманда прислушалась, но ничего, кроме скрипа кресел-качалок и досок веранды под ними, не услышала.

— А она была рядом... здесь тогда? Давно?

— Нет. Но тогда я и не пытался ее увидеть, — глубоко вздохнув, устало проговорил Так.

Он был убежден, что это только благодаря их с Кларой любви они и после ее ухода нашли способ не разлучаться, и в этом было что-то, безусловно, очень трогательное и даже романтичное. Кто скажет, что это не так? Ведь каждому хочется верить в вечную любовь. Аманда и сама когда-то в нее верила — когда ей было восемнадцать. Правда, теперь она знала, что любовь — штука путаная, как жизнь. Она развивается по совершенно непредсказуемому и не понятному людям сценарию, оставляя после себя длинный шлейф сожалений. И почти всегда эти сожаления вызывают вопросы типа «что было бы, если бы...», ответа на которые не найти. Что было бы, если бы Бея не умерла? Что было бы, если бы Фрэнк не превратился в алкоголика? Что было бы, если б она вышла замуж за того, кого страстно любила? Узнала бы она тогда женщину, которая смотрит на нее сейчас из зеркала?

Привалившись к машине, Аманда думала, что сказал бы на это Так. Так, который каждое утро ел яйца и мамалыгу в «Ирвинз», пил пепси из бокалов, куда бросал жареный арахис; Так, который прожил в одном и том же доме почти семьдесят лет и выбирался за пределы штата лишь однажды, когда во время Второй мировой войны его призвали в армию. Так, который телевизору предпочитал радио или патефон, потому что так у него было заведено с давних пор. В отличие от Аманды Так, казалось, принимал отведенную ему в этом мире роль. Аманда допускала, что в этом безоговорочном приятии, возможно, заключена особая мудрость, которой сама она никогда не обладала.

Правда, у Така была Клара, и, может, в этом все дело. Они поженились, когда им было по семнадцать, и сорок два года прожили вместе. Из разговоров с Таком Аманда постепенно узнала о его жизни. Спокойно, без видимых эмоций Так сообщил ей о трех выкидышах Клары, последний из которых повлек за собой серьезные осложнения. После того как Клара услышала, что больше не сможет иметь детей, она плакала по вечерам каждый день почти год. Аманде также стало известно, что у Клары был огород, где она выращивала овощи и даже однажды победила в конкурсе на самую большую тыкву. А еще Аманда видела выцветшую синюю ленточку, до сих пор выглядывавшую из-за зеркала в спальне. Так рассказал Аманде, что, когда он наладил свой бизнес, они построили маленький домик на крошечном участке земли на реке Бэй близ Вандемира, по сравнению с которым Ориентал большой город, и они каждый год по нескольку недель жили там, поскольку Клара считала это место самым красивым на земле. Так описал Аманде, как, убираясь в доме, Клара подпевала радио, и признался, что иногда водил ее на танцы в «Ред-Лиз-Грилл» — заведение, в которое Аманда регулярно ходила подростком.

В итоге она поняла: это была скромная жизнь, где любовь и радость находились в мелочах. Это была достойная и честная жизнь, не лишенная горестей, но полноценная и счастливая. Аманда знала, что Так понимал это как никто другой.

— С Кларой мне всегда было хорошо, — однажды подвел он итог.

Возможно, его душевность или все усиливающееся чувство одиночества были тому причиной, но Так для Аманды со временем стал кем-то вроде наперсника — ничего такого раньше Аманде и в голову прийти не могло. Именно с Таком она делилась своей болью и горем после смерти Беи, и только на его террасе она могла дать волю своему гневу на Фрэнка. Именно Таку она поверяла все свои тревоги: о детях, о себе — в ней все больше крепла уверенность, что в определенный момент своей жизни она свернула не на ту дорогу. Она рассказывала ему о разных случаях в Педиатрическом Раковом центре, об убитых горем родителях и невероятно оптимистичных детях, и Так, кажется, понимал, что эта работа для нее своеобразная отдушина в тяжелой атмосфере ее жизни, хотя и не распространялся на эту тему. Чаще всего он просто держал ее руку в своей заскорузлой, испачканной машинным маслом ладони, утешая своим молчанием. В конце концов он стал ей самым близким другом, который, как чувствовала Аманда, знает ее, настоящую, лучше, чем кто-либо другой.

Но вот ее друга и наперсника не стало. Уже тоскуя по нему, она скользнула взглядом по «стингрею». Интересно, знал ли Так, что эта машина станет для него последней, думала Аманда. Он ничего ей не говорил, но, вспоминая сейчас свой последний визит, Аманда поняла, что он скорее всего что-то предчувствовал. В ее последний приезд он вручил ей запасной ключ от дома и, подмигнув, сказал: «Смотри не потеряй, не то придется разбивать окно». Тогда Аманда не придала особого значения его словам и спрятала ключ в карман. Она вспоминала и другие странности в тот вечер. Аманда рылась у него в шкафах, думая, что бы приготовить на ужин, а Так сидел за столом и курил.

— Ты какое вино любишь, красное или белое? — внезапно, ни с того ни с сего спросил он.

— Когда как, — ответила Аманда, перебирая консервы. — Иногда за ужином люблю выпить бокал красного.

— У меня тут есть кое-какой запас, — объявил Так. — Вон в том шкафу.

Аманда обернулась.

— Откупорить бутылку?

— Да я никогда его особо не любил. Мне лучше, как всегда, пепси с арахисом. — Он стряхнул пепел в щербатую кофейную чашку. — Я и свежие стейки все время покупаю. Мне их по понедельникам доставляют от мясника. Они на нижней полке в холодильнике. Решетка для гриля на улице за домом.

Аманда шагнула к холодильнику.

— Поджарить вам стейк?

— Нет. Я обычно их на конец недели оставляю.

Аманда застыла в нерешительности, не понимая, к чему он клонит.

— То есть... вы меня просто ставите в известность?

Так молча кивнул, не сказав больше ни слова. Все это Аманда приписала возрасту и усталости. В итоге она приготовила ему яичницу с беконом и, пока Так сидел в кресле у камина, укутавшись в одеяло и слушая радио, прибиралась в доме. Она отметила про себя, как он сгорбился и усох, каким стал маленьким по сравнению с тем мужчиной, которого она знала в детстве. Перед самым отъездом, она подошла к нему и поправила одеяло, решив, что он заснул. Он тяжело дышал. Аманда наклонилась и поцеловала его в щеку.

— Я люблю вас, Так, — прошептала она.

Он слегка пошевелился, будто во сне, но, когда она развернулась, чтобы уйти, вздохнул.

— Как я скучаю по тебе, Клара, — пробормотал он.

Это были последние слова, которые она от него слышала. В них сквозила боль одиночества, и Аманда вдруг поняла, почему он когда-то принял к себе Доусона. Наверное, Таку и тогда было одиноко.

Аманда позвонила и сообщила Фрэнку, что доехала. Но у него уже заплетался язык. После нескольких слов она отключилась и порадовалась, что дети на эти выходные разъехались из дома.

Найдя на верстаке планшет с зажимом для бумаги, она задумалась, что теперь делать с машиной. Изучив записи, Аманда выяснила, что «стингрей» принадлежит защитнику «Урагана Каролины», и мысленно для себя отметила, что нужно обсудить этот вопрос с юристом, занимающимся имуществом Така. Отложив в сторону планшет, она поймала себя на мыслях о Доусоне. Он тоже был частью ее тайны. Если рассказывать Фрэнку о Таке, пришлось бы рассказывать и о Доусоне, а Аманде этого не хотелось. Так всегда понимал, что на самом деле именно из-за Доусона она приезжала к нему, особенно вначале. Так не возражал: он как никто другой понимал, насколько сильна память. Бывало, когда сквозь навес пробивался солнечный свет, заливая двор Така жидкой дымкой позднего лета, Аманда почти физически ощущала рядом с собой присутствие Доусона, и это в очередной раз доказывало, что Так далеко не сумасшедший. Душа Доусона, как и душа Клары, присутствовала здесь всюду.

Аманда знала, что пустое дело гадать, как повернулась бы ее жизнь, останься они с Доусоном вместе, однако последнее время ее все чаще тянуло сюда. И вместе с этим все живее становились воспоминания. Из глубин памяти всплывали давно позабытые события и ощущения прошлого. Здесь ничего не стоило вспомнить, какой сильной она чувствовала себя рядом с Доусоном, какой исключительной и красивой. Как она была уверена тогда, что Доусон — единственный человек на свете, который ее действительно понимал. Но главное — она помнила, как безоглядно любила его, и ту беззаветную страсть, с которой он любил ее.

В своей спокойной манере Доусон убедил ее, что нет ничего невозможного. Аманда передвигалась по забитому вещами гаражу, пропахшему бензином и маслом, ощущая на себе груз сотен проведенных ею здесь вечеров. Она пробежала пальцами по скамейке, на которой просиживала часами, наблюдая за Доусоном с черными от масла ногтями, склонившимся с гаечным ключом над открытым капотом фастбэка. Уже тогда его лицо было лишено свойственной юности мягкости и наивности, которую она наблюдала на лицах других сверстников. Когда же двигались мышцы его рук, тянущихся за очередным инструментом, она видела тело мужчины, которым он уже почти стал. Как и все обитатели Ориентала, она знала, что отец его регулярно бил, и когда Доусон работал без рубашки, на его спине виднелись шрамы, как видно, оставленные пряжкой ремня. Неизвестно, знал ли о них сам Доусон, и от этой мысли смотреть на них становилось еще тяжелее.

Доусон был строен и высок, темные волосы падали ему на глаза, еще более темные, чем волосы, и Аманда знала, что с годами он станет лишь красивее. Он совершенно не походил на остальных Коулов, и она как-то раз поинтересовалась, не похож ли он на мать. Они тогда сидели в его машине, в лобовое стекло которой стучал дождь. Доусон тоже, как и Так, почти всегда говорил тихо и спокойно.

— Не знаю, — ответил он, протирая запотевшее стекло. — Отец сжег все ее фотографии.

Однажды, в конце их первого совместного лета, они глубокой ночью спустились в небольшой док в бухте. Доусон где-то слышал, что ожидается метеоритный дождь. И вот они улеглись на расстеленном на досках одеяле и стали молча наблюдать за мелькавшими в небе огоньками. Аманда не сомневалась: знай родители, где она, сошли бы с ума, но в ту минуту для нее не было ничего, кроме проносившихся по небу звезд, тепла Доусона и его нежных объятий. Казалось, он не мыслил без нее будущего.

Неужели у всех первая любовь такова? У Аманды на этот счет были сомнения. Даже сейчас ее первая любовь волновала ее как ничто иное. Иногда она с тоской думала, что ей скорее всего не суждено будет снова испытать это чувство, ведь жизнь притупляет страсть. И еще она очень хорошо усвоила, что любви не бывает много.

Она стояла во дворе, за гаражом, и, глядя вдаль, думала, испытал ли Доусон такую же страсть еще раз и был ли он счастлив. Ей очень этого хотелось бы, но жизнь отсидевшего срок нелегка. По слухам, он не то снова попал в тюрьму, не то подсел на наркотики, не то и вовсе сгинул, хотя все эти варианты никак не вязались у нее с образом того человека, которого она знала. Отчасти именно поэтому она никогда не спрашивала о нем Така. Она боялась того, что могла услышать, и молчание Така лишь усиливало ее недобрые предчувствия. Она предпочитала неизвестность, хотя бы потому, что это позволяло ей вспоминать его таким, каким он был. Ее всегда интересовало, что чувствовал он, вспоминая их роман, и сохранил ли в своей душе восхищение перед тем, что между ними было, и, наконец, вспоминал ли он о ней вообще.

3

Самолет Доусона приземлился в Нью-Берне, когда солнце уже давно и уверенно прокладывало путь к западной линии горизонта. На арендованной машине Доусон пересек реку Ньюс и в Бриджтоне свернул на 55-ю автостраду. По обеим сторонам дороги тянулись фермерские дома, изредка перемежавшиеся развалинами табачных сараев. Равнина мерцала в свете дневного солнца. С тех пор как Доусон уехал отсюда много лет назад, здесь все осталось по-прежнему. А может, подумал он, тут уже лет сто ничего не менялось. Позади остались Грантсборо и Эльянс, Бейборо и Стоунуолл, городишки еще меньше Ориентала, и Доусону вдруг пришло в голову, что округ Памлико — все равно что потерянное во времени место, забытая страница в заброшенной книге.

А еще это его родина, и хоть Доусона с ней связывало много мучительных воспоминаний, именно здесь он дружил с Таком и именно здесь он встретил Аманду. Одно за другим перед ним вставали основные события его жизни, его детства, и, в тишине сидя за рулем, он размышлял, каким бы он стал, если б не встретил Така и Аманду, и главное, как сложилась бы его жизнь, если бы вечером 18 сентября 1985 года доктор Дэвид Боннер не решил пробежаться.

Доктор Боннер с женой и двумя маленькими детьми приехал в Ориентал за год до этого, в декабре. Долгое время город обходился без врача вообще. Тот, что был, ушел на пенсию в 1980 году и уехал во Флориду. С тех пор Окружной совет Ориентала тщетно пытался найти ему замену. Врач нужен был во что бы то ни стало, но, несмотря на многочисленные попытки властей заинтересовать потенциальных кандидатов, желающих переехать в это, по сути, болото долго не находилось. Однако, на счастье, жена доктора Боннера, Мэрилин, выросла в этих краях и, так же как и Аманда, считалась здесь особой почти что королевских кровей. Родители Мэрилин, Беннеты, выращивали яблоки, персики, виноград и чернику в огромном фруктовом саду на окраине города, и поэтому, окончив ординатуру, Дэвид Боннер переселился в родной город своей жены, где открыл собственную практику.

Работы у него с самого начала было невпроворот. Подуставшие от сорокаминутных поездок в Нью-Берн пациенты теперь роились возле его приемной, однако врач не питал иллюзий насчет возможности здесь разбогатеть. В захудалом городишке такого бедного округа, как этот, особо не разживешься, несмотря на прорву пациентов и семейные связи.

51

Никто в городе об этом не знал, но фруктовый сад Беннетов был заложен, и не успел Дэвид приехать, как в тот же самый день тесть попросил у него взаймы. Но, даже ссудив тестю с тещей денег, доктор благодаря дешевой жизни в городе смог позволить себе дом в колониальном стиле с четырьмя спальнями с видом на бухту Смит, а его жена, вернувшись на родину, парила от счастья. По ее мнению, Ориентал — идеальное место для воспитания детей, и она была во многом права.

Доктор Боннер любил проводить время на природе. Он занимался серфингом и плавал, ездил на велосипеде и бегал. Люди часто видели, как после работы он бодро трусит по Брод-стрит, а потом вдоль изгиба дороги на окраине города. Люди сигналили ему из машин или махали руками, а доктор Боннер, не останавливаясь, кивал им в ответ. Иногда после особенно длинного дня он выходил на пробежку лишь поздним вечером, когда темнело. Именно так было 18 сентября 1985 года. Он вышел из дома, когда на город начали опускаться сумерки. Доктор Боннер не знал, какими в тот день были скользкими дороги: целый день без перерыва моросил нудный дождь, который поднял нефть из битума, но оказался недостаточно сильным, чтобы смыть ее.

Доктор отправился своим обычным маршрутом — дорога занимала у него минут тридцать, — но в тот вечер он так и не вернулся домой. Когда на небе появилась луна, Мэрилин заволновалась и, попросив соседку присмотреть за детьми, села в машину и отправилась на поиски. На окраине города, прямо за изгибом дороги рядом с порослью деревьев, она увидела «скорую помощь», шерифа и постепенно растущую толпу людей. Именно здесь ее мужа сбил грузовик. Водитель не справился с управлением, и машину занесло.

Грузовик, как сказали Мэрилин, принадлежал Таку Хостлетеру. Водителю, которому грозило обвинение в убийстве транспортным средством, а также в непреднамеренном убийстве, было восемнадцать лет, и на его руки уже надели наручники.

Его звали Доусон Коул.

В двух милях от окраины Ориентала — и поворота, который он никогда не забудет — Доусон заметил ответвлявшуюся от шоссе старую проселочную дорогу. Она вела к участку, где жили его родственники, и он вспомнил отца. Однажды явившийся к Доусону, ожидавшему суда в окружной тюрьме, надзиратель сообщил о посетителе. Через минуту перед Доусоном предстал отец с зубочисткой во рту.

— Ну, чего ты добился? Сбежал, связался с богатой девчонкой. И где кончил? В тюрьме. — Доусон заметил злорадный огонек в глазах отца. — Думал, что лучше меня, а вот и нет. Ты такой же, как я.

Доусон молча взирал на отца из угла своей камеры, ощущая нечто похожее на ненависть. Вот тогда он поклялся себе: что бы ни случилось, он больше никогда не скажет с отцом ни слова.

Суда не было. Несмотря на ходатайство государственного защитника, Доусона признали виновным и дали максимальный срок. В исправительной колонии Каледония в Галифаксе в Северной Каролине он работал на тюремной ферме — помогал выращивать зерно, пшеницу, хлопок и соевые бобы, собирал урожай, обливаясь потом на нещадно палящем солнце, и мерз, возделывая землю на ледяном северном ветру. И хотя он переписывался с Таком по почте, за четыре года к нему ни разу никто не приехал.

После досрочного освобождения Доусон вернулся в Ориентал. Он работал у Така, и во время поездок в автомагазин за запчастями, слышал, как люди шушукаются за его спиной. Он знал: он отверженный, дрянь-человек, Коул, убивший не только зятя Беннетов, но и единственного в городе врача, и чувство вины буквально душило его. В такие минуты он заходил к цветочнику в Нью-Берне, а потом отправлялся на кладбище Ориентала, где похоронили доктора Боннера. Доусон приносил на могилу цветы либо рано утром, либо поздно вечером, когда кругом почти никого не было, иногда оставался на кладбище час, иногда дольше, и все думал о жене и детях, оставшихся у доктора Боннера. В общем, он почти год провел в тени, стараясь как можно реже попадаться людям на глаза.

Однако родственнички не оставляли его в покое. Снова явившийся в гараж за данью отец привел с собой Теда. Отец был вооружен дробовиком, а Тед — бейсбольной битой, однако они просчитались, не взяв с собой Эби. Когда Доусон велел им подобру-поздорову убираться прочь, Тед сделал стремительный выпад, который, однако, оказался недостаточно быстрым: четыре года работы на полях под палящим зноем закалили Доусона, и он был готов к этой встрече. Он ломом сломал Теду нос и челюсть и, обезоружив отца, пересчитал старику ребра. Когда оба лежали на земле, Доусон, нацелив на них дробовик, предостерег от последующей встречи. Тед, подвывая, пригрозил убить его. Отец лишь ответил злобным взглядом. После этого Доусон стал спать с дробовиком и еще реже выходить из гаража. Он знал, что они могут прийти за ним в любую минуту, но судьба распорядилась иначе. Не прошло и недели, как Сумасшедший Тед ударил в баре человека ножом и сел в тюрьму. После этого папаша Доусона почему-то больше не приходил. А Доусон не задумывался почему. Он считал дни до того момента, когда наконец сможет уехать из Ориентала. Когда же окончился условный срок, он завернул дробовик в тряпку, положил его в ящик и закопал у подножия дуба на углу дома Така. Потом, погрузив вещи в машину и распрощавшись с Таком, он отправился в путь и в конце концов осел в Шарлотте. Там, устроившись на работу механиком, он по вечерам учился на сварщика в местном колледже, а позже переселился в Луизиану, где пошел работать на нефтеперерабатывающий завод, откуда и попал на буровую вышку.

После освобождения из тюрьмы Доусон жил тихо, скромно и одиноко. Он никогда не ходил в гости к друзьям: их у него просто не было. Ни с какими женщинами, кроме Аманды, он никогда не встречался, поскольку даже сейчас ни о ком другом, кроме нее, не мог думать. Подпустить кого-то к себе означало позволить человеку узнать все о своем прошлом, и эта мысль Доусону была невыносима. Это он, бывший заключенный, из семьи уголовников убил хорошего человека. Хоть Доусон и отсидел свое честно, пытаясь искупить свою вину, он знал, что никогда не простит себе содеянного.

Все ближе и ближе. Доусон подъезжал к месту гибели доктора Боннера. Он рассеянно отметил про себя, что впереди вместо деревьев на повороте теперь стоит невысокое, приземистое здание с парковкой, покрытой гравием. Не глядя в ту сторону, Доусон продолжал внимательно следить за дорогой.

Не прошло и минуты, как он уже был в Ориентале. Он пересек центр города и переехал мост, перекинутый от места соединения бухты Гринз с бухтой Смит. В детстве, скрываясь от родственников, он часто сидел у моста, наблюдая за яхтами, воображая далекие гавани, в которые они, возможно, заходят, и места, в которых ему хотелось бы однажды побывать.

Как прежде, очарованный открывшимся перед ним видом, Доусон сбросил скорость. На пристани было полно народу, на яхтах мельтешили люди, тащили кулеры, отвязывали канаты, которые удерживали их судна. Всмотревшись в кроны деревьев, Доусон по колышущимся ветвям определил, что ветер достаточно силен, чтобы идти под полными парусами вплоть до самого моря.

Он бросил взгляд на гостиницу в зеркало заднего вида, где собрался остановиться, но понял, что пока не готов войти туда. Он остановился на ближней стороне моста и вылез из машины, с наслаждением разминая затекшие ноги. Интересно, прислали уже цветы от цветочника, рассеянно подумал он, и решил, что скоро это узнает. Подъезжая к Ньюс, он вспомнил, что эта река самая широкая в Соединенных Штатах до места ее соединения с лагуной Памлико-Саунд — мало кому известный факт. Он на этом не одно пари выиграл, особенно на нефтяных вышках, где почти каждый называл Миссисипи. Даже в Северной Каролине не всем это было известно. Он узнал это от Аманды.

И тут, как всегда, его мысли вернулись к Аманде: чем она, интересно, занимается, где и как живет. В том, что она замужем, Доусон не сомневался и на протяжении долгих лет пытался представить мужчину, которого она выбрала. Доусон хорошо знал Аманду, однако ему никак не удавалось представить, как она смеется или лежит в постели с другим мужчиной. Впрочем, это не важно. От прошлого можно убежать, если найдешь что-то получше, и, наверное, именно так, по предположению Доусона, случилось у Аманды. В общем, все как у всех. У каждого человека есть в прошлом нечто, о чем он сожалеет, каждый в прошлом совершал ошибки, но ошибка ошибке рознь. Доусона она заклеймила на всю жизнь. Доусон в очередной раз задумался о докторе Боннере и его семье, жизнь которой он разрушил.

Устремив взгляд на воду, он внезапно пожалел о своем решении вернуться. Он знал, что Мэрилин Боннер до сих пор живет в городе, и ему не хотелось с ней встречаться даже случайно. И своих родственников, которые, без сомнения, узнают о его приезде, он тоже видеть не хотел.

Словом, нечего ему здесь делать. Доусон понимал, почему Так оставил распоряжение своему адвокату известить его в случае своей смерти, но никак не мог взять в толк, отчего Так хотел, чтобы он непременно приехал. Доусон снова и снова прокручивал в голове этот вопрос, но логики Така так и не мог уловить. Тот никогда не приглашал его в гости: уж кому-кому, а ему было известно, что Доусон тут оставил. И сам в Луизиану Так никогда не приезжал. И хотя Доусон регулярно писал Таку, тот ответами его не баловал. Оставалось предполагать, что у Така имелись на это какие-то свои причины, но что это за основания, оставалось неизвестно.

Доусон уж было собрался вернуться к машине, как заметил краем глаза какое-то движение. Он обернулся, тщетно выискивая источник, и впервые со времени своего спасения ему стало не по себе: он внезапно понял, что это не обман зрения, даже если его мозг не мог распознать причину. Заходящее солнце слепило, отражаясь от поверхности воды, и Доусон прищурился. Заслонив глаза от солнца, он просканировал взглядом пристань и заметил пожилого человека с женой, тащивших яхту на берег. На полпути к доку мужчина с голым торсом что-то высматривал в моторном отсеке. Он внимательно пригляделся к другим. Какая-то пара, среднего возраста возилась на палубе яхты, а группа подростков разгружала кулер после проведенного на воде дня. В дальнем конце пристани еще одна яхта отчаливала от берега, стараясь поймать предвечерний бриз, — словом, ничего необычного. И Доусон уж было собрался уйти, как вдруг заметил вдали черноволосого мужчину в синей ветровке. Стоя на краю причала, человек пристально смотрел на Доусона и, как и Доусон, загораживался от солнца. Доусон медленно опустил руку — и черноволосый человек, как в зеркале, повторил его движение. Доусон поспешно отступил назад. Незнакомец сделал то же самое. У Доусона перехватило дыхание, сердце тяжело забилось в груди.

«Сюрреализм какой-то. Этого не может быть».

Солнце приблизилось к горизонту, и рассмотреть черты незнакомца на его фоне было трудно, однако, несмотря на тусклый свет, Доусон вдруг ясно осознал, что это тот самый человек, которого он впервые увидел в океане, а потом на судне. Доусон учащенно моргал, пытаясь получше разглядеть незнакомца, но, когда его глаза наконец сфокусировались, увидел на пристани лишь очертания мачты с болтавшимися на ней изношенными канатами.

Увиденное испугало Доусона, и ему вдруг захотелось поскорее оказаться в доме Така. Когда-то он служил ему пристанищем, и Доусону вдруг вспомнилось ощущение покоя, которое он там находил. Мысль о необходимости разговаривать с посторонними в гостинице при заселении его не вдохновляла. Ему хотелось побыть в одиночестве и поразмыслить о черноволосом незнакомце. Либо сотрясение мозга оказалось серьезнее, чем подозревали врачи, либо врачи были правы насчет пережитого им стресса. Выруливая обратно на шоссе, Доусон решил еще раз провериться в Луизиане, хотя подозревал, что врачи скажут то же, что и раньше.

Отгоняя от себя тревожные мысли, он открыл окно машины и, вдыхая запах сосен и соленой воды, продолжил путь по вьющейся дороге среди деревьев. Свернув, его машина через несколько минут уже прыгала по разбитой, ухабистой дороге, ведущей к дому Така. Наконец показался дом. К удивлению Доусона, перед домом стояла «БМВ». Было очевидно, что машина принадлежала не Таку — слишком уж она была чистенькой, но главное — Так никогда бы не завел себе импортный автомобиль, и не потому, что не доверял качеству, а потому что не имел метрических инструментов для ее починки. Кроме того, Так всегда отдавал предпочтение пикапам, особенно выпущенным в 1960-х годах. За свою жизнь он восстановил их, наверное, с полдесятка и, прежде чем продать тем, кто положит на них глаз, на каждом ездил какое-то время. Таку важны были не столько деньги, сколько сама работа.

Доусон припарковался рядом с «БМВ» и вышел из машины, дивясь, как мало изменился дом. Он всегда был больше похож на хижину, еще когда Доусон здесь обитал, и всегда выглядел недостроенным и требующим ремонта. Чтобы несколько облагородить жилое пространство, Аманда както купила Таку цветок, который и по сей день стоял в углу на террасе, хотя давно увядший. Доусон помнил, как радовалась Аманда, когда они подарили Таку растение, хоть тот и плохо себе представлял, что с ним делать.

Доусон огляделся по сторонам. По ветке кизила бежала белка. С дерева посылал сигнал тревоги кардинал, и больше никого вокруг. Доусон двинулся вдоль дома по направлению к гаражу. Там, в тени сосен, было прохладнее. Завернув за угол и оказавшись на солнце, он увидел в гараже женщину. Она разглядывала машину Така, наверное, последнюю из тех старинных, над которыми он работал. Возможно, кто-то из адвокатского бюро, сразу подумал Доусон. Он уже готов был поздороваться, как вдруг женщина обернулась, и он лишился дара речи.

Даже издалека она была красивее, чем он ее помнил, и какое-то время, показавшееся Доусону вечностью, он не мог произнести ни слова. Может, это очередная галлюцинация, подумал Доусон, но, медленно закрыв, а потом открыв глаза, понял, что не прав. Она была реальная и она была здесь, в прибежище, некогда принадлежавшем им обоим.

И вот, пока Аманда смотрела на него из прошлого, Доусон внезапно понял, почему Так Хостлетер настаивал на том, чтобы он вернулся в родной город.

4

Они замерли, не в силах ни пошевелиться, ни произнести хоть слово. Но постепенно удивление сменялось узнаванием. Насколько все же реальная Аманда ярче того образа, который жил в его воспоминаниях, — это было первое, что пришло в голову Доусону. В светлых волосах Аманды золотилось предвечернее солнце, а ее голубые глаза волновали даже на расстоянии. Но чем дольше Доусон вглядывался в нее, тем явственнее становились произошедшие с ней перемены: на лице ее, уже утратившем сияние молодости, более резко обозначились скулы, глаза с едва заметными морщинками возле висков как будто немного запали. Впрочем, время было к ней более чем милосердно, подумал Доусон: с тех пор как они виделись в последний раз, Аманда превратилась в потрясающую женщину в полном расцвете своей красоты.

Аманда, в свою очередь, тоже не сводила глаз с Доусона, впитывая в себя каждую черточку того, кто находился перед ее глазами: песочного цвета рубашку, небрежно заправленную в выцветшие джинсы, что подчеркивало его по-прежнему худые бедра и широкие плечи. Его такую знакомую улыбку, темные, как и в юности, но более длинные волосы, которые на висках уже посеребрила седина. Так же, как когда-то, черные глаза Доусона словно пронзали ее насквозь, правда, сейчас в них она заметила некую настороженность, которая часто появляется у тех, кто был обманут жизнью. Наверное, оттого, что их встреча произошла здесь, в том месте, которое так много значило для них, Аманда, охваченная порывом чувства, не находила что сказать.

— Аманда? — наконец произнес Доусон, делая движение по направлению к ней.

Удивление, прозвучавшее в его голосе, больше чем что-либо еще, убедило Аманду в том, что он не плод ее воображения. «Он на самом деле здесь, — подумала она, — это действительно он». И по мере того как Доусон преодолевал разделявшее их расстояние, Аманда чувствовала, пусть это покажется фантастическим, как постепенно тают разделявшие их годы. Оказавшись рядом с Амандой, Доусон раскрыл ей свои объятия, и она с готовностью устремилась в них, как когда-то много лет назад. И Доусон, как когда-то, когда был ее возлюбленным, крепко обнял ее, и она, прильнув к нему, вновь ощутила себя восемнадцатилетней.

— Привет, Доусон, — прошептала она.

Потом они еще долго стояли, тесно прижавшись друг к другу на фоне заходящего солнца, и Доусону показалось, что Аманда дрожит. Наконец они оторвались друг от друга, но Аманда почувствовала все, о чем он ей не мог сказать.

Аманда видела, как за эти годы изменился Доусон — он превратился в мужчину. Его загорелое, обветренное лицо было лицом человека, который много времени проводит на солнце. Заметила она и его слегка поредевшие волосы.

— Какими судьбами? — спросил Доусон, касаясь руки Аманды, словно лишний раз желая убедиться, что она настоящая.

Вопрос вернул Аманду к реальности. Вспомнив о том, кто она сейчас, она отстранилась от Доусона.

— Наверное, теми, что и ты. Когда ты приехал?

— Только что, — ответил Доусон, изумляясь своему неожиданному порыву посетить дом Така, чего изначально делать не собирался. — Просто не верится, что ты здесь. Ты выглядишь... просто потрясающе.

— Спасибо. — Аманда невольно покраснела, ее щеки запылали. — Как ты узнал, что я буду здесь?

— Я не знал, — сказал Доусон. — Меня просто потянуло сюда. А потом я увидел перед домом машину, завернул за угол, и...

Доусон умолк, не договорив, и Аманда за него докончила фразу:

— ...и увидел меня.

— Да, — кивнул Доусон, в первый раз встречаясь с ней взглядом. — Увидел тебя.

Его взгляд, по-прежнему пронзительный, был устремлен на Аманду, которая отступила еще на шаг в надежде, что разговаривать на расстоянии им будет проще. В надежде, что он правильно ее поймет, она махнула рукой в сторону дома. — Ты собирался остановиться здесь?

Сощурившись, Доусон, посмотрел на дом и снова обернулся к Аманде:

— Нет, у меня номер в городской гостинице. А ты?

— Я остановлюсь у мамы. — Заметив недоумение на лице Доусона, Аманда пояснила: — Папа умер одиннадцать лет назад.

— Прости, — извинился Доусон.

Аманда лишь кивнула. Этот жест был хорошо знаком Доусону. Именно так она делала раньше, когда хотела закрыть тему. Взглянув на гараж, Доусон направился к нему.

— Ты не против? — спросил он. — Ведь я тут не был много лет.

— Конечно, — проговорила Аманда. — Иди.

Когда Доусон отдалился, Аманда почувствовала, как с ее плеч свалился груз, хотя до этого даже не подозревала, насколько она напряжена. Доусон заглянул в тесную захламленную мастерскую, провел рукой по верстаку, потрогал заржавленную монтировку. Он неспешно бродил по гаражу, оглядывал дощатые стены, крышу, крепленную на балках без потолка, стальной бочонок в углу, куда Так сливал излишки масла. Гидравлический домкрат и ящик для инструментов с защелкой стояли вдоль задней стены. Перед ними возвышалась груда покрышек. Напротив верстака располагались электронный шлифовальный станок и сварочное оборудование. В углу возле краскораспылителя был установлен пыльный вентилятор, лампочки висели на проводах, и везде, куда ни глянь, валялись запчасти.

— Тут, кажется, все, как прежде, ничего не изменилось, — заметил Доусон.

Аманда — ее все еще немного трясло — прошла за ним в глубь гаража, стараясь не приближаться к Доусону.

— Скорее всего. Так очень трепетно относился к своим инструментам, всегда их раскладывал по местам. Особенно эта щепетильность у него усилилась в последние годы. Наверное, память стала ему изменять.

— Я вообще не понимаю, как он еще ремонтировал машины в таком возрасте.

— Ну, объемы работ были уже не те. Он делал одну-две машины в год, и то если знал, что справится. Никаких крупномасштабных реставраций, ничего такого. Это первая машина, которую я здесь вижу за последнее время.

— Ты так говоришь, будто часто у него бывала.

— Да нет в общем-то. Приезжала раз в несколько месяцев. А до этого мы долгое время не поддерживали связи.

— Он никогда не упоминал о тебе в письмах, — задумчиво проговорил Доусон.

— Он и о тебе никогда со мной не заговаривал, — пожала плечами Аманда.

Кивнув, Доусон снова обратил внимание на верстак. Там на краю лежала аккуратно сложенная бандана Така. Взяв ее в руки, Доусон постучал пальцем по верстаку.

— Смотри, здесь сохранились инициалы, которые я вырезал тогда. И твои тоже.

— Я знаю, — сказала Аманда. Она также знала, что под инициалами вырезано слово «навеки». Она стояла, скрестив руки на груди, стараясь не смотреть на ладони Доусона. Сильные и натруженные руки рабочего человека, они все же оставались тонкими и изящными.

— Просто не верится, что его больше нет, — проговорил Доусон.

— Точно.

— Говоришь, память начала ему изменять?

— В основном по мелочам. Учитывая его возраст и то, сколько он выкуривал, можно сказать, что чувствовал он себя неплохо, когда мы виделись с ним последний раз.

— Когда это было?

— Где-то в конце февраля.

Доусон махнул рукой в сторону «стингрея»:

— Тебе что-нибудь известно о нем?

Аманда отрицательно покачала головой.

— Только то, что Так его ремонтировал. В его планшете ничего не разобрать, кроме расписания работ с машиной и имени владельца. Планшет вон там.

Доусон нашел листок заказа и, прежде чем осмотреть машину, внимательно прочитал написанное. Аманда наблюдала, как Доусон открывает капот и склоняется над машиной. Как при этом на его плечах натягивается рубашка. Аманда отвернулась, не желая, чтобы Доусон заметил, как она смотрит на него. В следующую минуту внимание Доусона переключилось на верстак. Он открывал крышки, хмуро кивая, перебирал запчасти.

— Странно, — проговорил он.

— Что странно?

— Не похоже это на реставрацию. Он ремонтировал в основном двигатель и связанные с ним детали: карбюратор, сцепление, еще кое-что. Наверное, он ждал, когда привезут запчасти. В случае со старыми машинами на это иногда требуется довольно много времени.

— Что это значит?

— Это значит, кроме всего прочего, что владелец автомобиля на нем из гаража не уедет.

— Я попрошу адвоката связаться с владельцем. — Аманда откинула в сторону упавшую на глаза прядь волос. — Мне все равно с ним встречаться.

— С адвокатом?

— Да, — кивнула Аманда. — Это он сообщил о смерти Така и сказал, что мое личное присутствие очень важно.

Доусон захлопнул капот.

— А его имя, случайно, не Морган Тэннер?

— Ты его знаешь? — удивилась Аманда.

— Нет, просто у меня с ним завтра тоже встреча.

— Во сколько?

— В одиннадцать. Судя по всему, как и у тебя?

Потребовалось еще несколько секунд, чтобы Аманда сообразила то, что Доусон уже понял: Так, очевидно, уже давно планировал это маленькое воссоединение. Если бы они не встретились здесь, у Така, то обязательно встретились бы завтра. Когда разработанный Таком план стал ясен Аманде, она вдруг поймала себя на мысли, что не знает, что бы она с большим удовольствием сделала, будь это возможно, — шлепнула бы Така по руке или, наоборот, расцеловала бы его за это.

Должно быть, ее чувства отразились у нее на лице, потому что Доусон сказал:

— Ты, как я вижу, не понимаешь, что затеял Так.

С дерева сорвалась стая скворцов. Аманда проследила взглядом, как они, поднявшись в небо, полетели, меняя направление, рисуя в небе какие-то абстрактные узоры. Когда Аманда вновь обратила лицо к Доусону, тот стоял, привалившись к верстаку. Его лицо наполовину скрывала тень. Как легко ей было здесь, в окружении воспоминаний, увидеть Доусона молодым. Однако она вовремя напомнила себе, что теперь у них разные судьбы, что они, по сути, чужие люди.

— Давно это было, — прервал наконец молчание Доусон.

— Давно.

— У меня тысяча вопросов.

— Всего тысяча? — приподняла бровь Аманда.

Доусон рассмеялся, и Аманда расслышала в его смехе нотку горечи.

— У меня тоже есть вопросы, — продолжила она, — но, прежде чем я начну спрашивать... тебе следует знать, что я замужем.

— Я знаю, — ответил Доусон. — Видел твое обручальное кольцо. — Он зацепился большим пальцем за карман джинсов, прислонился к верстаку и скрестил ноги. — Как давно ты замужем?

— В следующем году будет двадцать лет.

— Дети есть?

Аманда помедлила с ответом, вспоминая Бею: она никогда не знала, как отвечать на этот вопрос.

— Трое, — в конце концов сказала она.

Ее нерешительность озадачила Доусона, и он не понимал, с чем она связана.

— А твой муж? Он бы мне понравился?

— Фрэнк? — Аманда вспомнила свои тягостные разговоры с Таком о Фрэнке и задумалась, много ли уже известно Доусону. Не то чтобы она не доверяла Таку, поверяя свое самое сокровенное, просто она вдруг почувствовала, что Доусон сразу поймет, лжет она или нет. — Мы давно вместе.

Доусон задумался над ее словами, затем оттолкнулся от верстака и мимо Аманды упругой, спортивной походкой направился к дому.

— Так ведь дал тебе ключ? Я бы выпил чего-нибудь.

Аманда удивленно заморгала.

— Постой! Ты это знаешь от Така?

— Нет, — оглянулся на ходу Доусон.

— Тогда откуда?

— Знаю, потому что мне он ключа не присылал, а у кого-то из нас он должен быть.

Аманда постояла еще какое-то время на месте, размышляя и пытаясь осмыслить сказанное, и наконец двинулась за ним следом.

Доусон легко взлетел по лестнице на террасу и остановился у двери. Аманда выудила из сумки ключ и, проскользнув мимо Доусона, вставила ключ в скважину. Дверь со скрипом открылась.

Внутри царила приятная прохлада, и создавалось ощущение, что дом является продолжением леса: кругом были дерево, земля и натуральные краски. Обшитые деревом стены и сосновый пол с годами потускнели и потрескались, а коричневые шторы не могли скрыть щелей под окнами, в которые просачивалась вода. Подлокотники и подушки на клетчатом диване протерлись почти до дыр. Ступка на камине лопнула, а кирпичная кладка камина почернела, напоминая обугленные останки тысяч бушевавших пожаров. Возле двери располагался маленький столик со стопкой фотоальбомов и магнитофоном, по возрасту, наверное, превосходивший Доусона, а также шаткий стальной вентилятор. В воздухе ощущался застаревший запах табака. Открыв окно, Доусон включил вентилятор, и тот с шумом заработал, слегка подрагивая у основания.

Аманда встала у камина, разглядывая фотографию на полке: Так с Кларой в двадцать пятую годовщину их брака.

Доусон подошел к Аманде.

— Помню, как я в первый раз увидел этот снимок, — неуверенно начал он. — Я уже жил у Така в гараже около месяца, и только тогда он впервые впустил меня к себе в дом. Я тогда спросил его об этой женщине, поскольку не знал, что он был женат.

Аманда чувствовала исходящее от Доусона тепло, но старалась не сосредотачиваться на этом.

— Как ты мог не знать, кто это?

— Я тогда был мало знаком с Таком и практически не разговаривал с ним, пока в тот вечер не переступил порог его дома.

— А почему ты пришел сюда?

— Сам не знаю, — покачал головой Доусон. — И понятия не имею, почему Так позволил мне здесь остаться.

— Наверное, он хотел, чтобы ты остался.

— Это он тебе сказал?

— Не напрямую. Но ты появился здесь вскоре после смерти Клары, и думаю, в тот момент именно ты был нужен Таку.

— Я всегда считал, что он принял меня лишь потому, что в тот вечер порядком выпил.

Аманда порылась в памяти.

— Так ведь не пил?

Доусон коснулся простой деревянной рамки фотографии, словно до сих пор не мог понять, что теперь мир существует без Така.

— Это было до того, как ты с ним познакомилась. Тогда он любил заведение «Джим Бим» и, бывало, еле доползал до гаража с полупустой бутылкой в руке. Обычно после этого он вытирал лицо банданой и предлагал мне поискать себе другое место. Первые шесть месяцев, что я жил здесь, он повторял мне это, наверное, каждый вечер. А по ночам я лежал без сна, все думая об этом и надеясь, что наутро он забудет сказанное мне накануне. В один прекрасный день он пришел трезвым и никогда больше мне этого не говорил. — Доусон повернулся к Аманде. Их лица разделяли всего какие-то несколько дюймов. — Он был очень хорошим человеком, — проговорил Доусон.

— Да, — кивнула Аманда. Доусон стоял к ней очень близко, так, что она чувствовала его запах — мыло и мускус. Слишком близко. — Мне его тоже не хватает.

Она отошла в сторону, увеличивая расстояние, и принялась теребить одну из потертых думок на диване. Солнце за окнами стремительно падало за деревья, сгущая в крошечной комнатке сумерки.

— Хочешь пить? — откашлявшись, спросил Доусон. — У Така должен быть сладкий чай в холодильнике.

— Так вроде не пил сладкий чай. Но пепси у него, наверное, есть.

— Давай посмотрим, — сказал Доусон, направляясь на кухню.

Движения его тренированного тела были чрезвычайно привлекательны, и Аманда даже тряхнула головой, чтобы не поддаться наваждению.

— Ты уверен, что мы можем это делать?

— Я почти уверен, что Так ничего не имел бы против.

Кухня, впрочем, как и гостиная, словно бы застыли, будучи помещены в некую капсулу, где время остановилось. Все кухонные приборы были куплены в сети магазинов «Сирс-Робак» 1940-х годов, в том числе и тостер размером с микроволновку, и квадратный холодильник с защелкой. Деревянная столешница рядом с мойкой почернела от воды, а белая краска на шкафах возле ручек облупилась. На выцветших, серовато-желтых от времени шторах с цветочным рисунком, повешенных, очевидно, еще Кларой, виднелись пятна от дыма сигарет Така. Под ножку маленького круглого стола на двоих, чтобы он не шатался, были подложены салфетки. Доусон нажал на ручку холодильника и вытащил оттуда кувшин чаю. Аманда вошла как раз в тот момент, когда он устраивал кувшин с чаем на стойку.

— Как ты узнал, что у Така есть сладкий чай? — спросила она.

— Так же, как и то, что ключи у тебя, — ответил Доусон, доставая из шкафа пару стаканов.

— И все же?

Доусон разлил чай по стаканам.

— Так был уверен, что мы приедем сюда с тобой и, зная, что я люблю сладкий чай, приготовил его мне заранее.

«Конечно, все было именно так. То же с адвокатом», — подумала Аманда. Но Доусон прервал ход ее мыслей, предложив чаю. Она приняла его, и их пальцы соприкоснулись.

— За Така, — приподнял Доусон стакан в руке.

Они соединили свои стаканы, и Аманда почувствовала, как прошлое тянет ее назад. Вот он, Доусон, рядом с ней, его прикосновение взволновало ее, и кроме них двоих в доме больше никого — все это казалось невозможно вынести. Какой-то внутренний голос призывал ее быть осмотрительной, не сулил ничего хорошего и напоминал, что у нее муж и дети. Однако это смущало ее больше.

— Значит, двадцать лет? — наконец произнес Доусон.

Он имел в виду ее брак, но пребывавшая в рассеянности Аманда не сразу поняла, о чем он.

— Почти. А ты? Был женат?

— Наверное, мне не суждено.

Аманда пристально посмотрела на него поверх стакана.

— Все никак не нагуляешься?

— Пока мне хорошо одному.

Прислонившись к стойке, Аманда задумалась, как толковать его слова.

— А где твой дом?

— В Луизиане. Рядом с Новым Орлеаном.

— Тебе там нравится?

— Нормально, не жалуюсь. Когда я приехал сюда, то понял, насколько Луизиана похожа на родину. Правда, здесь больше сосен, а там сплошной мох, но в общем разница незначительная.

— Не считая аллигаторов.

— Пожалуй. — Доусон слабо улыбнулся. — Теперь твоя очередь. Где ты живешь?

— В Дареме. Вышла замуж и осталась там.

— И наезжаешь сюда по нескольку раз в год повидаться с мамой?

Аманда кивнула.

— Когда был жив папа, а дети еще не выросли, родители приезжали к нам. Но когда папа умер, все усложнилось. Мама никогда не любила водить машину, поэтому я теперь езжу сама. — Она сделала глоток чаю и кивнула на стул: — Ничего, если я присяду? Ноги болят.

— Да, как хочешь. А я, пожалуй, постою — устал весь день сидеть в самолете.

Аманда взяла стакан и, ощущая на себе взгляд Доусона, направилась к стулу.

— Чем ты занимаешься в Луизиане? — поинтересовалась она, опускаясь на стул.

— Я рабочий-нефтяник на буровой вышке, что-то вроде помощника мастера. Завожу бурильную трубу в подъемник и вывожу ее оттуда. Моя задача убедиться, что все соединения, все насосы в исправности, чтобы не было сбоев в работе. Наверное, тебе все это трудно представить — ведь ты никогда не была на нефтяной вышке. Но это не объяснить, это можно только увидеть.

— Как это мало связано с ремонтом машин.

— На самом деле моя работа с ремонтом машин имеет гораздо более тесную связь, чем ты думаешь. Я работаю в основном с двигателями и машинами. И по-прежнему ремонтирую автомобили, по крайней мере в свободное от работы время. Мой фастбэк бегает как новенький.

— Ты до сих пор на нем ездишь?

— Нравится мне эта машина, — улыбнулся Доусон.

— Нет, — покачала головой Аманда, — она тебе не нравится — ты ее любишь. Когда-то мне приходилось буквально отрывать тебя от нее. И в половине случаев мне это не удавалось. Странно, что ты не носишь ее фотографию в бумажнике.

— Ношу.

— Правда?

— Я пошутил.

Аманда легко и свободно рассмеялась, напомнив Доусону былые времена.

— И как долго ты работаешь на буровых?

— Четырнадцать лет. Начинал разнорабочим, потом получил квалификацию рабочего и вот теперь рабочий буровой.

— От разнорабочего к рабочему, а потом до рабочего буровой?

— Ну что на это сказать? Такая у нас в океане терминология. — Доусон с отсутствующим видом ковырнул пальцем желобок, вырезанный на старинной стойке. — А ты? Ты, кажется, хотела стать учителем.

Аманда, сделав глоток, кивнула.

— Я преподавала один год, а потом родился старший сын Джаред, и я стала домохозяйкой. Затем родилась Линн, а позже... позже много чего случилось, в том числе умер отец — очень тяжелое было время. — Она сделала паузу, сознавая, как много недоговаривает, но при этом она понимала, что говорить о Бее не время и не место. Аманда выпрямилась и продолжила ровным голосом: — Через пару лет у нас родилась Аннет, и тогда мне уже не было смысла возвращаться на работу. Но последние десять лет я бесплатно работаю в больнице Университета Дьюка, устраиваю для них благотворительные обеды. Бывает тяжело, но мне это дает возможность почувствовать свою нужность.

— Сколько сейчас твоим детям?

Аманда посчитала, загибая пальцы.

— Джареду в августе будет девятнадцать, он окончил первый курс колледжа, Линн семнадцать, она пойдет в последний класс, Аннет девять, она отучилась в третьем классе — милая и веселая девочка. Джаред и Линн в том возрасте, когда им кажется, будто они все знают, ну а я, конечно же, ничего не понимаю.

— Иными словами, они того возраста, что и мы с тобой тогда?

Аманда погрустнела.

— Возможно.

Доусон умолк, глядя в окно. Аманда проследила за его взглядом. Вода в бухте приобрела металлический оттенок. В медленно движущихся водах отражалось темнеющее небо.

Старый дуб на берегу не изменился с тех пор, как Доусон видел его последний раз, но от сгнившего дока остались лишь сваи.

— Здесь живет много воспоминаний, Аманда, — тихо проговорил Доусон.

Может, дело в том, как прозвучал его голос, но от его слов внутри у Аманды что-то щелкнуло, словно в скважине какого-то далекого замка повернулся ключ.

— Это правда, — наконец проговорила Аманда и умолкла, обхватив себя руками.

Какое-то время тишину кухни нарушал лишь шум работающего холодильника. Лампа над головой окрашивала стены в желтоватый цвет, на фоне которого профили Доусона и Аманды выглядели абстрактными изображениями.

— Как долго ты пробудешь здесь? — наконец поинтересовалась она.

— У меня самолет рано утром в понедельник. А ты?

— Я обещала Фрэнку вернуться в воскресенье. Однако мама считает, что мне можно уехать в Дарем раньше, что ехать на похороны не обязательно.

— Почему?

— Она не любила Така.

— Ты хочешь сказать — меня?

— Тебя она никогда не знала, — возразила Аманда. — И поэтому не давала тебе шанса. У нее всегда были свои соображения насчет того, как мне жить. При этом мои пожелания никогда не брались в расчет. Даже сейчас она мне, уже взрослому человеку, пытается указывать, что делать. Ни на йоту не изменилась. — Аманда протерла запотевший стакан. — Как-то несколько лет назад я совершила ошибку —

призналась ей, что заезжала к Таку. И она отчитывала меня за это, будто я совершила какое-то преступление, все допытывалась, зачем я к нему ходила, о чем мы разговаривали, бранила меня как маленькую. После этого я перестала ей рассказывать о встречах с Таком — говорила, что ездила по магазинам или повидаться с подругой Мартой на пляже. Мы с Мартой были соседками по комнате, когда учились в колледже, она и сейчас живет в Солтер-Пат, правда, мы не виделись уже много лет, хотя в курсе дел друг друга. Не хочу отчитываться перед матерью, поэтому приходится лгать.

Обдумывая слова Аманды, Доусон сделал внушительный глоток чаю и уставился на жидкость в стакане.

— Пока добирался сюда, вспоминал об отце, каким он был деспотом. Никакого сравнения с твоей мамой. Она таким образом просто пытается удержать тебя от ошибки.

— Хочешь сказать, навещать Така было ошибкой?

— Не для Така, конечно, — пояснил Доусон. — Возможно, для тебя? Все зависит от того, чем ты руководствовалась, и только ты можешь ответить на этот вопрос.

Аманда почувствовала, что занимает оборонительную позицию, но это ощущение быстро прошло, напомнив ей, что подобные стычки у них с Доусоном представляли собой обычную манеру общения. Оказывается, ей так этого не хватало — нет, не ссор, а того доверительного отношения, которое подразумевал спор, и прощения, которое неизбежно следовало за размолвкой. Ведь они в конце концов всегда находили общий язык.

Где-то в глубине души Аманда подозревала, что Доусон проверяет ее, но предпочла оставить свои мысли при себе.

Вместо этого она неожиданно для самой себя спросила, перегнувшись через стол:

— Где ты ужинаешь сегодня?

— Не знаю. А что?

— Тут в холодильнике есть стейки. Если хочешь, поужинаем здесь вместе.

— А как же твоя мама?

— Позвоню ей и скажу, что я задержалась.

— Ты уверена, что это хорошо?

— Не уверена, — призналась Аманда. — Я сейчас вообще ни в чем не уверена.

Потирая большим пальцем руки стекло, Доусон молча и внимательно смотрел на Аманду.

— Хорошо, — кивнул он. — Пусть будут стейки. Если только они не испортились.

— Их доставили в понедельник, — сказала Аманда, вспоминая слова Така. — Гриль за домом, если хочешь приступить к делу.

Минуту спустя Доусон вышел на улицу. Но она все равно чувствовала его присутствие в доме, даже когда достала из сумочки свой телефон.

5

Подготовив угли, Доусон вернулся в дом за стейками, которые Аманда уже полила маслом и приправила специями. Открыв дверь, он увидел, что она с банкой свинины с фасолью в руке стоит и с отсутствующим видом смотрит в шкаф.

— В чем дело?

— Ищу что-нибудь к стейку, но ничего, кроме этого, нет, — ответила Аманда, демонстрируя банку в руке. — Негусто.

— И какой у нас выбор? — спросил Доусон, моя руки под краном.

— Кроме фасоли, есть мамалыга, бутылка соуса для спагетти, блинная мука, полупустая коробка рожков и сухой завтрак. В холодильнике масло и специи. Ну и сладкий чай, конечно.

Доусон стряхнул воду с рук.

— Сухой завтрак пойдет.

— Я, пожалуй, выберу рожки, — сказала Аманда, закатывая глаза. — А ты разве не должен сейчас на улице жарить стейки?

— Должен, — ответил Доусон. Аманда подавила улыбку, наблюдая краем глаза, как он взял тарелку и вышел, тихо прикрыв за собой дверь.

На небе, окрасившемся в густые пурпурные тона, высыпали звезды. Бухта за спиной Доусона выглядела черной лентой, а верхушки деревьев уже начинали серебриться в свете постепенно восходящей луны.

Аманда налила в кастрюлю воды, бросила туда немного соли, включила конфорку и достала из холодильника масло. Как только вода закипела, она высыпала туда рожки и, поискав дуршлаг, наконец обнаружила его в глубине шкафа у плиты.

Когда рожки сварились, она слила воду и снова положила их в кастрюлю, приправив сливочным маслом, чесночным порошком, солью и перцем, после чего быстро разогрела банку с фасолью. Как только ее приготовления были закончены, с улицы с тарелкой вернулся Доусон.

— Пахнет замечательно, — объявил он, не скрывая удивления.

— Сливочное масло и чеснок, — кивнула Аманда. — Беспроигрышный вариант. А как стейки?

— Один с кровью, другой — средней прожарки. У меня и тот и другой получаются хорошо, но я не знаю, что предпочтешь ты. В любой момент могу дожарить.

— Среднепрожаренный сойдет, — согласилась Аманда.

Доусон поставил тарелку на стол и стал шарить по шкафам и ящикам, доставая тарелки, стаканы и прочие принадлежности. В открытом буфете Аманда заметила два бокала для вина и вспомнила, что Так ей сказал во время их последней встречи.

— Хочешь бокал вина? — спросила она Доусона.

— Только если ты составишь мне компанию.

Кивнув, Аманда открыла буфет, о котором говорил Так, и увидела две бутылки. Она достала одну и откупорила, а Доусон тем временем закончил накрывать на стол. Разлив вино по бокалам, Аманда передала один из них Доусону.

— В холодильнике бутылка соуса для стейка, если хочешь, — предложила она.

Доусон нашел соус, а Аманда выложила рожки в одну миску, а фасоль в другую. Они с Доусоном подошли к столу. Разглядывая накрытый стол, Аманда заметила, как тихо поднимается и опускается грудь Доусона. Прерывая молчание, он взял бутылку вина со стойки, и Аманда, качнув головой, опустилась на свой стул.

Она пригубила вино, смакуя задержавшееся во рту послевкусие, и разложила еду по тарелкам. Доусон застыл, уставившись на свою порцию.

— Что-то не так? — нахмурилась Аманда.

Звук ее голоса вернул Доусона к действительности.

— Просто пытаюсь припомнить, когда вот так последний раз ел.

— Ты имеешь в виду стейк? — переспросила Аманда, разрезая мясо и подцепляя вилкой первый кусок.

— Да, все вообще, — пожал плечами Доусон. — На вышке я питаюсь в кафетерии с ребятами, а дома один и, как правило, готовлю что-то примитивное.

— А когда выходишь куда-нибудь? В Новом Орлеане полно мест, где можно хорошо поесть.

— Я почти не бываю в городе.

— Даже когда встречаешься с женщинами? — спросила Аманда, продолжая есть.

— Я ни с кем не встречаюсь, — сказал Доусон.

— Совсем?

Доусон начал разрезать стейк.

— Совсем.

— Почему?

Доусон почувствовал на себе изучающий, выжидающий взгляд Аманды, и заерзал на стуле.

— Мне так лучше, — заявил он.

Аманда замерла на полпути, так и не донеся вилку до рта.

— Надеюсь, это не из-за меня?

— Не знаю, что ты хочешь от меня услышать, — ровным голосом проговорил Доусон.

— Не хочешь же ты сказать, что... — начала она.

Но Доусон промолчал, и она предприняла еще одну попытку:

— Ты что, серьезно хочешь сказать, что... что ни с кем не встречался после того, как мы расстались?

Доусон опять промолчал, и Аманда отложила вилку. Она почувствовала, как в ее голосе появляется раздражение.

— По-твоему, это из-за меня... из-за меня твоя жизнь сложилась подобным образом?

— Я опять не понимаю, чего ты от меня хочешь.

— Я тоже не понимаю, как реагировать на твои слова, — сощурилась Аманда.

— Что ты имеешь в виду?

— А то, что из твоих слов можно заключить, будто я причина твоего одиночества. Что... это моя вина. Знаешь, как я после этого себя чувствую?

— Я не имел в виду ничего такого. Просто...

— Понятно, что ты имел в виду, — огрызнулась Аманда. — И вот что я тебе скажу. Мы любили друг друга, но нам не суждено было быть вместе, наши отношения завершились. Но моя жизнь на этом не закончилась. И твоя тоже. — Она прижала ладони к столу. — Неужели ты думаешь, что я уеду отсюда с легким сердцем, зная, что ты остаток своей жизни проведешь в одиночестве из-за меня?

— Я не просил у тебя сочувствия.

— Тогда зачем так говорить?

— Да я, по сути, ничего не сказал, — ответил Доусон. — Кажется, даже не вполне ответил на твой вопрос. Ты сама читаешь в моих словах то, что хочешь.

— Значит, я не права?

Вместо ответа Доусон взялся за нож.

— Тебе, наверное, известна истина: если не хочешь услышать что-то неприятное, не спрашивай об этом.

Доусону всегда удавалось ответить вопросом на вопрос, и она не сдержалась:

— Ну даже если это и так, не во мне дело. Хочешь погубить свою жизнь — пожалуйста. Кто я такая, чтобы учить тебя?

Доусон, к удивлению Аманды, рассмеялся.

— Отрадно видеть, что ты нисколечки не изменилась.

— Изменилась, уж поверь.

— Не кардинально. У тебя до сих пор что на уме, то и на языке. Даже если речь идет о моей загубленной жизни.

— Тебе обязательно нужно это от кого-то услышать.

— Тогда я попытаюсь облегчить твою совесть. Я тоже не изменился и сейчас один, потому что всегда был одиночкой. До нашего знакомства я всеми силами старался держаться подальше от своей полоумной семейки. А когда я обосновался здесь, Так иногда по нескольку дней мог не разговаривать со мной, а уж после твоего отъезда я попал в исправительную колонию Каледония. Оттрубив свой срок, я уехал из города, потому что все меня сторонились. А на буровой я работаю вахтовым методом, что не очень-то располагает к постоянным отношениям — и это, пожалуй, главная причина. Конечно, некоторые пары легко переживают постоянные разлуки, но есть и такие, что не могут так жить. Мне просто удобнее быть одному, и потом, я к этому уже привык.

— Хочешь знать, верю ли я тебе? — обдумав его слова, спросила Аманда.

— Пожалуй, не хочу.

Аманда невольно рассмеялась.

— Можно тогда задать тебе еще один вопрос? И если не захочешь отвечать, не надо.

— Спрашивай все, что хочешь, — сказал Доусон, положив в рот кусочек стейка.

— Что тогда произошло в ночь аварии? До меня дошли только какие-то отрывки слухов от мамы, но толком я ничего не знаю.

Доусон молча прожевал, прежде чем ответить.

— Да в общем-то нечего рассказывать, — наконец проговорил он. — Так заказал покрышки для «импалы», которую реставрировал, но их по какой-то причине доставили в магазин в Нью-Берне. И я должен был съездить за ними. В этот день прошел дождь, и когда я возвращался обратно, уже стемнело.

Доусон сделал паузу, в очередной раз пытаясь отыскать смысл там, где его нет.

— Мне навстречу шла машина, и парень нажал на газ. А может, это была женщина, не знаю. Как бы то ни было, а машина выехала мне навстречу перед самым моим носом и мне ничего не оставалось, как резко вывернуть руль. Потом я только помню, как он пролетел мимо меня, а мой пикап наполовину съехал с дороги. Доктора Боннера я заметил, но... — Картина случившегося до сих пор была жива в памяти Доусона, она всегда сопровождала его как некая изощренная пытка. — Все происходило как в замедленной съемке. Я ударил по тормозам, продолжая крутить руль, но дорога и трава были мокрыми, а потом...

Доусон умолк. Аманда дотронулась до его руки.

— Это был несчастный случай, — прошептала она.

Доусон по-прежнему молчал. Но вот он двинул ногой, нарушив тишину, и Аманда смогла задать вопрос, который напрашивался сам собой:

— Почему тебя посадили, если ты не пил за рулем и не превышал скорости?

Доусон пожал плечами, и тогда Аманда поняла, что сама уже знает ответ. Ей все стало ясно.

— Мне жаль, — проговорила она, хотя эти слова не могли передать и малой части того, что она чувствовала.

— Меня не нужно жалеть, — сказал Доусон. — В этой ситуации сочувствия заслуживает семья доктора Боннера. Из-за меня он не вернулся домой. Из-за меня его дети выросли сиротами, а его жена осталась вдовой.

— Ну, этого ты не знаешь, — возразила Аманда. — Может быть, она снова вышла замуж.

— Не вышла, — сказал Доусон. И прежде чем Аманда поинтересовалась, откуда ему это известно, Доусон снова принялся за еду. — А как ты? — спросил он, так резко закрывая тему, что Аманда даже пожалела о затеянном ею разговоре. — Расскажи, что происходило в твоей жизни с тех пор, как мы последний раз виделись.

— Не знаю даже, с чего начать.

Доусон взял бутылку и подлил вина в бокалы.

— Как колледж?

Аманда сдалась и рассказала Доусону обо всем, правда, поначалу в общих чертах, а он внимательно слушал ее, по ходу задавая вопросы, вытягивая из Аманды все новые и новые подробности. Слова лились словно сами собой. Аманда рассказывала о своих соседках по комнате, о занятиях и преподавателях, вдохновлявших ее. Она призналась, что преподавательская работа разочаровала ее, наверное, потому, что она даже после окончания колледжа долгое время все еще чувствовала себя студенткой. Когда она описывала их знакомство с Фрэнком, то при упоминании его имени почувствовала странные угрызения совести, а потому в дальнейшем больше не повторялась. Она вела речь о своих друзьях, о совершенных ею путешествиях, но в основном о детях, об их характерах, трудностях, с которыми она сталкивалась при воспитании, стараясь, однако, не хвастаться их успехами.

Одновременно Аманда расспрашивала Доусона о его работе на буровой, о его жизни дома, но он снова переводил разговор на ее проблемы. Было видно, что его на самом деле интересует все, что связано с Амандой, и поэтому у нее возникло странное ощущение, что этот длинный разговор обо всем и ни о чем конкретно — продолжение некогда прерванной беседы.

Позже она попыталась вспомнить, когда же они с Фрэнком последний раз разговаривали вот так или ходили куда-то вдвоем. Теперь, оставаясь с ним один на один, Аманда могла лишь слушать монолог мужа, время от времени попивающего из бутылки. И все их разговоры — исключительно деловые — касались только детей, семейных проблем и способов их решения. Фрэнк редко интересовался делами Аманды, впрочем, как и ею самой. Что ж, это обычное дело при длительном браке: все уже давно обсудили, и нет новых тем для разговоров. Но их связь с Доусоном была совершенно иной, Аманда была уверена в этом, что заставляло ее задуматься, как развивались бы их отношения. Хотелось бы надеяться, что не так, как с Фрэнком, но кто может об этом знать.

Они никак не могли наговориться и очнулись, когда было далеко за полночь и в окно расплывшимися пятнами уже смотрели звезды. Поднявшийся ветерок шелестел листвой, вызывая в памяти рокот океанских волн. Бутылка опустела, и вино согрело и успокоило Аманду. Доусон собрал тарелки и принялся мыть посуду, а Аманда, стоя рядом, ее вытирала. Иногда, принимая от него тарелку, Аманда ловила на себе изучающий взгляд Доусона. И в эти моменты она испытывала странное ощущение, что они с Доусоном никогда не теряли связи, хотя большую часть жизни они прожили вдали друг от друга.

Когда дела на кухне были закончены, Доусон поманил Аманду к двери черного хода.

— У тебя есть несколько минут?

Взглянув на часы, Аманда подумала, что пора бы уже идти, но согласилась подождать:

— Только несколько минут.

Она проскользнула через дверь, открытую перед ней Доусоном, и начала спускаться по скрипучей деревянной лестнице. Взошедшая наконец луна осветила окружающий пейзаж, наделив его странной, экзотической красотой. Землю покрывало серебристое одеяло росы, которая проникала внутрь открытых туфель Аманды. Сильно пахло соснами. Звук шагов заглушал стрекот кузнечиков и шепот листвы.

В воде отражался раскидистый старый дуб, росший у самого берега, часть которого размыло рекой, и поэтому до ветвей дерева стало невозможно добраться, не промочив ноги. Доусон с Амандой остановились.

— Вот здесь мы с тобой обычно сидели, — сказал Доусон.

— Да, это наше место, — проговорила Аманда. — Сюда я приходила после ссор с родителями.

— Подожди. Разве уже тогда у тебя с родителями были нелады? — изобразил изумление Доусон. — Надеюсь, не из-за меня?

Аманда слегка толкнула его плечом.

— Ну и смешной же ты. Мы с тобой обычно забирались на это дерево, и я плакала и возмущалась, а ты обнимал меня, терпеливо, не перебивая, слушал мои жалобы на то, как все несправедливо на этом свете. Потом я успокаивалась. Наверное, я тогда все чересчур трагично воспринимала, как ты думаешь?

— Я этого не заметил.

Аманда подавила вздох.

— А помнишь, как над водой летала кефаль? — Рыбы иногда бывало так много, что это напоминало некое феерическое зрелище.

— Уверен, что и сегодня будет то же.

— Однако это уже будет не так, как раньше. Когда мы с тобой приходили сюда, тогда мне не терпелось увидеть рыбу в полете. А она, в свою очередь, будто знала, что мне нужно нечто особенное, чтобы почувствовать себя лучше.

— А я думал, это моя заслуга.

— Нет, исключительно кефали, — поддразнила его Аманда.

Доусон улыбнулся.

— Вы когда-нибудь приходили сюда с Таком?

Аманда отрицательно покачала головой.

— Этот склон для него крутоват. Я приходила одна. Точнее, пыталась.

— Это как понимать?

— Мне хотелось убедиться, что я буду чувствовать здесь то же, что и раньше, но сюда я так и не дошла. Нет, ничего особенного со мной по пути не случилось. Но я вдруг подумала, что мне в лесу может встретиться кто угодно, и мое воображение... разыгралось. Короче, одинокой женщине в случае чего надеяться не на кого. Я развернулась и ушла и больше подобных попыток не делала.

— До настоящего момента.

— Но теперь я не одна. — Аманда тщетно всматривалась в маленькие водовороты на поверхности воды, надеясь заметить выпрыгнувшую рыбину. — Не верится, что прошло столько лет, — пробормотала она. — Как мы были молоды.

— Да я бы не сказал, что уж очень молоды. — Голос Доусона прозвучал тихо, но уверенно.

— Мы были детьми, Доусон. Конечно, тогда мы себя таковыми не считали, но когда у тебя появляются собственные дети, все видится совсем по-другому. Моей Линн сейчас семнадцать, но я представить себе не могу, что она может чувствовать то же, что я тогда. Ведь у нее даже парня нет. И если бы она по ночам бегала на свидания через окно, я бы, наверное, тоже действовала, как мои родители.

— Это если бы ее парень тебе не нравился?

— Даже если бы я считала, что он для нее идеальная пара. — Аманда повернулась к Доусону лицом. — О чем мы только думали?

— Мы не думали, — сказал Доусон. — Мы были влюблены друг в друга.

В глазах Аманды, устремленных на Доусона, отражался свет луны.

— Прости, что я ни разу не приехала к тебе и даже не писала. Я имею в виду твое пребывание в Каледонии.

— Не имеет значения.

— Конечно же, имеет. Но я думала... о нас. Все время. — Аманда дотронулась до дуба. — Просто каждый раз, как я садилась за письмо, — продолжила она, — меня словно сковывал паралич. Я не знала, с чего начать. Рассказывать тебе об учебе или соседках по комнате? Или спрашивать, как ты проводишь дни? Я перечитывала написанное, и мне казалось, что все там какая-то ерунда. Я рвала письмо и обещала себе на следующий день начать новое. Но каждый день плавно перетекал в следующий. А потом время ушло и...

— Я не в претензии, — в очередной раз заверил Доусон. — Не в претензии был и тогда.

— Потому что ты к тому времени уже забыл меня?

— Нет, — возразил Доусон. — Потому что тогда меня едва хватало на решение своих проблем. И то, что твоя жизнь идет своим чередом, имело для меня первостепенное значение. Я хотел, чтобы ты получила в этой жизни все, чего ты достойна и чего я не смог бы тебе обеспечить.

— Я думаю, ты хотел сказать что-то другое.

— Нет, именно то, что сказал, — подтвердил Доусон.

— Тогда ты не прав. У всех в прошлом есть нечто, что хотелось бы изменить, Доусон. И у меня тоже. Моя жизнь, знаешь ли, не была идеальной.

— Хочешь поговорить об этом?

Когда-то много лет назад Аманда могла бы полностью довериться Доусону, но сейчас еще не была к этому готова, однако чувствовала, что это обязательно случится, что это лишь вопрос времени. Подобные обстоятельства пугали Аманду, она была вынуждена признать, что Доусон пробудил в ней какие-то давно спавшие чувства.

— Ты рассердишься, если я скажу, что еще не готова к разговору?

— Вовсе нет.

Аманда попробовала улыбнуться.

— Тогда давай просто постоим тут еще немного, как раньше. Здесь так тихо.

Луна продолжала свое медленное восхождение, придавая окружающему пейзажу сходство с каким-то неземным ландшафтом. Не вошедшие в сияющую лунную ауру, мерцали звезды, словно крошечные призмы. Интересно, думал Доусон, как часто Аманда вспоминала о нем в эти годы. Но, наверное, все же реже, чем он о ней. Однако как они оба одиноки, пусть каждый по-своему. Он — одинокая фигура в бескрайнем поле, а она — одна из тысяч в безымянной толпе. Но разве когда-нибудь, в том числе и в юности, было по-другому? Ведь именно это свело их вместе, именно поэтому они были счастливы вместе.

В темноте Доусон расслышал, как Аманда вздохнула.

— Пожалуй, мне пора, — проговорила она.

— Да, конечно.

Его ответ принес ей облегчение и в то же время слегка разочаровал. Они молча побрели назад к дому, и каждый думал о своем. Оказавшись в доме, Доусон выключил свет, а Аманда заперла дом, затем они пошли к своим машинам. Доусон открыл перед Амандой дверь.

— Увидимся завтра у адвоката, — сказал он.

— Да, в одиннадцать.

Луна серебрила ее волосы, каскадом ниспадавшие по плечам, и Доусон еле справился с искушением скользнуть по ним рукой.

— Сегодня был прекрасный вечер. Спасибо за ужин.

Аманда вдруг испугалась, что он попытается ее поцеловать, и впервые с тех пор, как она окончила колледж, она почувствовала смущение под посторонним взглядом. Она отвернулась, прежде чем он смог предпринять попытку.

— Я рада была повидать тебя, Доусон.

Аманда села за руль, и лишь когда Доусон захлопнул дверь, с облегчением вздохнула. Затем включила двигатель и стала выезжать назад.

Она посмотрела, как Доусон помахал ей рукой, развернулась и покатила по гравийной дороге. А он смотрел вслед удалявшемуся автомобилю, красные габаритные огоньки которого подпрыгивали над ухабистой дорогой. Наконец машина завернула за угол и исчезла из виду.

Доусон медленно пошел в гараж. Там щелкнул выключателем и, когда единственная висевшая на потолке лампочка вспыхнула, присел на сваленные в кучу покрышки. Все стихло, замерло, лишь одинокий мотылек прилетел на свет. Он бился о стекло лампы, а Доусон в это время думал о том, как жила Аманда, о том, как много всего случилось с ней. Какие бы тяготы ни выпали ей на долю — а без них не обошлось, — она тем не менее выстроила себе ту жизнь, которую хотела. У нее были и муж, и дети, и дом в большом городе, и теперь они жили в ее сердце, как и должно быть.

Сидя в одиночестве в гараже Така, Доусон понял, что лгал себе, считая, что тоже двигался вперед. На самом деле ничего подобного. Конечно же, он предполагал, что Аманда могла его забыть, сейчас на этот счет у него не осталось сомнений. И от этого у Доусона внутри что-то сдвинулось и вырвалось наружу. Он уже давно простился с Амандой и считал, что поступил правильно. Однако здесь и сейчас, в тихом желтом свете опустевшего гаража, его уверенность дала трещину. Когда-то он полюбил Аманду и, как оказалось, любит по сей день, и сегодняшний вечер, который они провели вместе, это обстоятельство никак не изменил. Вытаскивая ключи, Доусон неожиданно для себя понял еще одну вещь.

Он поднялся, затем выключил свет и направился к машине, ощущая какое-то странное опустошение. Одно дело знать, что его чувства к Аманде не изменились, и совсем другое смотреть в будущее, сознавая, что ему до конца жизни придется с этим жить.

6

Тонкие шторы в гостинице не спасали от яркого света, и Доусон проснулся с первыми лучами солнца. Он перевернулся на другой бок в надежде снова уснуть, но напрасно. Тогда он встал и следующие несколько минут посвятил упражнениям на растяжку. Уже с утра у него начинало ныть все тело, особенно спина и плечи. Интересно, гадал он, сколько еще лет он сможет проработать на нефтяной вышке. Организм его порядком износился, и болячки с каждым годом, похоже, беспокоят все больше и больше.

Вытащив из сумки спортивный костюм, Доусон оделся и тихо спустился по лестнице. Частная гостиница оказалась почти такой, как он и ожидал: четыре комнаты наверху и кухня, столовая, гостиная внизу. Владельцы, что было весьма предсказуемо, любили морскую тематику, и столики украшали миниатюрные деревянные яхты, а стены — изображения парусников. Над камином красовался старинный штурвал, а к двери была приколота карта реки с отмеченными на ней каналами.

Хозяева еще спали. Когда вчера вечером Доусон приехал, ему сообщили, что заказанные им цветы уже доставлены и находятся у него в номере, а завтрак в восемь. Таким образом, до встречи с адвокатом у него оставалось достаточно времени, чтобы сделать намеченное.

На улице уже вовсю светило солнце. Над рекой низким облаком висел тонкий слой дымки, но голубое небо было абсолютно чистым. Воздух уже прогрелся, предвещая полуденную жару. Размяв круговыми движениями плечи, Доусон решил немного пробежаться и в результате оказался на дороге. Вскоре тело обрело гибкость и свободу.

Тихая дорога довела его до маленького делового района Ориентала. Два антикварных магазина, магазин скобяных товаров и несколько контор по торговле недвижимостью остались позади. Закусочная «Ирвинз-дайнер» на противоположной стороне улицы уже открылась, и перед ней образовалась группка машин. Туман над рекой начал рассеиваться, и Доусон, дышавший полной грудью, ощутил живительный аромат сосен и морской соли. Он пробежал мимо приютившегося у пристани кафе, в котором бурлила жизнь, и через несколько минут, окончательно размявшись, смог увеличить скорость. Над головой с криком кружили чайки, люди тащили к своим яхтам кулеры. Доусон миновал магазин народных промыслов, здание Первой баптистской церкви, восхищаясь ее витражами и пытаясь припомнить, замечал ли когда-нибудь их в детстве, и, наконец, стал глазами искать контору Моргана Тэннера, адрес которой был ему известен. Вскоре на маленьком кирпичном здании, втиснутом между аптекой и конторой нумизмата, ему на глаза попалась вывеска, где рядом с Морганом Тэннером значился и другой адвокат, хотя клиентура у них, по-видимому, была разная. Интересно, подумал Доусон, каким образом Так нашел Тэннера. До звонка адвоката Доусон никогда о нем не слышал.

Достигнув границы делового центра Ориентала, Доусон свернул с главной дороги на одну из боковых улиц и побежал куда глаза глядят.

Он плохо спал ночью, его мысли, как и во время его пребывания в тюрьме, постоянно метались между Амандой и Мэрилин Боннер. Последняя, выступая в суде, сказала, что Доусон не просто лишил ее любимого человека и отца ее детей, но и разрушил всю ее жизнь. Срывающимся голосом женщина призналась, что понятия не имеет, как будет содержать семью и что вообще с ними станется. Как выяснилось, доктор Боннер даже не был застрахован.

В итоге Мэрилин Боннер лишилась дома. Она переехала к родителям, у которых был фруктовый сад, однако вся ее жизнь превратилась в постоянную борьбу за существование. Ее отец, страдавший эмфиземой на ранней стадии, к тому времени уже отошел от дел, а мать Мэрилин болела диабетом. Выплаты по залогу съедали почти все до последнего доллара доходы, приносимые фруктовым садом. Поскольку родители Мэрилин требовали практически постоянного внимания, она могла работать лишь неполный день. Даже со всеми субсидиями, причитавшимися родителям, ее скромной зарплаты едва хватало на самое необходимое, хотя, случалось, и не хватало. Старый деревенский дом, в котором они обитали, начал разрушаться, и долги по залогу фруктового сада в конце концов стали расти.

Что семья Боннер переживает тяжелые времена, Доусон узнал месяцев через шесть после освобождения, когда пришел к ним просить прощения. Он едва узнал открывшую ему дверь поседевшую Мэрилин. Желтоватая кожа придавала ей болезненный вид. Сразу узнав его, она не дала ему и рта раскрыть, лишь закричала, чтобы он убирался прочь, что он убийца ее мужа, разрушивший ее жизнь, оставивший ее нищей в старой развалюхе. Он услышал, что банк грозит отказать ей в праве выкупа сада из-за просроченного платежа. В конце Мэрилин пригрозила вызвать полицию, если он еще раз приблизится к порогу их дома. Доусон ушел, но поздно вечером снова подошел к их старому дому и внимательно оглядел его, прошелся вдоль рядов персиковых деревьев и яблонь. Получив на следующей неделе от Така чек за выполненную работу, а также все, что ему удалось скопить после освобождения, он без какой-либо пояснительной записки отправил все это на счет Мэрилин Боннер.

С тех пор Мэрилин жить стало легче. После смерти ее родителей дом с садом перешли к ней. Постепенно ей удалось выплатить весь долг и отремонтировать все, что требовало ремонта. Теперь земля всецело принадлежала ей. Через несколько лет после того, как Доусон уехал из города, ей удалось открыть свое дело — продажу по почте домашних консервов. С помощью Интернета ее бизнес расцвел, и разорение ей уже не грозило. Она так и не вышла замуж, хотя на протяжении почти шестнадцати лет встречалась с бухгалтером по имени Лео.

Что касается ее детей, то Эмили закончила университет в Восточной Каролине, после чего переехала в Роли, где устроилась на работу менеджером в универмаг. Скорее всего в один прекрасный день она примет бразды правления бизнесом матери. Алан поселился в саду в двойном мобильном доме, купленном для него матерью. Он не учился в колледже, однако имел постоянную работу, и на фотографиях, присылаемых Доусону, всегда выглядел счастливым.

Раз в год в Луизиану присылали фотографии и краткую сводку новостей о Мэрилин, Эмили и Алане. Нанятые Доусоном частные детективы всегда отличались дотошностью, но глубоко в дела семьи никогда не влезали.

Иногда Доусон чувствовал некоторую неловкость от того, что следил за Боннерами, но он обязательно должен был знать, что еще может для них сделать после того несчастного случая. Последние два десятка лет он ежемесячно посылал им чеки, почти всегда через анонимные офшорные счета. Ведь он как-никак виновник их невосполнимой утраты. Поэтому сейчас, пробегая по тихим улицам, Доусон знал, что готов на все, лишь бы загладить перед ними свою вину.

* * *

Эби Коула лихорадило. Тошнило и трясло, несмотря на жару. Пару дней назад он собрался было приложить своей бейсбольной битой одного нахального малого, но тот неожиданно выхватил канцелярский нож и полоснул этим грязным лезвием Эби по животу, оставив на нем страшную рану. Сегодня утром Эби увидел, что рана нагноилась и омерзительно воняет, несмотря на все лекарства, от которых должно было полегчать. Если температура не спадет, подумал Эби, то своей битой он, пожалуй, от души накостыляет своему кузену Кальвину, который клялся и божился, что стибренные из ветклиники антибиотики обязательно помогут.

Однако сейчас от этих мыслей его отвлекло появление бежавшего по противоположной стороне улицы Доусона, с которым теперь надо думать, как поступить.

За спиной Доусона заскочил в магазин Тед, и Эби гадал, заметил ли он Доусона. Наверное, нет. Иначе выскочил бы на улицу как ошпаренный. С тех пор как они узнали, что Так откинул копыта, Тед все ждал появления Доусона. И наверное, точил ножи, заряжал ружья и готовил гранаты, базуки или что там еще он держал в своей дыре, где жил с этой шлюшкой Эллой.

У Теда с головкой точно не все в порядке. Да он нормальным никогда и не был — настоящий комок злобы. Девять лет в тюрьме ничему его не научили — совсем держать себя в руках не может. А в последние несколько лет Тед совсем озверел, что, как часто думал Эби, не так уж плохо. Благодаря этому из него вышел настоящий отморозок, отличный впередсмотрящий в деле производства дури на их территории.

Все его боялись как огня, в том числе и родственники, что Эби вполне устраивало: они не совали нос в дела Эби и делали то, что им велят. Хоть ему, в сущности, и не было дела до младшего брата, он был Эби полезен.

Но вот Доусон вернулся в город, и кто знает, что Теду взбредет в голову. Эби не сомневался, что Доусон приедет на похороны Така, однако надеялся, что Доусону хватит ума сразу же после церемонии убраться восвояси, пока никто не узнал о его приезде. Именно так поступил бы каждый, кто обладал хоть крупицей здравого смысла. Доусон, конечно же, понимает, думал Эби, что Теду всякий раз, как он видит в зеркале свой искривленный нос, хочется убить братца.

А Эби на Доусона по-всякому плевать. Единственное, ему не хотелось, чтобы Тед устраивал ненужную возню. И так уж управляться с делами стало тяжело: и федералы, и штатские власти, да и шериф тоже то и дело суют нос в семейный бизнес. Это вам не былые времена, когда закона нечего было опасаться. А сейчас у копов и вертолеты, и собаки, и приборы с инфракрасным излучением, к тому же осведомители на каждом шагу. Эби должен думать о таких вещах. Эби один должен просчитывать такие вещи.

Все дело в том, что ведь Доусон гораздо умнее, чем одуревшие от наркоты идиоты, с которыми Тед обычно якшается. Своего папашу с Тедом, хотя те были вооружены, Доусон отделал так, что мама не горюй, а это что-то да значит. Доусон не боялся ни Теда, ни Эби, и так просто его не возьмешь. Когда надо, он может быть очень жестоким, и, казалось бы, этого достаточно, чтобы остудить пыл Теда, да только его уверенность ничто не пошатнет, потому что Тед не думает головой.

А последнее, чего бы хотелось Эби, это чтобы Теда снова упекли в тюрягу. Потому что он ему, Эби, нужен позарез — ведь все родственники торчат от наркоты и поступают как придурки. Но если только Эби не удастся сдержать Теда, когда тот увидит Доусона, то Тед запросто может снова отправиться за решетку. При этой мысли в животе у Эби стало разгораться пламя и тошнота подступила к горлу.

Эби нагнулся и сблевал на асфальт. Вытерев губы тыльной стороной руки, он заметил, что Доусон наконец исчез за поворотом. Теда до сих пор не было. Вздохнув про себя с облегчением, Эби решил ничего не говорить Теду о том, кого он видел. Он опять почувствовал озноб, в животе по-прежнему жгло. Чувствовал он себя хуже некуда. Ну кто бы мог подумать, что у парня будет с собой канцелярский нож?

На самом деле Эби не пытался убить его — просто хотел внушить ему, впрочем, как и всем остальным, у кого могли возникнуть мысли насчет Кэнди, свою точку зрения. В следующий раз, однако, Эби не станет полагаться на авось. Раз начав бить, он уже не остановится, он будет умнее. Он всегда был осторожен, когда в дело мог вмешаться закон, но все должны знать, что его девушка для других недоступна. Так что другим на нее лучше не заглядываться, не разговаривать с ней и уж точно нечего и мечтать залезать к ней под юбку. Ей, может, это и обидно, но она все же должна понимать, что сейчас принадлежит ему одному. Уж очень не хотелось бы расквасить эту хорошенькую мордашку, чтобы и до нее донести эту истину.

Кэнди не знала, что ей делать с Эби Коулом. Они, конечно, встречались несколько раз, и он, как она поняла, видно, решил, будто может ею помыкать. Но он обычный парень, а даже про таких тупоголовых, как Эби, она давным-давно все поняла. Пусть ей всего двадцать четыре, но она уже с семнадцати лет живет самостоятельно и за это время усвоила, что пока носит распущенными свои длинные светлые волосы и смотрит на парней снизу вверх вот такими глазами, она может вертеть ими как хочет. Она умела дать мужчине почувствовать себя обаятельным, не важно, какой он был в жизни. И последние семь лет эта тактика ей очень помогала. У нее, к примеру, был «мустанг» с откидным верхом — подарок одного старикашки из Уилмингтона и маленькая статуя Будды на подоконнике, возможно, золотая, полученная от одного милого китайца в Чарлстоне. Она точно знала, что, пожалуйся она Эби на нехватку денег, и тот скорее всего даст ей сколько надо и почувствует себя королем.

Впрочем, мысль эта, наверное, не самая удачная. Кэнди приехала в Ориентал лишь несколько месяцев назад и не знала, кто такие Коулы. Но чем больше она о них узнавала, тем меньше ей хотелось подпускать к себе Эби. Не потому, что он бандит, вовсе нет. От поставщика кокаина в Атланте она за несколько месяцев поимела почти двадцать тысяч долларов, и их отношения устраивали его так же, как и ее. Нет, дело не в этом — отчасти ей было некомфортно с Эби из-за Теда.

Эби часто приходил с братом, которого она, откровенно говоря, боялась. Ее пугали не только его рябое лицо или коричневые зубы. Дело в его... ауре. Когда он улыбался ей, в его глазах мелькало некое веселое злорадство, словно он не мог решить, удушить ее или поцеловать, но считал, что и первое, и второе будет весело.

С самого начала при виде Теда Кэнди пробирала дрожь. И теперь она вынуждена была признать, что чем лучше она узнавала Эби, тем больше ей казалось, что оба брата сделаны из одного теста. Последнее время Эби все больше начинал вести себя по отношению к ней... как собственник, и это ее пугало. Сказать по правде, пожалуй, ей стоит куда-нибудь переехать. Не важно куда: на север, в Виргинию, или на юг, во Флориду. Она бы хоть завтра уехала, да пока маловато денег, которые у нее никогда надолго не задерживались. Однако ей пришло в голову, что если в эти выходные она подцепит кого-нибудь в баре и верно разыграет свои карты, то к воскресенью сможет прилично заработать и тогда свалит отсюда к черту, прежде чем Эби Коул поймет, что к чему.

Фургон вильнул к обочине и обратно. Постукивая сигаретной пачкой по бедру, Алан Боннер пытался вытряхнуть оттуда сигарету и вместе с тем не пролить зажатый между колен стаканчик кофе. По радио в стиле кантри голосили что-то про человека не то потерявшего собаку, не то хотевшего ее завести, а может, даже про любителя есть собак, как-то так, но ведь слова не так важны, как ритм, а он на сей раз был о-го-го какой. Но главное, наконец настала пятница, а значит, отработать осталось всего семь часов, а там длинные, великолепные выходные, поэтому настроение у Алана существенно улучшилось.

— Нельзя ли потише? — спросил Бастер.

Бастер Тибсон был новичком в компании и лишь поэтому находился сейчас в грузовике Алана. Всю неделю он либо на что-то жаловался, либо задавал какие-то вопросы, а это кого угодно с ума сведет.

— Что? Не нравится песня?

— В инструкции говорится, что громкое радио отвлекает от дороги. Рон, когда принимал меня на работу, подчеркивал это особо.

Это была еще одна черта, так раздражавшая в Бастере: он всегда и все делал по правилам. Наверное, потому-то Рон его и взял.

Алан наконец вытряхнул сигарету из пачки и, зажав ее в зубах, принялся шарить в поисках зажигалки. Она завалилась в глубь кармана, и, вытаскивая ее, Алану потребовалось особенно постараться, чтобы не пролить кофе.

— Ничего страшного. Сегодня все же пятница, не забывай.

Бастера ответ, судя по всему, не устроил, и Алан, бросив на него взгляд, заметил, что тот сегодня утром выгладил рубашку. И, без сомнения, показался в ней Рону. Небось зашел в офис с записной книжкой и ручкой, чтобы все зафиксировать, что говорит Рон, и по ходу дела повосхищаться его мудростью.

А что за имечко у парня? Это вообще песня. Ну какой родитель, спрашивается, назовет своего ребенка Бастер?

Фургон снова вильнул вбок: Алан наконец вытащил зажигалку.

— Откуда у тебя, черт возьми, такое имя, Бастер? — поинтересовался он.

— Это семейное имя. По материнской линии, — нахмурился Бастер. — Сколько у нас сегодня доставок?

Всю неделю Бастер задавал один и тот же вопрос, и Алану еще предстояло понять, почему это его так интересует. Они развозили закуски, орехи, чипсы, смеси из сухофруктов с орехами и вяленое мясо по заправочным станциям и маленьким магазинчикам. Важно было при этом еще не слишком гнать, а то Рон обязательно навесит лишний рейс. Алан усвоил этот урок в прошлом году и повторять былых ошибок не собирался. Территория, которую он обслуживал, включала в себя весь округ Памлико, а значит, ездить ему приходилось по самым скучным в мире дорогам. Но даже так эта работа была лучшей из всех, что Алан когда-либо имел. Гораздо лучше стройки, озеленения, мойки машин и всего прочего, чем он занимался после окончания школы. Здесь ему в окошко дует свежий ветерок, музыку можно включить на любую громкость, и никто из начальства не стоит над душой. К тому же деньги хорошие.

Алан загородил пламя ладонями и стал прикуривать сигарету, придерживая руль локтями, потом затянулся и выдохнул дым в окно.

— Достаточно. Хорошо, если успеем все развезти.

Бастер повернулся лицом к своему окну и тихо, почти шепотом, произнес:

— Может, тогда не стоит так долго обедать?

Ребенок начинал не на шутку бесить Алана. Именно ребенок, хоть в действительности он был старше Алана. И все же меньше всего ему хотелось, чтобы Бастер донес Рону, что Алан филонит.

— Дело не в обедах, — ответил он, пытаясь придать внушительность своим словам. — Все дело в работе с клиентами. Нельзя просто заскочить и убежать. С людьми нужно разговаривать. Наша задача в том, чтобы покупатель остался доволен. Поэтому я всегда все делаю как следует.

— Например, курение? В фургоне курить нельзя.

— У каждого свой недостаток.

— И громкая музыка?

Ой-ой. Ребенок, очевидно, все примечал и мотал на ус, а значит, следует соображать быстро.

— Да, это все для тебя. Ну вроде как отмечаем конец твоей первой рабочей недели, ты ведь отлично потрудился. И сегодня в конце смены я обязательно проверю, чтобы Рон был в курсе.

Упоминания о Роне хватило, чтобы Бастер замолк на несколько минут, которые показались Алану слишком короткими, но после недели в машине с этим парнем даже эта малость радовала. Уж поскорей бы закончился этот день, а на следующей неделе фургон снова будет полностью в его, Алана, распоряжении. Слава Богу.

А что вечером? Главное, правильно начать выходные, а значит, забыть о Бастере. Сегодняшний вечер он проведет в «Тайдуотере», одной забегаловке за городом, почти единственном месте, где есть хоть какая-то ночная жизнь. Он выпьет пива, сыграет в бильярд и, если повезет, на смене сегодня будет та классная барменша, на которой прошлый раз были ну очень узкие джинсы, обтягивавшие ее во всех нужных местах. Подавая ему пиво, она в своем еле прикрывавшем тело топе наклонилась вперед, отчего пиво показалось ему еще вкуснее. В выходные вечером он будет делать, в сущности, то же самое — если у мамы с ее давним приятелем Лео на то же время есть какие-то планы и она не заявится в его мобильный дом, как вчера вечером.

Почему она только не выходит замуж за этого Лео, Алан понятия не имел. Уж поженились бы они, тогда, может, ей было бы чем заняться, вместо того чтобы шпионить за взрослым сыном. Меньше всего ему в эти выходные хотелось, чтобы матери понадобилась его компания, поскольку этого он ей и не сможет обеспечить. Кому какое дело, если он в понедельник будет чуть «под газом»? Бастер будет ездить уже самостоятельно в своем фургоне, и если не отпраздновать это событие, то что тогда вообще праздновать?

Мэрилин Боннер тревожилась об Алане.

Не с утра до ночи, конечно. Кроме того, она изо всех сил старалась себя успокоить. В конце концов, он взрослый человек и в состоянии сам о себе побеспокоиться. Но как мать она знала его слабость — он всегда искал легкие пути, которые в итоге ни к чему не вели, и избегал трудностей, без которых ничего нельзя добиться. Ее тревожило, что в свои двадцать семь лет он по своему поведению все еще оставался подростком. Например, вчера вечером, когда она зашла к нему, он был увлечен видеоигрой, и, увидев ее, тут же предложил попробовать и ей. Стоя в дверях его дома, Мэрилин размышляла, как же она умудрилась воспитать сына, который ее, по-видимому, совершенно не знает.

И все-таки могло быть и хуже. Причем несравненно. Главное, что Алан нормальный, хороший парень, работает и ни в каком криминале не замешан, а в наши дни это не так уж мало. Можно говорить что угодно, но она и газеты читает, и слышит, что говорят в городе. Не тайна, что многие друзья Алана с детства, некоторые из них даже из семей получше, подсели на наркотики или превратились в настоящих пьяниц, а иные даже угодили за решетку. Что ж, ничего удивительного, если учесть, где они жили. Слишком многие восхваляли американскую провинцию, представляя ее по картинам Нормана Роквелла, которые с реальностью ничего общего не имеют. Кроме врачей, юристов и крутых бизнесменов в Ориентале, впрочем, как и в других маленьких городках, никому много не заработать. Правда, для детей Ориентал во многих отношениях идеальное место, но молодежи тут ловить нечего. В маленьких городах никогда не было и никогда не будет менеджеров среднего звена. И делать там по выходным нечего, и даже познакомиться не с кем. Почему Алану так нравилось здесь жить, она понять не могла, но пусть будет, как он хочет. К тому же он сам себя содержит. И, желая помочь ему начать самостоятельную жизнь, она купила ему передвижной дом в двух шагах от своего.

Нет, никаких иллюзий относительно Ориентала она уже давно не питала. В этом смысле ее мнение отличалось от мнения высшего света города, но когда в молодости остаешься без мужа с двумя детьми на руках, взгляды меняются. То обстоятельство, что она из семьи Беннетов и закончила Университет Северной Каролины, не помешало банкирам отказать ей в праве выкупить заложенный сад из-за просрочки платежа. Не помогли ни имя, ни связи. Даже полученная в университете престижная степень по экономике не дала ей никакого преимущества.

В конце концов, все в жизни решали деньги и поступки, а не репутация, поэтому существующее в Ориентале положение вещей для Мэрилин было невыносимо. Сейчас, нанимая работника, она предпочла бы трудолюбивого иммигранта выпускнику Университета Северной Каролины или выпускнице Университета Дьюка, считающим, что весь мир им обязан. Подобный взгляд на вещи людям вроде Эвелин Коллиер и Юджинии Уилкокс, возможно, показался бы богохульством, но Мэрилин давно уже считала Эвелин, Юджинию и им подобных динозаврами, цепляющимися за мир, давно канувший в Лету. На недавнем городском собрании она так и сказала. Раньше ее заявление произвело бы переполох, но бизнес Мэрилин был одним из немногих успешно развивающихся в городе, и никто не посмел возразить — в том числе и Эвелин Коллиер с Юджинией Уилкокс.

После смерти Дэвида Мэрилин научилась ценить свою заработанную тяжелым трудом независимость. Она научилась полагаться на свое чутье и признавала, что предпочитает самостоятельно распоряжаться своей жизнью без оглядки на чужие мнения. Наверное, именно поэтому она отвергала многочисленные предложения Лео. Бухгалтер из Морхед-Сити, он был умен, обеспечен, и ей нравилось проводить с ним время. И что самое главное, он уважал ее, а дети его любили. Эмили с Аланом не понимали, почему она ему отказывает.

Лео, в свою очередь, знал, что она никогда не согласится выйти за него, но его это не расстраивало, потому что такое положение вещей, по правде говоря, их обоих устраивало. Вот, завтра вечером они, возможно, пойдут в кино, а в воскресенье она отправится в церковь, после чего зайдет на кладбище к Дэвиду, как делала это каждые выходные вот уже почти четверть века. А потом она встретится с Лео, чтобы поужинать. Она по-своему его любила. Возможно, это не то, что другие понимают под словом «любовь», но это не важно. Им обоим шли на пользу такие отношения.

В это время в другом конце города Аманда на кухне пила кофе, стараясь не обращать внимания на красноречивое молчание матери. Вчера вечером, приехав домой, Аманда застала ее в гостиной, и не успела присесть, как начался допрос.

«Где ты была? Почему так поздно? Почему без звонка?»

«Я звонила», — напомнила Аманда и, предупреждая обличительную тираду в свой адрес, к которой готовилась мать, сказала, что у нее болит голова и ей нужно полежать у себя в комнате. Поэтому наутро мать всем своим видом выражала крайнее недовольство. Появившись на кухне, она лишь пробурчала «доброе утро», и больше ничего. Свое молчание она подчеркнула красноречивым вздохом и направилась к тостеру, чтобы разогреть хлеб. Затем вздохнула еще раз, на сей раз погромче.

«Да поняла я, поняла, — так и подмывало сказать Аманду. — Ты расстроена. Может, хватит уже?» Однако она промолчала — только сделала глоток кофе, про себя решив во что бы то ни стало не доводить дело до конфликта.

Послышался щелчок тостера. Мать открыла ящик стола и, вытащив оттуда нож, со стуком снова его задвинула, после чего начала намазывать тост маслом.

— Ну, как ты сегодня себя чувствуешь? Лучше? — наконец поинтересовалась мать не оборачиваясь.

— Да, спасибо.

— Ты готова рассказать мне, что происходит? Где ты была?

— Я же сказала, что поздно выехала. — Аманда пыталась сдерживаться изо всех сил.

— Я пробовала тебе дозвониться, но всегда попадала на голосовую почту.

— Батарейка села. — Эта ложь пришла ей в голову прошлым вечером по пути домой. Ее мать совершенно непредсказуемая особа.

Мать взяла тарелку.

— Так ты поэтому ни разу не позвонила Фрэнку?

— Мы вчера с ним разговаривали, примерно через час после того, как он вернулся домой с работы. — Она взяла утреннюю газету и с деланной невозмутимостью начала просматривать заголовки.

— Он звонил сюда.

— И?..

— Удивился, что ты еще не приехала, — фыркнула мать. — Сказал, что, насколько ему известно, ты выехала около двух.

— У меня были кое-какие дела перед отъездом, — объяснила Аманда. Как легко ей лгать, подумала она, хотя у нее за плечами богатый опыт по этой части.

— Он был очень расстроен.

Не расстроен, а пьян, подумала Аманда. Вряд ли он даже помнит, что говорил. Она поднялась из-за стола и налила себе еще кофе.

— Позвоню ему позже.

Мать села.

— Вчера вечером меня пригласили играть в бридж.

Ах вот в чем дело, сообразила Аманда. По крайней мере это одна из причин ее раздражения. Ее мать была страстным игроком в бридж и играла в одной и той же женской компании уже почти тридцать лет.

— Нужно было тебе пойти.

— Я не могла, потому что ждала тебя и думала, что мы вместе поужинаем. — Мать с чопорным видом села за стол. — Юджинии Уилкокс пришлось меня подменить.

Юджиния Уилкокс жила на той же улице в таком же, как у Эвелин, старинном роскошном особняке. Женщины считались подругами — мать Аманды и Юджиния знали друг друга всю жизнь — однако между ними всегда и во всем существовало невидимое соперничество, начиная с того, у кого лучше дом и сад, и кончая тем, у кого торт «Красный бархат» получается лучше.

— Прости, мам, — извинилась Аманда, возвращаясь за стол. — Мне следовало позвонить тебе раньше.

— Ведь Юджиния даже не умеет торговаться, поэтому какая может быть игра. Марта Энн уже звонила мне и жаловалась. Ну это уже не важно. Я ей сказала, что ты приехала, а там слово за слово, и она пригласила нас сегодня на ужин.

Аманда хмуро опустила чашку на стол.

— Надеюсь, ты отказалась?

— Конечно же, согласилась.

В голове у Аманды возник образ Доусона.

— Не знаю, найдется ли у меня время, — сымпровизировала Аманда. — Сегодня вечером, возможно, будут поминки.

— Возможно? Как это понимать? Они или будут или нет.

— Я это к тому, что не уверена, будут ли они. Звонивший мне адвокат в подробности похорон не вдавался.

— Странно, что он ничего тебе не сказал.

«Возможно, — подумала Аманда, — однако ужин, который Так устроил для нас с Доусоном вчера вечером, кажется еще более странным».

— Уверена, он просто выполняет волю Така.

При упоминании имени Така мать дотронулась до жемчужного ожерелья на шее. Аманда не помнила случая, чтобы мать вышла из спальни без косметики и украшений, и это утро не явилось исключением. Эвелин Коллиер была истинным воплощением духа старого Юга и, без сомнения, останется таковой до конца жизни.

— Никак не могу взять в толк, зачем тебе потребовалось приезжать ради этого. Ты, по сути, этого человека не знала.

— Я его знала, мама.

— Давно. Было бы понятно, если бы ты до сих пор здесь жила. Но ради чего приезжать сейчас?

— Я приехала отдать ему последний долг.

— Он, знаешь ли, пользовался не самой лучшей репутацией. Многие считали его чокнутым. И что теперь, спрашивается, мне говорить своим подругам о твоем приезде?

— Не понимаю, зачем тебе вообще что-то им говорить.

— Ну ведь они будут интересоваться, — пояснила мать.

— С чего это им мной интересоваться?

— С того, что они считают тебя интересной.

В тоне матери послышались какие-то особые нотки, смысл которых Аманда не совсем поняла. Наливая в кофе сливки, она пыталась сообразить, что бы они означали.

— Вот уж не знала, что я такой животрепещущий предмет для обсуждений, — заметила она.

— Ничего удивительного, если подумать. Ты больше не привозишь с собой ни Фрэнка, ни детей. И конечно же, им это кажется странным.

— Мы вроде уже закрыли этот вопрос, — не смогла скрыть возмущения Аманда. — Фрэнк работает, а дети ходят в школу, но это не значит, что я не могу приехать. Дочери иногда навещают своих матерей.

— Правда, приезжая, они иногда даже не видятся со своими матерями. Вопрос в том, что их здесь интересует на самом деле.

— Что ты имеешь в виду? — прищурилась Аманда.

— Да то, что ты обычно приезжаешь в Ориентал, если знаешь, что меня тут не будет. И останавливаешься у меня, даже не озаботившись сообщить мне об этом. — Мать и не пыталась скрыть свое раздражение. — Ты не знала, что я в курсе? Например, ты приезжала в прошлом году, когда я отправилась в круиз. Или когда я уезжала в гости к сестре в Чарлстон в позапрошлом году. Городок у нас маленький, Аманда. Тебя видели мои приятельницы. Не понимаю, с чего ты взяла, будто я не узнаю.

— Мам...

— Не надо, — остановила ее мать, подняв руку с идеальным маникюром. — Я прекрасно знаю, почему ты приехала. Может, я и немолода, но все же еще не выжившая из ума старуха. Зачем ты еще приехала бы на эти похороны? Ясное дело, повидаться с ним. Именно с ним ты встречалась всякий раз, как сообщала мне, будто едешь по магазинам, верно? Или когда говорила, что едешь с подругой на пляж? Ты все время мне лгала.

Аманда молча опустила глаза. Ей нечего было сказать. В тишине послышался вздох матери. Когда она наконец продолжила, резкие нотки исчезли из ее голоса.

— Я тоже лгала ради тебя, Аманда, и мне это надоело. Но я все еще твоя мать, и ты можешь поговорить со мной.

— Да, мама. — Аманда услышала в собственном голосе нетерпеливое раздражение, напомнившее ей о ее переходном возрасте, и возненавидела себя за это.

— Какие-то проблемы с детьми?

— Нет, дети в порядке.

— Что-то с Фрэнком?

Аманда перевернула чашку с кофе ручкой от себя.

— Хочешь об этом поговорить? — спросила мать.

— Нет, — без выражения ответила Аманда.

— Я могу чем-нибудь помочь?

— Нет, — повторила Аманда.

— Аманда, что с тобой происходит?

Этот вопрос почему-то заставил Аманду подумать о Доусоне, и она на мгновение снова очутилась в кухне Така, где недавно была счастлива, чувствуя внимание Доусона. Она вдруг поняла, как снова хочет его увидеть, не важно, что будет потом.

— Не знаю, — в конце концов пробормотала она. — Мне самой хотелось бы понять это.

Аманда отправилась в душ, а Эвелин Коллиер вышла на заднюю террасу и остановилась там, устремив взгляд на зависшую над рекой тонкую дымку. Она с детства очень любила это время. Когда она жила не у реки, а возле принадлежавшей ее отцу мельницы, то по выходным приходила к мосту, где сидела часами, наблюдая, как солнце постепенно растворяется в тумане. Харви знал, что ей хочется жить у реки, поэтому через несколько месяцев после свадьбы приобрел этот дом. Конечно, он купил его у отца за бесценок — у Коллиеров в то время было много недвижимости — и покупка в материальном отношении оказалась не слишком обременительной, но не это важно. Главное — его нежное к ней отношение, и она теперь очень жалела, что его нет рядом, даже об Аманде поговорить не с кем. Кто разберет, что с ней творится? Впрочем, с ней и в детстве было нелегко. Всегда была упрямой как осел. Если мать просила Аманду не уходить далеко, то та при первой же возможности обязательно сбегала. Если она велела дочери получше одеться, Аманда появлялась из своей комнаты в каком-то старье, раскопанном в глубине шкафа. Но в детстве ее еще возможно было контролировать и направлять на путь истинный. Как-никак она принадлежала к роду Коллиеров, а потому с ней связывались определенные ожидания. Однако в подростковом возрасте она превратилась в сущего дьявола. Сначала связалась с этим Доусоном Коулом — с Коулом! — к тому же лгала, сбегала из дома, постоянно была чем-то недовольна и на все претензии матери у нее находился ответ. Именно тогда Эвелин начала седеть — всему виной нервы. Аманда этого не знала, но если бы не постоянное употребление бурбона, неизвестно, как бы она пережила эти ужасные годы.

Жизнь стала налаживаться, только когда им удалось наконец положить конец ее общению с этим Коулом и Аманда отправилась учиться в колледж. Это были замечательные, спокойные годы, и они, конечно, очень радовались внукам. Нет слов, очень жаль, что так получилось с девочкой — прелестное создание, только-только начала ходить, но Господь никому не гарантировал райскую жизнь. У нее самой через год после рождения Аманды случился выкидыш. И все-таки Эвелин была довольна, что через какое-то время Аманда все же одумалась — Бог видит, семья в ней нуждалась — и даже занялась такой почетной деятельностью, как благотворительность. Правда, Эвелин предпочла бы что-нибудь полегче, не требующее больших усилий, вроде Молодежной футбольной лиги, тем не менее больница при Университете Дьюка — тоже звучало неплохо, что позволяло Эвелин не стесняясь рассказывать подругам об обедах с целью сбора средств, которые организовывала Аманда, или даже о ее добровольной работе в больнице.

Однако в последнее время Аманда как будто вернулась к старому: врет, как подросток! Они с ней — что там говорить — никогда не были особенно близки, и, наверное, никогда уже не станут — Эвелин с этим смирилась. Это миф, что мать с дочерью всегда лучшие подруги, но семья важнее дружбы. Друзья приходят и уходят, а семья остается. Нет, они никогда не изливали друг перед другом душу. Впрочем, под этим выражением зачастую понимают жалобы, а жаловаться — дело пустое, только время терять. Жизнь — сложная штука. Так было и будет, поэтому что толку жаловаться? Ты либо пытаешься ее как-то улучшить либо нет, и тогда живешь как жил.

Невооруженным глазом видно, что у Аманды с Фрэнком проблемы. За последние несколько лет Эвелин почти не видела Фрэнка — Аманда обычно приезжала одна, а Эвелин хорошо помнила о чрезмерном пристрастии Фрэнка к пиву. Но с другой стороны, отец Аманды тоже был неравнодушен к бурбону, и всем известно, что идеальных браков не существует. Были годы, когда она с трудом выносила Харви, не говоря о желании поддерживать с ним супружеские отношения. Если бы Аманда спросила ее об этом, Эвелин призналась бы ей во всем, а еще напомнила бы дочери, что не всегда трава зеленее у соседа. До молодых не сразу доходит, что трава зеленее там, где ее поливают, а значит, Фрэнку с Амандой следует вооружиться шлангами, если они хотят наладить взаимоотношения. Но Аманда ее ни о чем не спрашивала.

А жаль, потому что Эвелин могла бы сказать Аманде, что та лишь усугубляет проблемы своего и так уже пошатнувшегося брака — причем отчасти из-за своей лжи. Раз она лгала матери, то нетрудно сделать вывод, что она лгала и Фрэнку. Но стоит только раз солгать, и пошло-поехало. Конечно, Эвелин ни в чем не была уверена, но Аманда явно запуталась, а запутавшись, люди начинают совершать ошибки. Значит, в эти выходные ей следует быть особенно бдительной, нравится это Аманде или нет.

Доусон вернулся в город.

Тед Коул стоял на крыльце лачуги и курил, лениво обозревая мясные деревья — так он их обычно называл после возвращения мальчишек с охоты. Вот и сейчас ветви деревьев прогибались под парой освежеванных и выпотрошенных туш оленей. Вокруг мяса с жужжанием роились мухи, а внизу в грязи валялись внутренности.

Утренний ветерок слегка раскачивал начавшие тухнуть туши. Тед глубоко затянулся. Он видел Доусона и знал, что

Эби его тоже видел. Но Эби солгал, и это взбесило Теда ничуть не меньше, чем само появление храбреца Доусона.

Брат Эби начал Теду порядком надоедать. Осточертели его указания, осточертело гадать, куда уплывают семейные деньги. Так что старина Эби рискует в скором времени оказаться под дулом «глока». А то последнее время дорогой братец совершает одну оплошность за другой. Вот этот парень с канцелярским ножом чуть его не укокошил, чего несколько лет назад ни за что не случилось бы. Будь рядом Тед, этого не случилось бы и сейчас, но Эби, поди ж ты, не сказал, что задумал, а это еще один знак, что Эби расслабился. Эта его новая девица... как ее там, Кэнди, Кэмми или черт ее знает как еще, согнула Эби в бараний рог. Ну да, милая мордашка и фигурка ничего, Тед сам не прочь бы ее пощупать, но она баба, а существует одно простое правило: хочешь чего-нибудь от бабы — возьми, а если она вздумает сердиться или дерзить, покажи ей, что она не права. Возможно, потребуется несколько уроков, но в итоге доходит до всех. Эби же, кажется, обо всем этом забыл.

И главное, он без зазрения совести лгал ему. Потушив сигарету о крыльцо, Тед подумал, что им с Эби в скором времени, как пить дать, не избежать серьезного разговора. Но сначала самое важное: Доусон. Он, Тед, долго ждал этого момента. Это из-за Доусона у него кривой нос и это из-за него ему когда-то пришлось носить шины на челюсти. Это из-за Доусона над ним насмехался тот малый и девять лет коту под хвост. Никто никогда не смел шутить с ним безнаказанно. Никто. Ни Доусон, ни Эби. Никто. Да, долго он ждал этого момента.

Тед оглянулся. Халупа была построена в начале века, и единственная лампочка на потолке, висевшая на проводах, едва рассеивала мрак. Тина, его трехлетняя дочь, сидела на затрапезном диванчике перед телевизором и смотрела какой-то диснеевский мультик. Элла молча прошла мимо. На плите в кухне стояла покрытая толстым слоем свиного жира сковорода. Элла направилась кормить младшую дочь, которая, вся перемазанная чем-то желтым и вязким, вопила на своем высоком стульчике. У двадцатилетней Эллы были узкие бедра, жидкие каштановые волосы и россыпь веснушек на щеках. Платье едва скрывало уже заметный живот. Семь месяцев, и она устала. Она постоянно чувствовала себя усталой.

Тед схватил со стойки ключи, и Элла обернулась.

— Уходишь?

— Не твое дело, — рявкнул он. Когда она снова отвернулась, он потрепал ребенка по голове и направился в спальню. Вытащив из-под подушки «глок» и заткнув его за пояс, он почувствовал возбуждение, словно бы все в мире идет как надо.

Пришло время раз и навсегда решить все проблемы.

7

Когда Доусон вернулся с пробежки, несколько постояльцев, просматривая «США сегодня», пили кофе в холле гостиницы. Поднимаясь по лестнице в свой номер, он уловил запах яичницы с беконом из кухни. Доусон принял душ, надел джинсы и рубашку с коротким рукавом и спустился к завтраку.

К этому времени почти все уже позавтракали, поэтому Доусону пришлось есть в одиночестве. Несмотря на пробежку, он не слишком проголодался, но хозяйка гостиницы, женщина в возрасте около шестидесяти по имени Элис Рассел, которая, выйдя на пенсию, переехала в Ориентал восемь лет назад, положила ему на тарелку еду, и Доусону показалось, что она огорчится, если он не съест все до последней крошки. Хозяйка всем своим видом — в том числе передником и клетчатым платьем — напоминала ему бабушку.

Пока он ел, Элис рассказала ему, что они с мужем, как и многие другие по выходе на пенсию, переехали в Ориентал, чтобы исполнить свою мечту — плавать на яхте. Однако мужу это занятие в итоге наскучило, и несколько лет назад они купили бизнес. Что женщина была не местной, стало ясно сразу, поскольку обращалась к Доусону «мистер Коул», хотя он сообщил ей, что вырос в этом городе. Она явно о нем ничего не знала.

Однако родственники Доусона не давали о себе забыть. Доусон видел в магазине Эби, поэтому быстро свернул за угол в какой-то проход между домами и побежал к гостинице, стараясь держаться подальше от главной дороги. Ему совсем не хотелось неприятных эпизодов с родственниками, тем более с Тедом и Эби. Но тревожное чувство, что дело еще не закрыто, не оставляло его.

Однако впереди его ждали дела. Закончив завтрак, Доусон взял заказанный им еще в Луизиане букет и сел в арендованную машину. По пути, желая убедиться, что никто за ним не следит, он то и дело посматривал в зеркало заднего вида. На кладбище мимо знакомых могильных камней он прошел к могиле доктора Дэвида Боннера.

Как и надеялся Доусон, посетителей на кладбище не было. Он положил у камня цветы, произнес короткую молитву за семью покойного и, постояв у могилы несколько минут, вернулся в гостиницу. Выйдя из машины, он посмотрел вверх. Небесная синева простиралась до самого горизонта. Жара уже наступала. Рассудив, что грех не использовать такое замечательное утро, Доусон решил немного пройтись.

Яркое солнце слепило, отражаясь в водах Ньюс, и Доусон нацепил темные очки. Он перешел улицу и огляделся вокруг. Магазины были открыты, но покупателей возле них не наблюдалось, и Доусон с удивлением подумал, как они умудряются выживать в отсутствие клиентов.

Взглянув на часы, Доусон увидел, что до встречи у него остается еще полчаса. Тогда он решил заглянуть в кофейню, мимо которой пробегал утром. Правда, кофе ему не хотелось, но он решил, что бутылка воды не помешает. Поднялся легкий ветерок. Дверь кофейни распахнулась и оттуда вышла некая особа, при виде которой рот Доусона сразу же растянулся в улыбке.

Аманда стояла у стойки кафе «Бин», добавляя сливки и сахар в чашку эфиопского кофе. Некогда маленький домик с выходом на бухту, «Бин» предлагал около двадцати различных сортов кофе с восхитительной выпечкой, и Аманда, приезжая в Ориентал, обязательно заглядывала сюда. Здесь, как и в «Ирвинз», местные жители собирались обсудить последние городские новости. За спиной Аманды слышался гомон разговоров. Хоть утренний наплыв посетителей остался позади, народу в кафе оказалось гораздо больше, чем ожидала Аманда. Девушка лет двадцати за стойкой работала как заведенная, не останавливаясь ни на минуту.

Аманде смертельно хотелось кофе. Утренняя перепалка с матерью совсем обессилила ее. Стоя под душем, она решила вернуться в кухню и нормально поговорить с матерью, однако к тому моменту, как она взяла полотенце, ее намерения изменились. Аманду до сих пор не оставляла надежда, что в один прекрасный день в ее матери проснется сочувствие и желание поддержать свою дочь, которой этого так не хватало. Но к сожалению, гораздо легче было представить выражение шока и разочарования на материнском лице при упоминании имени Доусона. Затем последует тирада, повторяющая полные возмущения, снисходительные нравоучения, которые она ей читала в подростковом возрасте. Ее мать исповедовала традиционные ценности.

А это подразумевало, что решения бывают либо удачные, либо неудачные, выбор — либо правильный, либо неправильный, и есть грани, которые нельзя переступать. Существуют негласные правила поведения, и прежде всего те, что касаются семьи. Аманда знала эти правила, ей были известны убеждения не терпевшей нытья матери, которые зиждились на чувстве ответственности и неотвратимости последствий сделанного. Это не всегда плохо, и в отношениях с собственными детьми Аманда тоже иногда следовала этой философии, но лишь в тех случаях, когда знала, что ее детям она на пользу.

Разница между ней и ее матерью в том, что матери незнакомо сомнение. Она всегда точно знала, кто она такая и что ей нужно делать, словно жизнь — это песня, с которой лишь нужно шагать в такт, и тогда все получится как задумано. Ее мать никогда и ни о чем не жалела.

Однако Аманда совсем другая. К тому же она не могла забыть, как равнодушна была мать и во время болезни Беи, и после ее смерти. Нет, она, конечно же, выражала сочувствие и присматривала за Джаредом и Линн, когда Аманда с Фрэнком мотались в раковый центр Дьюка. В течение нескольких недель после похорон она даже пару раз приготовила обед. Но Аманда никогда не могла принять демонстрируемого матерью стоического смирения с происшедшим, и ее возмущению не было предела, когда мать через три месяца после смерти Беи стала читать ей лекцию о том, что Аманде необходимо «вернуться в строй» и «перестать себя жалеть». Как будто смерть ребенка — что-то вроде трагического окончания романа. Аманду до сих пор душил гнев, когда она вспоминала об этом. Иногда она сомневалась, способна ли ее мать на сопереживание вообще.

Аманда выдохнула, напоминая себе, что мать живет совсем в ином мире, не похожем на ее. Мать, судя по ее отрывочным воспоминаниям о своем детстве, выросла в семье, где царила любовь. Она не имела высшего образования и всю жизнь безвыездно прожила в Ориентале. Возможно, именно это сформировало ее характер, ее однозначное отношение к вещам, ведь ей не с чем было их сравнить. И в ее семье всегда царила любовь, судя по тем отрывочным сведениям о ее детстве, которыми мать с ней делилась. Хотя никто ничего не знает наверняка. Но точно Аманда знала лишь одно: откровения с матерью принесут скорее неприятности, чем пользу, а этого Аманде совсем не хотелось.

Только она накрыла стаканчик с кофе крышкой, как зазвонил сотовый. Звонила Линн. Аманда вышла на маленькое крыльцо, и несколько минут разговаривала с дочерью, потом позвонила Джареду на его мобильный и, разбудив его, в ответ выслушала сонное бурчание. Он только и сказал, что с нетерпением ждет ее возвращения в воскресенье, и отключился. Аманда жалела, что нельзя позвонить Аннет, но утешилась тем, что та наверняка здорово проводит время в лагере.

Помедлив, она позвонила на работу Фрэнку. Несмотря на то что она говорила матери, раньше у нее для этого времени не нашлось. Аманде, как всегда, пришлось дожидаться, пока у Фрэнка появится свободная минута между приемами.

— Привет, — бросил он ей, взяв трубку. Во время разговора Аманда сделала вывод, что он не помнит вчерашнего звонка. Тем не менее муж, казалось, был рад ее слышать, справился о маме, и Аманда сообщила, что они собираются вместе поужинать. Когда же Фрэнк сообщил ей, что воскресным утром собрался играть в гольф со своим другом Роджером, после чего они, возможно, пойдут посмотреть игру «Брейвз» в клубе, Аманда уже представляла ту грандиозную попойку, которой обычно завершалась подобная встреча. Она постаралась подавить волну накатившего на нее гнева, зная, что если только начать подначивать Фрэнка, будет еще хуже. Фрэнк спросил, что, кроме похорон, входит в ее планы пребывания в городе, на что Аманда честно ответила: «Не знаю». При этом она поймала себя на том, что избегает упоминать имя Доусона. Фрэнк вроде бы ничего не заметил. Но по окончании разговора Аманда ощутила отчетливый и неприятный укол совести, что, наложившись на раздражение, привело ее в крайнее смятение.

Стоя в тени магнолии, Доусон дождался, пока Аманда спрячет телефон в сумку. Он заметил промелькнувшее на ее лице беспокойство, но вот она расправила на плече ремешок сумки, и на ее лицо вновь опустилась непроницаемая завеса.

Она была в джинсах и бирюзовой блузке, которая, по мнению направившегося к ней Доусона, чудесно сочеталась с ее глазами. Погруженная в свои мысли Аманда, не сразу увидев Доусона, вздрогнула от неожиданности.

— Привет, — расплылась она в улыбке. — Не ожидала тебя здесь увидеть.

Доусон поднялся на крыльцо. Аманда скользнула рукой по своим аккуратно собранным в хвост волосам.

— Да вот, хотел купить воды перед встречей.

— Кофе не будешь? — Аманда махнула рукой в сторону кафе. — Тут лучший кофе в городе.

— Я уже пил за завтраком.

— Ходил в «Ирвинз»? Так никаких других заведений не признавал.

— Да нет. Поел в отеле, где остановился. Там кормят завтраками, и у Элис уже все было готово.

— Элис?

— Да, хозяйка заведения, супермодель в купальнике. У тебя нет повода для ревности.

Аманда рассмеялась.

— Да, это точно. Как у тебя прошло утро?

— Хорошо. Немного пробежался — возможность увидеть произошедшие в городе перемены.

— И что же?

— Словно совершил телепортацию во времени. Чувствую себя как Майкл Дж. Фокс в фильме «Обратно в будущее».

— В этом отчасти состоит очарование Ориентала. Здесь легко себе представить, что остального мира не существует, и поэтому все твои проблемы куда-то мигом исчезают.

— Твои слова похожи на рекламу Торговой палаты.

— А вот умение так формулировать — одно из моих орудий очаровывать.

— Одно из множества.

Аманду вдруг снова пронзил его взгляд. Ей это было непривычно. В набившем оскомину круговороте своей жизни она почти перестала выделять себя. Прежде чем она окончательно смутилась, Доусон кивнул на дверь.

— Я пойду куплю воды.

Аманда видела, как он вошел внутрь, как хорошенькая двадцатилетняя кассирша изо всех сил старалась не глазеть на Доусона, когда тот подходил к холодильнику. Когда он прошел в глубь магазина, продавщица посмотрелась в зеркало за стойкой, после чего одарила его теплой улыбкой у кассы. Аманда поспешила отвернуться, чтобы Доусон не заметил, как она за ним наблюдает.

Доусон появился через минуту, продолжая на ходу обмениваться репликами с девушкой из магазина. Заставив себя сохранять невозмутимость, Аманда вслед за Доусоном спустилась с крыльца, затем оба по молчаливому согласию направились к тому месту, откуда удобнее было смотреть на пристань.

— Девушка за стойкой с тобой флиртовала, — заметила Аманда.

— Просто была любезна.

Настолько любезна, что это бросалось в глаза.

Доусон пожал плечами, откручивая крышку бутылки.

— Я ничего такого не заметил.

— Как этого можно было не заметить?

— Я думал о другом.

По тому, как он это произнес, Аманда поняла, что он подразумевает нечто большее, а потому молча ждала продолжения. Доусон, прищурившись, устремил взгляд на выстроившиеся в линию у пристани яхты.

— Сегодня утром во время пробежки я видел Эби, — наконец выдал он.

Услышав это, Аманда насторожилась.

— Ты уверен, что это был он?

— Как-никак он мой двоюродный брат, не забывай.

— И что же?

— Да ничего.

— Ну и хорошо.

— Не уверен, что хорошо.

Аманда напряглась еще сильнее.

— Что ты хочешь сказать?

Доусон помедлил, сделал глоток воды, и Аманда почти явственно слышала, как вращаются у него в голове колесики.

— Хочу сказать, что мне стоит как можно меньше высовываться. А там как получится.

— Может, они не пойдут на обострение.

— Может, — кивнул Доусон. — Пока ничего не случилось. — Он закрыл бутылку и сменил тему. — Как ты думаешь, что нам скажет мистер Тэннер? Во время нашего с ним разговора по телефону он был немногословен. Даже про похороны не упомянул.

— Да, и со мной тоже. Мы с мамой как раз обсуждали это сегодня утром.

— Кстати, как твоя мама?

— Слегка расстроена, что вчера вечером ей пришлось пропустить свой бридж. И в качестве компенсации заставила меня сегодня идти на ужин к ее подруге.

Доусон улыбнулся.

— Значит... ты свободна до ужина?

— А что ты надумал?

— Не знаю. Давай сначала послушаем мистера Тэннера. Кстати, нам, кажется, пора. Его офис где-то в этом квартале.

Аманда закрыла свой стакан с кофе крышкой, и они пошли по тротуару, передвигаясь от одного островка тени к другому.

— Помнишь, как ты в первый раз спросил разрешения купить мне мороженого? — вспомнила Аманда.

— Я помню, как я удивился, когда ты сказала «да».

Проигнорировав последнее замечание, Аманда продолжила:

— Тогда ты отвел меня в аптеку, ту, где старый фонтан и длинный прилавок, и мы там ели мороженое. В этой аптеке готовили самое лучшее мороженое из того, что я когда-либо пробовала. Поверить не могу, что в итоге они снесли это здание.

— Когда, кстати, это произошло?

— Не знаю. Где-то лет шесть-семь назад. Однажды приехав сюда, я обнаружила, что этого здания больше нет. Даже расстроилась. Я туда своих детей водила, когда они были крохами, им там всегда нравилось.

Доусон попытался представить ее с детьми в старой аптеке, но не мог нарисовать себе их лиц. Интересно, думал он, на кого они похожи, на нее или на отца? Передался ли им ее темперамент, ее щедрое сердце?

— Как ты думаешь, твоим детям понравилось бы в детстве здесь жить? — спросил он.

— Думаю, да: город красивый, много пространства для развивающих, познавательных игр. Но, став постарше, они скорее всего сочли бы здешнюю жизнь слишком ограниченной.

— Так же, как ты?

— Да, — согласилась Аманда. — Как я. Я просто рвалась поскорее уехать отсюда. Возможно, ты помнишь, что я подавала заявление и в Нью-Йоркский университет, и в Бостонский колледж, лишь бы очутиться в настоящем большом городе.

— Ну как я мог забыть? Эти города тогда казались такими далекими, — проговорил Доусон.

— Да... мой отец учился в Дьюке, о котором мне постоянно рассказывал. Я выросла на историях о Дьюке. По телевизору я смотрела баскетбольные матчи из Дьюка. Наверное, сами небеса предначертали мне поступить в Университет Дьюка. В итоге мой выбор оказался верным, там дают отличное образование, там я обрела много друзей и там я повзрослела. Полагаю, мне вряд ли понравилось бы жить в Нью-Йорке или Бостоне. Потому что я в душе осталась все той же девочкой из провинции. Люблю, видишь ли, засыпая, слушать сверчков.

— Тогда тебе обязательно понравилось бы в Луизиане. Это мировая столица жуков.

Аманда, улыбнувшись, сделала глоток кофе.

— А помнишь, как мы катались вдоль берега моря, когда надвигался ураган «Диана»? Я тебя еще умоляла двинуться ему навстречу, а ты пытался отговорить меня?

— Я тогда думал, что ты сошла с ума.

— Но ведь ты все равно меня послушал. Я так этого хотела. Мы с трудом выбрались из машины, такой сильный дул ветер, и океан просто... бесновался. По воде до самого горизонта бегали барашки, а ты стоял, молча сжимая меня в объятиях, уговаривая вернуться в машину.

— Я очень боялся за тебя.

— А тебе не приходилось попадать в подобный шторм во время работы на нефтяной вышке?

— Это бывает не так часто, как ты думаешь. Если мы оказываемся на расчетной траектории шторма, нас, как правило, эвакуируют.

— Как правило?

Доусон пожал плечами.

— Метеорологи иногда ошибаются. Меня как-то задело краем циклона. Очень, знаешь ли, неприятно. Чувствуешь свою ничтожность перед властью стихии. Когда вышка начинает шататься, приходится сгибаться в три погибели, чтобы удержаться, зная, что, если тебя накроет ураганом, помощи ждать неоткуда. Я видел, как некоторые от этого просто сходили с ума.

— Думаю, со мной на их месте случилось бы то же самое.

— Однако во время урагана «Диана» ты держалась молодцом, — заметил Доусон.

— Потому что рядом был ты, — прямо сказала она, замедлив шаг. — Я знала: ты не допустишь, чтобы со мной что-то случилось. Мне всегда с тобой было спокойно.

— Даже когда мой отец и мои двоюродные братья явились к Таку за деньгами?

— Да, — подтвердила Аманда. — Даже тогда. Твои родственники никогда меня не беспокоили.

— Тебе повезло.

— Не знаю, — ответила Аманда. — Даже в нашем прошлом я иногда сталкивалась Тедом, Эби и твоим отцом. Так вот когда это случалось, на их лицах появлялись ухмылки, но ни разу не было такого, чтобы они меня напугали. А когда я приезжала сюда на лето, Теда уже посадили, и Эби с твоим отцом ко мне даже не приближались. Думаю, они знали, что ты бы их уничтожил, случись что со мной. — Остановившись в тени дерева, Аманда повернулась к Доусону лицом. — Так что я никогда их не боялась. Никогда. Потому что у меня был ты.

— Ты меня переоцениваешь.

— Хочешь сказать, ты позволил бы им меня обидеть?

Отвечать Доусону не пришлось — по выражению его лица Аманда могла понять, что она права.

— Они всегда тебя боялись. Даже Тед. Потому что знали тебя не хуже меня.

— Ты меня боялась?

— Я не о том, — сказала Аманда. — Я знала, что ты любишь меня, и ради меня готов на все. Именно поэтому мне было так больно, когда ты разорвал наши отношения. Мне и тогда уже было ясно, как редко встречается такая, как у нас, любовь. Она дается лишь избранным.

Доусон молчал.

— Мне жаль, — наконец выговорил он.

— Мне тоже, — сказала Аманда, даже не стараясь скрыть свою давнюю тоску. — Я была одной из избранных.

Явившись к Моргану Тэннеру, Доусон и Аманда устроились в небольшом вестибюле со стершимися сосновыми полами, столиками, заваленными старыми журналами, и стульями с протершейся матерчатой обивкой. Секретарша, которая, судя по ее возрасту, не один год уже могла сидеть на пенсии, читала книгу в бумажной обложке, поскольку делать ей в общем-то было нечего. За те десять минут, что Доусон и Аманда провели в вестибюле, телефон не зазвонил ни разу.

Наконец дверь распахнулась, и взору Доусона и Аманды предстал пожилой господин в мятом костюме с ослепительно белыми седыми волосами и бровями, похожими на гусениц. Он жестом пригласил их в кабинет.

— Аманда Ридли и Доусон Коул, я полагаю? — Он пожал им руки. — Я Морган Тэннер. Позвольте выразить вам свои соболезнования. Я знаю: вам нелегко.

— Спасибо, — поблагодарила Аманда. Доусон же просто кивнул.

Тэннер подвел их к кожаным креслам.

— Прошу садиться. Я не отниму у вас много времени.

Обстановка кабинета Тэннера с окном, выходящим на улицу, кардинально отличалась от той, что была в вестибюле: книжные полки красного дерева были аккуратно заставлены множеством книг по законодательству. На роскошном антикварном письменном столе с тонким рельефом по углам стояли лампа, похоже, от Тиффани, а также прямо напротив кожаных кресел шкатулка орехового дерева.

— Прошу прощения за опоздание — меня задержали телефонные переговоры: требовали решения кое-какие вопросы. — Адвокат говорил и одновременно перебирал предметы на столе. — Вы, наверное, теряетесь в догадках: для чего такая таинственность. Однако такова была последняя воля Така. Он был весьма настойчивым человеком и обо всем имел свое собственное представление. — Адвокат внимательно посмотрел из-под кустистых бровей на Доусона и Аманду. — Но вам обоим, наверное, об этом известно.

Аманда украдкой бросила взгляд на Доусона. Тэннер сел за стол и потянулся к лежавшей перед ним папке.

— Я очень благодарен вам за то, что вы нашли возможность выполнить его волю. Судя по тому, что он о вас говорил мне, он тоже был бы вам признателен. У вас, конечно же, есть ко мне вопросы, так что позвольте начать. — Он коротко улыбнулся им, обнажив в улыбке на удивление ровные и белые зубы. — Как вам известно, тело Така было обнаружено во вторник утром Рексом Ярборо.

— Кем? — переспросила Аманда.

— Почтальоном. Как выяснилось, тот взял себе за правило регулярно справляться о Таке. На этот раз на его стук в дверь никто не ответил. Дверь оказалась не заперта. Он прошел в дом и нашел Така в постели. Затем вызвал шерифа, который установил, что следов насильственной смерти нет. Тогда шериф позвонил мне.

— Почему он позвонил вам? — поинтересовался Доусон.

— Потому что его просил об этом Так. Он еще при жизни сделал заявление в полицию округа, что я являюсь его душеприказчиком и после его смерти нужно как можно скорее со мной связаться.

— Судя по вашим словам, он знал о своей близкой кончине.

— Скорее всего, — сказал Тэннер. — Так Хостлетер уже пожил на этом свете и не боялся смотреть в лицо реальности и тому, что она обещает. — Адвокат покачал головой. — Надеюсь, и я, когда настанет время, проявлю такую же организованность и решимость.

Аманда с Доусоном переглянулись, не сказав ни слова.

— Я убеждал Така сообщить вам о его последней воле, но он почему-то пожелал хранить все в секрете. До сих пор не знаю почему, — продолжал Тэннер отеческим тоном. — Было ясно, что вы оба ему очень дороги.

Доусон подался вперед.

— Я понимаю, это не имеет значения, и все же как вы познакомились?

Тэннер кивнул, словно ждал этого вопроса.

— Мы познакомились с Таком восемнадцать лет назад, когда я привез к нему на реставрацию свой старый «мустанг». В то время я был партнером крупной фирмы в Роли и, сказать правду, их лоббистом. У меня было много дел, связанных с сельскохозяйственным производством. Как-то мне пришлось остаться в городе на несколько дней, чтобы проследить за ходом дела. Тогда я знал о Таке лишь по слухам и не слишком ему доверял. Но пока он занимался моей машиной, мы познакомились поближе. Мне очень понравилась спокойная, размеренная жизнь провинции. А когда я через несколько недель приехал забирать машину, он не взял с меня и половины того, что я ожидал. И сделано было все просто замечательно: машина как будто помолодела лет на пятнадцать. Какое-то время спустя, переживая внутренний кризис, я внезапно решил отойти от дел и переехать сюда. Но постепенно жизнь взяла свое: где-то через год я начал подрабатывать. Совсем немного — брал в производство я в основном имущественные дела: завещания, реже сделки с недвижимостью. Работать мне нет необходимости, но хочется чем-то занять время, да и жена рада избавиться от меня на несколько часов в неделю. Словом, однажды утром, увидев в «Ирвинз» Така, я предложил ему свои услуги. И вот в прошлом феврале он неожиданно воспользовался моим предложением.

— А почему он выбрал вас, а не...

— Другого городского адвоката? — закончил за Доусона Тэннер. — Мне показалось, он искал адвоката, не имевшего глубоких корней в городе. Он не очень-то верил в строгую конфиденциальность полученной адвокатом от клиента информации, даже когда я его уверял, что она абсолютна. Что-то еще?

Аманда отрицательно покачала головой, и адвокат придвинул папку к себе поближе, водрузив на нос очки.

— Тогда давайте приступим. Так оставил мне распоряжения, которые я должен до вас донести, и в первую очередь то, что он не хотел традиционных похорон. Он просил, чтобы его тело после смерти кремировали и, согласно его воле, тело Така Хостлетера было кремировано вчера. — Адвокат указал на шкатулку, которая стояла на столе, и Аманда с Доусоном поняли, что в ней находится прах Така.

Аманда побледнела.

— Но мы вчера приехали.

— Я знаю. Он просил, чтобы я постарался сделать это до вашего приезда.

— Он не хотел, чтобы мы при этом присутствовали?

— Он не хотел, чтобы при этом кто-либо вообще присутствовал.

— Почему?

— Могу сказать только то, что он в своих распоряжениях был очень конкретен. Можно предположить, что он опасался негативного на вас воздействия этого печального обряда. — Адвокат вытащил из папки страницу и поднял ее в руке. — Так завещал — цитирую — «я не хочу, чтобы моя смерть стала для них бременем». — Тэннер снял очки и откинулся на стуле, пытаясь проследить за реакцией Доусона и Аманды.

— Иными словами, похорон не будет? — спросила она.

— В традиционном смысле этого слова — нет.

Аманда посмотрела на Доусона, после чего снова перевела взгляд на Тэннера.

— Тогда почему он хотел, чтобы мы приехали?

— Он просил меня связаться с вами, надеясь, что вы сделаете для него нечто другое, более важное, чем кремация. Он хотел, чтобы вы вдвоем развеяли его прах над местом, которое, по его словам, было ему очень дорого, но где ни один из вас, кажется, не бывал.

Аманде потребовалось не больше минуты, чтобы сообразить, о чем речь.

— Это его дом в Вандемире.

Тэннер кивнул:

— Именно. В идеале, хорошо бы это сделать завтра в любое удобное для вас время. Но если эта идея вызывает у вас неприятие, об этом позабочусь я. Мне все равно туда ехать.

— Ничего такого, завтра так завтра, — сказала Аманда.

Тэннер поднял зажатую в руке полоску бумаги.

— Вот адрес. Я также по собственной инициативе распечатал для вас указатель, как найти дом, который вам, наверное, ясно, находится в глуши. И еще: Так просил передать вам это, — сказал Тэннер, вынимая из папки три запечатанных конверта. — На двух из них ваши имена. Он хотел, чтобы вы перед церемонией прочитали конверт без надписи.

— Перед церемонией? — удивилась Аманда.

— Имеется в виду развеивание праха, — уточнил адвокат, передавая карту и конверты. — Если хотите что-то уточнить, не стесняйтесь.

— Спасибо, — поблагодарила Аманда, принимая конверты, оказавшиеся до странности тяжелыми, словно такими их делала хранимая ими тайна.

— Их, наверное, нужно прочитать потом.

— Наверное?

— Насчет этого Так конкретных указаний не оставил. Сказал лишь, что, прочитав первое письмо, вы узнаете, как поступить с другими.

Аманда спрятала конверты в сумку, переваривая только что полученную от Тэннера информацию. Доусон, судя по всему, тоже был немало озадачен.

Тэннер снова углубился в документ.

— Вопросы есть?

— Он сказал, где конкретно в Вандемире развеять его прах?

— Нет, — ответил Тэннер.

— Так как же нам это узнать, если мы там никогда не были?

— Я тоже задал ему этот вопрос, но он, кажется, не сомневался, что вы поймете, как поступить.

— Он имел в виду какое-то особое время суток?

— Тут он опять же оставил выбор за вами. Однако одно его условие было непреложным: во время церемонии похорон посторонних быть не должно. Кроме того, он попросил меня проследить, чтобы в газетах не появилось никакой информации о его смерти. У меня создалось впечатление, что он не хотел, чтобы, кроме нас троих, кто-либо знал о его кончине. И я стараюсь исполнить его волю как можно точнее. Несмотря на мои усилия, информация, конечно же, распространилась, но вы должны знать: я сделал все, что мог.

— Он объяснил, почему он так хочет?

— Нет, — ответил Тэннер. — Да я и не спрашивал. Я уже тогда понял, что раз он сам не сказал, то, наверное, так и надо. — Адвокат посмотрел на Аманду и Доусона, ожидая дальнейших вопросов, но когда их не последовало, перевернул листок бумаги в папке. — Перехожу к вопросу о его имуществе. Как вы знаете, из родственников у Така никого не осталось. Я понимаю: у вас горе, и обсуждение наследства сейчас вам может показаться неуместным, но Так просил, чтобы я перечислил вам оставшееся после него имущество, пока вы здесь. Вы не против? — Доусон с Амандой кивнули, и адвокат продолжил: — Имущество Така не иллюзорно. В его собственности довольно приличный участок земли и средства на нескольких счетах. Я еще не все подсчитал, но хочу сказать следующее: согласно воле Така, вы можете взять из его имущества все, что угодно, любую вещь. Он хотел, чтобы в случае возникновения каких-либо разногласий вы оба уладили их здесь. Я буду заниматься завещанием еще несколько месяцев, но могу сказать главное — все, что останется от имущества Така, будет продано, а средства от продажи пойдут на счет Педиатрического ракового центра университетской больницы Дьюка. — Тэннер улыбнулся Аманде. — Он думал, вам захочется это знать.

— Не знаю, что и сказать. — Аманда ощутила, как Доусон молча насторожился. — Это очень щедро с его стороны. — Тронутая больше, чем хотела это показать, Аманда умолкла. — Он... вы, наверное, знаете, что для меня это значит.

Тэннер кивнул, перебрал бумаги и наконец отложил их в сторону.

— Ну вот, кажется, и все. Разве вы что-нибудь еще вспомните.

Но Доусон и Аманда больше ничего не вспомнили. Попрощавшись с адвокатом, Аманда встала, а Доусон взял со стола деревянную шкатулку. Тэннер тоже поднялся, но не сделал движения проводить их. Заметив обозначившееся на лице Доусона хмурое выражение, Аманда проследовала за ним к двери. На полпути к выходу Доусон, остановившись, обернулся.

— Мистер Тэннер?

— И что же?

— Меня кое-что заинтересовало в ваших словах.

— Вот как?

— Вы сказали, что в идеале все сделать лучше завтра. Вы, наверное, имели в виду завтрашний день по отношению к сегодняшнему.

— Да.

— Не скажете ли почему?

Тэннер отодвинул папку на край стола.

— Простите, — проговорил он. — Но этого я вам сказать не могу.

— Что это значит? — удивилась Аманда.

Они шли к ее машине, оставленной у кофейни. Доусон молча сунул руку в карман.

— Что ты делаешь в обед? — поинтересовался он в свою очередь.

— Не хочешь мне ответить?

— Не знаю, что сказать. Ведь Тэннер ничего не объяснил.

— Но почему ты вообще задал ему этот вопрос?

— Потому что я любопытный, — объяснил Доусон. — Мне всегда все было интересно.

Аманда перешла улицу.

— Нет, — в конце концов отрезала она. — Я так не согласна. Ты всегда, что бы ни случалось в твоей жизни, принимал почти безропотно. И сейчас я точно знаю, что ты делаешь.

— И что же?

— Ты пытаешься перевести разговор на другую тему.

Молча перехватив шкатулку под мышкой, Доусон даже не потрудился это опровергнуть.

— Ты тоже не ответила на мой вопрос.

— Какой вопрос?

— Я спросил, что ты делаешь в обед. Если ты свободна, могу предложить одно отличное местечко.

Аманду охватили сомнения при мысли о том, как мгновенно в маленьком городишке расползаются сплетни, но Доусон, как всегда, прочитал ее мысли.

— Доверься мне, — сказал он. — Я знаю, куда идти.

Через полчаса они снова были у Така и сидели на берегу реки на одеяле, разысканном Амандой в шкафу. По дороге Доусон прихватил из ресторана «Брэнтли вилладж» сандвичи и несколько бутылок воды.

— Как это ты сообразил? — спросила Аманда, возвращаясь к их старинной манере общения. С Доусоном она снова вспомнила, что можно понимать друг друга без слов. Когда-то в юности им хватало одного беглого взгляда или едва заметного жеста, чтобы продемонстрировать целое море мыслей и эмоций.

— Тут нет никакой загадки. Твоя мама и все ее знакомые по-прежнему живут здесь. Ты замужем, а я человек из твоего прошлого. Поэтому нетрудно догадаться, что проводить день вместе нам не совсем удобно.

Аманда почувствовала облегчение, что Доусону не нужно ничего объяснять, однако, когда он вытащил из сумки пару сандвичей, она тем не менее ощутила укол совести. Ничего такого, уверяла она себя, они просто вместе обедают. Но это было не совсем правдой, и она это знала.

Доусон, казалось, ничего не замечал.

— Какой тебе, с индейкой или с курицей? — спросил он, протягивая Аманде оба.

— Все равно, — ответила она, но, в следующую минуту передумав, поправилась: — с курицей.

Доусон передал ей сандвич и бутылку воды. Наслаждаясь тишиной, Аманда созерцала окружающий пейзаж. В небе медленно скользили тонкие, прозрачные облака, а возле дома по стволу дуба, окутанного бородатым мхом, гонялись друг за другом пара белок. На бревне в дальнем конце бухты грелась на солнце черепаха. Здесь прошли детство и юность Аманды, однако место казалось ей до странности чужим, будто вырванным совсем из другого мира, чужого тому, в котором она жила сейчас.

— Ну и что ты думаешь о встрече? — спросил Доусон.

— Тэннер производит впечатление порядочного человека.

— А что ты думаешь о письмах Така? У тебя есть какие-нибудь соображения на этот счет?

— После того что мы услышали сегодня утром? Нет.

Доусон, кивнув, развернул сандвич. Аманда последовала его примеру.

— Надо же! Педиатрический раковый центр.

Аманда кивнула и сразу же подумала о Бее.

— Я тебе говорила, что я в качестве волонтера работала в университетской больнице Дьюка. И кроме того, собирала для них средства.

— Говорила, правда, опустила, в каком именно отделении больницы ты работала, — сказал Доусон. Его развернутый сандвич пока оставался нетронутым. В голосе Доусона прозвучал вопрос. Аманда поняла, что он ждет разъяснений. С отсутствующим видом она открутила крышку бутылки.

— У нас с Фрэнком был еще один ребенок, девочка, появившаяся на свет через три года после рождения Линн. — Аманда сделала паузу, собираясь с силами, хотя знала, что, рассказав все Доусону, она не почувствует неловкости или боли, как это часто бывало в разговоре с другими.

— Когда ей было восемнадцать месяцев, у нее обнаружили опухоль мозга, которая оказалась неоперабельной, и, несмотря на все усилия врачей Педиатрического ракового центра, через шесть месяцев моя дочь умерла. — Аманда почувствовала знакомую, глубоко засевшую в сердце боль, печаль, которая, она знала, никогда не уйдет. Она посмотрела на старую речку.

Доусон накрыл ее руку своей и слегка пожал.

— Как ее звали? — тихо спросил он.

— Бея, — проговорила Аманда.

Они долго молчали. Тишину нарушали лишь журчание реки да шелест листьев над головой. Аманда не чувствовала необходимости говорить что-то еще, а Доусон ничего от нее не ждал. Она знала, что он как никто понимает ее чувства. Ей казалось, что он даже ощущает боль уже от того, что не в силах ничем помочь ей.

Собрав после обеда остатки пикника и одеяло, они побрели назад к дому. В доме Аманда куда-то тут же исчезла, чтобы убрать одеяло. В ней все время чувствовалась какая-то настороженность, словно она боялась переступить какую-то незримую грань. Доусон достал из буфета на кухне стаканы, разлил сладкий чай, и, когда Аманда вернулась в кухню, все уже было готово.

— С тобой все в порядке? — спросил он.

— Да, — сказала Аманда, принимая стакан. — Я в порядке.

— Прости, что расстроил тебя.

— Ты тут ни при чем, — возразила Аманда. — Просто мне до сих пор трудно говорить о Бее. Кроме того, наш уик-энд для меня... полная неожиданность.

— Для меня тоже, — согласился Доусон. Он прислонился к стойке. — Как ты хочешь это сделать?

— О чем ты?

— О том, чтобы выбрать себе что-то на память из дома.

Аманда с силой выдохнула, надеясь, что ее нервозность не слишком бросается в глаза.

— Даже не знаю. Я чувствую некоторую неловкость.

— Этого не должно быть. Он хотел, чтобы мы его помнили.

— Я в любом случае буду его помнить.

— Тогда скажу точнее: он хотел остаться не только в наших воспоминаниях. Он хотел, чтобы у нас осталась материальная частица его самого и этого дома.

Аманда сделала глоток. Наверное, Доусон прав, подумала она, но рыться в вещах в поисках сувенира на память прямо сейчас — это уж слишком.

— Давай подождем чуть-чуть, хорошо?

— Хорошо, подождем, пока ты будешь готова. Посидим немного на улице?

Кивнув, Аманда прошла за Доусоном на заднюю веранду, где они устроились в старых креслах-качалках Така. Доусон поставил свой стакан себе на колено.

— Наверное, Так с Кларой частенько сидели таким образом, — заметил он. — Созерцая окружающий мир.

— Наверное.

Доусон повернулся к Аманде.

— Я рад, что ты его навещала. Мне было тяжко при мысли, что он здесь все время один.

Сжав стакан, Аманда почувствовала влагу запотевшего стекла.

— А ты знаешь, что он часто видел Клару? После ее смерти.

— Ты о чем? — нахмурился Доусон.

— Он клялся, что она до сих пор рядом с ним.

Доусон тут же вспомнил о преследовавших его образах и каком-то движении, которое иногда ловил боковым зрением.

— Что значит, он ее видел?

— То, что я сказала. Он ее видел и говорил с ней, — пояснила Аманда.

Доусон прищурился.

— Хочешь сказать, Так видел призрак?

— Что? Он тебе никогда об этом не упоминал?

— Он вообще со мной о Кларе никогда не говорил.

— Никогда? — Глаза Аманды расширились от удивления.

— Он всего лишь раз как-то назвал ее имя.

Аманда отставила свой стакан и начала пересказывать истории, услышанные ею за долгие годы от Така. В том числе как он в двенадцать лет бросил школу и пошел работать в мастерскую дяди; как первый раз в четырнадцать лет увидел в церкви Клару и сразу решил на ней жениться; как во время Великой депрессии все родственники Така, в том числе и его дядя, уехали на север в поисках работы, да так и не вернулись. Аманда рассказывала Доусону о первых годах его жизни с Кларой и о ее первом выкидыше, о том, как Так горбатился на отца Клары на семейной ферме, а по вечерам строил этот дом, о том, как у Клары после войны случилось еще два выкидыша, как Так строил мастерскую и как в начале 1950-х постепенно начал заниматься реставрацией машин, в том числе и «кадиллака», который принадлежал подающему надежды певцу по имени Элвис Пресли. Когда Аманда закончила свое повествование о смерти Клары и о том, как Так разговаривал с ее призраком, Доусон уже допил свой чай и сидел, уставившись в стакан, пытаясь примерить все рассказанное Амандой к человеку, которого он знал.

— Просто не верится, что ничего этого ты от него не слышал, — поразилась Аманда.

— Видимо, были у него на то свои причины. Наверное, ты ему больше нравилась.

— Не думаю, — сказала Аманда. — Просто я общалась с ним уже на закате его жизни, а ты, когда он еще остро переживал свою потерю.

— Возможно, — согласился Доусон, хотя уверенности в его голосе не слышалось.

— Ты играл важную роль в его жизни, — продолжила Аманда. — Ведь он в итоге позволил тебе остаться здесь. И это было не единожды, а дважды.

Доусон согласно кивнул в ответ. Отставив свой стакан, Аманда взглянула на Доусона.

— Можно задать тебе один вопрос?

— Все, что угодно.

— А о чем вы с ним чаще всего говорили?

— О машинах. О двигателях. О трансмиссии. Иногда обсуждали погоду.

— Очень увлекательные темы, — пошутила Аманда.

— Представь себе. Правда, я в те времена тоже особой разговорчивостью не отличался.

Аманда вдруг резко наклонилась к нему.

— Все это хорошо. Теперь мы с тобой все знаем о Таке, и тебе все известно обо мне. Но я до сих пор ничего не знаю о тебе.

— Конечно, знаешь. Я все рассказал тебе о себе вчера — о том, что работаю на нефтяной вышке, живу в трейлере за городом, до сих пор езжу на той же машине, с женщинами не встречаюсь.

Она медленно, полным чувственности движением перекинула свои собранные в хвост волосы на плечо.

— Расскажи мне то, о чем я не знаю, — попросила она. — Что-то, чего никто не знает. Что удивило бы меня.

— Да, в общем, нечего рассказывать, — ответил Доусон.

Аманда внимательно посмотрела на него.

— Почему я тебе не верю?

«Да потому, — подумал Доусон, — что я от тебя никогда и ничего не мог скрыть», но вслух произнес:

— Не знаю.

Аманда умолкла, что-то обдумывая.

— Твои слова вчера вызвали во мне любопытство. — Встретившись с вопросительным взглядом Доусона, она продолжила: — Откуда ты знаешь, что Мэрилин Боннер так больше и не вышла замуж?

— Знаю, и все.

— Это тебе сказал Так?

— Нет.

— Тогда откуда ты узнал?

Сплетя пальцы, Доусон откинулся на спинку кресла-качалки. Он знал, что если не ответит на вопрос Аманды, она задаст его снова. В этом она тоже нисколько не изменилась.

— Видимо, лучше начать с начала, — вздохнул он и рассказал Аманде о Боннерах — о том, как когда-то пришел в их разрушающийся дом, о том, как семья Мэрилин долгие годы боролась за выживание и как он, выйдя из тюрьмы, начал анонимно высылать им деньги. И наконец о том, как частные детективы на протяжении многих лет посылали ему отчеты о благосостоянии семьи. Когда он закончил, Аманда молчала, явно пытаясь подобрать слова.

— Не знаю, что и сказать, — наконец проговорила она.

— У меня не было сомнений, что ты это скажешь.

Аманда явно была возмущена.

— Я знаю: все, что ты делаешь, ты делаешь из благих побуждений, и я уверена, что ты изменил их жизнь к лучшему. Но... с другой стороны, печально, что ты не можешь простить себе то, что, по сути, явилось несчастным случаем. Никто не застрахован от случайностей, даже очень трагических. Но следить за людьми, за тем, что происходит в их жизни... Это неправильно.

— Ты не понимаешь... — начал было Доусон.

— Нет, это ты не понимаешь, — перебила его Аманда. — Ты забыл о главном жизненном принципе — неприкосновенности личности и частной жизни. А тут людей фотографируют, что-то вынюхивают про них...

— Это не так, — возразил Доусон.

— Нет, так! — Аманда ударила рукой по подлокотнику своего кресла. — А вдруг они когда-нибудь об этом узнают?

Представляешь, что они будут при этом чувствовать? Они воспримут это именно как посягательство на их частную жизнь. — Затем, неожиданно для Доусона, Аманда крепко сжала ему руку, желая, чтобы он ее понял. — Я не говорю, что осуждаю твое начинание: как распоряжаться своими деньгами — твое дело. Но все остальное? Привлечение к делу детективов? Ты должен это прекратить. Пообещай, что прекратишь это.

Доусон чувствовал тепло руки Аманды.

— Хорошо, — в конце концов согласился он. — Обещаю, что с этим будет покончено.

Аманда внимательно посмотрела на него, желая убедиться в его искренности. Впервые за все время с начала их встречи Доусон выглядел утомленным. Всем своим видом он выражал поражение. Как бы сложилась его жизнь, думала Аманда, если бы в то лето она не уехала из города. Или хотя бы навестила его в заключении. Ей хотелось верить, что все это благотворно отразилось бы на его судьбе и что Доусон мог бы жить сейчас, не чувствуя давления прошлого. Пусть бы он не был счастлив, но по крайней мере мог бы обрести покой, чего ему никогда не удавалось.

Но в этом он не одинок. Разве не покоя все ищут?

— Хочу сделать еще одно признание, — объявил Доусон. — Относительно Боннеров.

Аманда чуть на задохнулась.

— Что еще?

Доусон поскреб пальцем нос, оттягивая продолжение.

— Сегодня утром я купил цветы на могилу доктора Боннера. Я делал это регулярно после того, как освободился. Когда мне бывало совсем тошно.

Аманда пристально смотрела на него, размышляя, все ли он сказал или собирается еще чем-то удивить. Но никаких откровений дальше не последовало.

— Ну, это совсем ерунда по сравнению с тем, о чем ты рассказывал до этого.

— Само собой. Просто я решил, что должен сказать тебе все.

— Зачем? Потому что тебе так нужно мое мнение?

— Наверное, — пожал плечами Доусон.

Аманда с минуту молчала.

— Пожалуй, цветы это даже хорошо, — наконец вынесла она свой вердикт, — главное, не кидаться в крайности. Цветы на самом деле... уместны.

— Ты думаешь? — повернулся к ней Доусон.

— Да, — кивнула Аманда. — Для тебя возложение цветов на его могилу имеет особое значение, не являясь в то же время посягательством на чье-либо личное пространство.

Доусон молча кивнул. Аманда склонилась к нему еще ниже.

— Ты понимаешь, что я имею в виду? — спросила она.

— После всего мною сказанного я уже боюсь делать выводы.

— Мне кажется, у вас с Таком больше общего, чем ты полагаешь.

— Это хорошо или плохо? — обернулся к ней Доусон.

— Ну разве я все еще не с тобой?

Жара стала невыносимой даже в тени, и Аманда с Доусоном вернулись в дом, бесшумно закрыв за собой стеклянную дверь.

— Ну, теперь ты готова? — спросил Доусон, обводя взглядом кухню.

— Нет, — ответила Аманда. — Но, наверное, это нужно сделать. До сих пор не могу преодолеть неловкость. Даже не знаю, с чего начать.

Доусон прошелся по периметру кухни и остановился перед Амандой.

— Ну хорошо, давай попробуем иначе: что тебе вспоминается, когда ты думаешь о своей последней встрече с Таком?

— Встреча как встреча, ничего особенного. Он рассказывал о Кларе, а я готовила ему ужин, — пожала плечами Аманда. — Затем он уснул в кресле, и я накинула ему на плечи одеяло.

Доусон отвел Аманду в гостиную и кивнул, указывая на камин.

— Тогда, наверное, тебе нужно взять фотографию.

— Не могу, — покачала головой Аманда.

— По-твоему, будет лучше, если ее выбросят?

— Конечно же, нет. Но взять ее должен ты. Ты знал Така лучше, чем я.

— Вряд ли, — возразил Доусон. — Он никогда не рассказывал мне о Кларе. Всякий раз, глядя на эту фотографию, ты будешь вспоминать не только Така, но и Клару: для этого он тебе и рассказывал о ней.

Аманда продолжала колебаться, и Доусон, шагнув к камину, аккуратно снял снимок с полки.

— Он хотел, чтобы ты всегда представляла их вместе, и потому эта фотография так важна для тебя.

Аманда взяла фотографию и всмотрелась в изображение.

— Но если я возьму ее, что тогда останется тебе? Ведь здесь и взять-то больше нечего.

— Не волнуйся. Есть тут кое-что и для меня. — Он направился к двери. — Идем.

Аманда спустилась за ним по лестнице. По дороге к гаражу она поняла: если их с Таком встречи, из которых выросла дружба, происходили в доме, то место Доусона с Таком — гараж. Доусон еще не нашел вещь, а Аманда уже знала, что он ищет.

Доусон взял с верстака аккуратно сложенную, выцветшую бандану.

— Он хотел, чтобы я взял именно ее, — заявил он.

— Ты уверен? — Аманда бросила взгляд на квадрат красной материи. — Не так уж это и много.

— Уверен. Я в первый раз вижу здесь чистую бандану, значит, она предназначалась мне, — улыбнулся Доусон. — Всегда тот же самый цвет.

— Конечно, — согласилась Аманда. — Ведь это же Так, мистер Постоянство.

Доусон спрятал бандану в задний карман.

— Это вовсе неплохо. Перемены не всегда к лучшему.

Аманда ничего не ответила, и его слова повисли в воздухе. Когда Доусон наклонился над «стрингреем», она вспомнила кое-что.

— Мы забыли спросить Тэннера, что делать с машиной, — сделала шаг к Доусону Аманда.

— Пожалуй, я смог бы довести ее до ума. Тогда Тэннер позвонит владельцу, и тот приедет и заберет ее.

— Правда?

— Насколько я вижу, все запчасти в наличии, — ответил Доусон. — Так, без сомнения, хотел, чтобы я закончил работу за него. И потом, ты все равно сегодня вечером ужинаешь с мамой, так что мне, по сути, делать нечего.

— Сколько времени это у тебя займет? — Аманда обвела взглядом ящики с запчастями.

— Не знаю. Несколько часов, наверное.

Аманда снова перевела взгляд на машину, прошлась вдоль нее, затем повернулась к Доусону.

— Хорошо, — сказала она. — Тебе нужна помощь?

Доусон криво улыбнулся.

— А что, с тех пор как мы в последний раз виделись, ты научилась ремонтировать двигатели?

— Нет.

— Займусь этим после твоего ухода, — сказал Доусон. — Дело не бог весть какое. — Развернувшись, он указал на дом. — Можем вернуться в дом, если хочешь. Здесь довольно жарко.

— Не хочу, чтобы ты работал допоздна, — сказала Аманда, и по старой привычке, отодвинув в сторону ржавую монтировку, забралась на верстак, то есть заняла свое законное еще с былых времен место. — У нас завтра важный день. К тому же я всегда любила смотреть, как ты работаешь.

Нечто похожее на обещание послышалось Доусону в ее словах, и словно бы годы вернулись назад, он оказался в том времени и в том месте, где был счастлив. Он тут же отвернулся, напомнив себе, что Аманда замужняя женщина. Меньше всего ему хотелось, чтобы у нее возникли сложности из-за попытки переписать прошлое. Он медленно, с силой выдохнул и потянулся к стоявшему на противоположном конце верстака ящику.

— Тебе станет скучно. Это не так быстро, — попытался он замаскировать под этими словами свои мысли.

— Не переживай из-за меня. Мне не привыкать.

— К чему? К скуке?

— Я еще тогда привыкла сидеть и часами ждать, когда ты наконец закончишь работу и можно будет куда-нибудь пойти развлечься.

— Тебе надо было сказать.

— Я говорила, когда становилось невмоготу, хотя знала, что если тебя слишком часто дергать, Так мне больше не разрешит сюда приходить, поэтому и помалкивала.

Лицо Аманды частично скрывала тень. Соблазнительным призывом звучал ее голос. Слишком много воспоминаний нахлынуло оттого, что она рядом — сидит и разговаривает с ним, как раньше. Доусон вытащил из ящика карбюратор, осмотрел его. Было видно, что карбюратор перебирали, но сработан он был качественно, и Доусон, отложив его в сторону, пробежал глазами план работ.

Затем подошел к машине, открыл капот и заглянул внутрь. Услышав, как закашлялась Аманда, он поднял на нее глаза.

— Раз уж Така теперь здесь нет, — проговорила она, — нам можно разговаривать, даже если ты работаешь.

— Хорошо. — Доусон, выпрямившись, шагнул к верстаку. — О чем ты хочешь поговорить?

Аманда задумалась.

— Ну например, что тебе прежде всего вспоминается о нашем первом совместном лете?

Раздумывая, Доусон потянулся за гаечными ключами.

— Мне тогда все хотелось понять, почему, интересно, ты со мной гуляешь.

— Я серьезно.

— Я тоже. У меня не было ничего, а у тебя было все. Ты могла закрутить роман с любым. И хоть мы старались не бросаться в глаза, я уже тогда знал, что нас ждут сплошные проблемы. Так что мне ничего не светило.

Аманда положила подбородок на колени, крепко прижав их к груди.

— Знаешь, что я часто вспоминаю? Как мы с тобой ездили на Атлантик-Бич. Помнишь морских звезд? Их вынесло на берег волной, а мы шли вдоль пляжа, сталкивая их обратно в воду. А потом мы ели один гамбургер с картошкой на двоих и наблюдали закат. Проговорили, наверное, тогда часов двенадцать.

Аманда знала, что Доусон тоже помнил этот эпизод, и, прежде чем продолжить, улыбнулась.

— Мне нравилось с тобой потому, что ты оказался первым парнем, который не старался произвести на меня впечатление. Даже совершая обычные поступки, — бросая морских звезд в океан, деля один гамбургер на двоих и просто разговаривая, — я знала, что мне повезло. Ты никогда не старался выглядеть лучше, чем ты есть на самом деле, но главное, ты и меня принимал такой, какая я есть. А все остальное не имело значения — ни моя семья, ни твои родственники, вообще никто. Были только ты и я. — Аманда сделала паузу. — Не знаю, была ли я еще когда-нибудь так же счастлива, как в тот день. Впрочем, я всегда была с тобой счастлива. И хотела, чтобы это счастье не кончалось никогда.

Доусон посмотрел ей в глаза.

— А может, оно и не кончилось.

Услышав это, Аманда, уже опытная женщина, поняла, как сильно он ее тогда любил. «И любит до сих пор», — нашептывал ей внутренний голос. Внезапно у нее возникло странное ощущение, что все, что они пережили вместе, было лишь начальными главами некой книги, заключение которой еще не написано.

Эта мысль должна была бы ее напугать, но этого не произошло. Она скользнула ладонью по вырезанным на верстаке много лет назад полустершимся инициалам.

— Я приходила сюда, когда умер мой отец.

— Сюда?

Аманда кивнула, и Доусон снова занялся карбюратором.

— Ты вроде бы говорила, что начала навещать Така лишь несколько лет назад.

— А он не знал, что я приходила. Я ему не сказала.

— Почему?

— Не смогла. Только здесь я могла взять себя в руки. К тому же мне хотелось побыть одной. — Аманда помолчала. — Это случилось где-то через год после смерти Беи, и я еще не оправилась от удара, а тут звонит мама и сообщает, что от сердечного приступа умер папа. Меня это просто убило. За неделю до этого папа с мамой приезжали к нам в Дарем, и вот пожалуйста. Следующее, что я помню — как мы сажаем детей в машину, чтобы ехать на похороны. Мы провели в пути все утро, а когда вошли в дом, я увидела разодетую в пух и прах маму, которая почти сразу же начала меня инструктировать насчет панихиды. Словом, никаких эмоций. Казалось, ее более беспокоили подходящие для службы цветы и то, всех ли родственников я обзвонила. Все проходило словно в дурном сне, и к концу дня я остро почувствовала свое... одиночество. Тогда я, не могу объяснить почему, несмотря на позднее время, вышла из дома и поехала сюда. Затем оставила машину у дороги, уселась здесь и стала плакать. И продолжалось это, наверное, не один час. — Аманда выдохнула. На нее снова нахлынули воспоминания. — Я знаю, мой отец никогда не давал тебе шанса, но на самом деле он был неплохой человек. Мы с ним всегда лучше ладили, чем с мамой, и чем старше я становилась, тем больше мы сближались. Он любил моих детей... особенно Бею. — Помолчав, Аманда грустно улыбнулась. — Тебе это кажется странным? То, что я приехала сюда после его похорон?

— Нет, — подумав, ответил Доусон. — Ничего странного. Я, когда освободился, в первую очередь тоже приехал сюда.

— Тебе больше некуда было ехать.

— А тебе? — вскинул брови Доусон.

Он, конечно же, прав: этот дом место идиллических воспоминаний, а также место, куда Аманда всегда приходила поплакать.

Она крепче сплела пальцы, прогоняя прочь воспоминания, и устроилась поудобнее, наблюдая, как Доусон начал собирать разобранный двигатель. Время шло, а они продолжали болтать обо всем на свете, о прошлом и настоящем, рассказывая друг другу о своей жизни то, что еще не успели рассказать, говорили о книгах и странах, где всегда мечтали побывать. Много раз слышанное когда-то бряцание гаечного ключа вызвало у Аманды поразительное ощущение дежа-вю. Вот Доусон напрягся, пытаясь открутить болт, вот он стиснул зубы, и болт подался. Доусон отвинтил его и аккуратно отложил в сторону. Точно так же, как в юности, он время от времени останавливался во время работы, показывая, что внимательно ее слушает, и таким образом давал ей понять, что она была и всегда будет важной частью его жизни. Это неожиданно остро поразило Аманду. Позже, во время перерыва, когда Доусон, сходив в дом, вернулся с двумя стаканами сладкого чая, было мгновение, одно лишь мгновение, когда Аманда вдруг представила себе другую жизнь, ту, которая она могла бы прожить, ту, о которой всегда мечтала.

Когда предвечернее солнце нависло над соснами, Доусон и Аманда наконец вышли из гаража и направились к ее машине. За последние несколько часов что-то изменилось в их отношениях — возможно, возродилась и стала жить какая-то — пусть малая — часть их общего прошлого — и это и волновало Аманду, и пугало. Пока они шли к машине, Доусону очень хотелось обнять ее, но, почувствовав ее смятение, он сдержался.

Стоя возле машины, Аманда робко улыбнулась и подняла глаза на Доусона, отметив про себя его густые, роскошные ресницы, которым позавидовала бы любая женщина.

— Жаль, что приходится уезжать, — сказала она.

Доусон замялся.

— Уверен, что вы с мамой замечательно проведете время.

«Возможно, — подумала Аманда, — а может, нет».

— Запрешь дверь перед отъездом?

— Конечно, — уверил ее Доусон, наблюдая, как солнце скользит по ее гладкой коже, как ветерок колышет ее волосы. — Как мы поступим завтра? Встретимся здесь, или мне ехать за тобой?

Аманда не могла решить. Ее раздирали противоречия.

— Нет смысла гонять две машины, — наконец сказала она. — Давай встретимся здесь часов в одиннадцать и поедем на моей.

Доусон, кивнув, снова поднял на нее глаза. Они стояли неподвижно. Наконец Доусон отступил назад, нарушив очарование момента, и Аманда, до этого не подозревавшая, что сдерживает дыхание, наконец выдохнула.

Она села за руль, и Доусон захлопнул дверь машины. Его силуэт резко выделялся на фоне заходящего солнца, и в какой-то момент Аманде показалось, что это не Доусон, а какой-то совсем другой, незнакомый человек. Почувствовав неловкость, она стала рыться в сумочке, отыскивая ключи, и заметила, что у нее дрожат руки.

— Спасибо за обед, — поблагодарила она.

— Рад стараться, — ответил Доусон.

Уже отъезжая, она бросила взгляд в зеркало заднего вида и увидела, что Доусон продолжает стоять, словно бы надеялся, что она передумает и повернет назад. В душе Аманды зашевелилось что-то очень опасное, то, в чем она не хотела себе признаться.

Он до сих пор ее любил. В этом у нее не осталось никаких сомнений, и эта мысль кружила ей голову. Она понимала, что это неправильно, и пыталась подавить в себе ответное чувство, но их прошлое снова дало корни, и отрицать ту истину, что впервые за долгие годы она наконец обрела свой дом, стало бессмысленно.

8

Тед наблюдал, как милашка вырулила на дорогу перед домом Така, и решил, что выглядит она для своего возраста чертовски привлекательно. Впрочем, она всегда была красавица, и в прошлом он не раз подумывал о том, как бы прищучить ее — просто бросить в машину, попользоваться, а потом зарыть где-нибудь подальше, где никто не найдет. Да только папаша Доусона не велел ее трогать, а Тед тогда на Томми Коула полагался.

Но, как оказалось, Томми Коул ни черта не знал. Тед понял это, только когда его осудили, а к моменту своего освобождения он уже ненавидел Томми Коула почти так же, как и Доусона. После того как его выродок унизил их обоих, Томми и пальцем не шевельнул, сделав из них обоих посмешище. Потому-то после отсидки Тед поставил Томми в своем списке на первое место. Представить все так, будто Томми в тот вечер напился до бесчувствия, было нетрудно. Оставалось только ввести ему в вену этиловый спирт. А когда он отключился, то захлебнулся собственной рвотой.

А теперь скоро и Доусона можно будет вычеркнуть из списка. Ожидая, пока свалит Аманда, он все гадал, что они там делают вдвоем. Наверное, решили наверстать упущенное за все эти годы, катаются в спутанных простынях в пылу страсти, выкрикивая имена друг друга. Она скорее всего замужем. Интересно, а муж ее что-нибудь подозревает? Наверное, ни сном ни духом. Женщины такое не афишируют, особенно разъезжающие вот на таких машинах. Небось муж какой-нибудь богатый козел, а она все дни напролет паль-

чики свои маникюрит, как и ее мамаша. А муж или врач какой-нибудь, или адвокат, наверное, слишком о себе понимает, чтобы предположить, что его жена развлекается за его
спиной.

Впрочем, она, наверное, умеет держать рот на замке. Как
почти все женщины. Хотя, черт побери, ему надо бы знать.
Замужние они или нет, ему, Теду, это не важно. Они предла-
гают — он берет. Без разницы, родня или нет. Он пользовал
половину женского населения в своих семейных владениях,
даже жен двоюродных братьев. И их дочерей тоже. Они с
Клэр, женой Кальвина, целых шесть лет два раза в неделю
этим занимались, и Клэр ни одной живой душе не сказала.
Элла-то скорее всего знала, потому что все время шарила по
его ящикам, но тоже помалкивала и будет молчать, если знает свою выгоду. Мужское дело — это мужское дело.

Мелькнули красные габаритки: Аманда исчезла за поворотом. А его пикап не заметила... И немудрено — ведь он съехал с дороги и как следует спрятался в зарослях. Нужно подождать еще чуть-чуть, убедиться, что она не вернется. Уж
чего-чего, а свидетелей ему не нужно. Однако Тед до сих пор
не решил, как лучше осуществить задуманное. Если Эби сегодня утром видел Доусона, то и Доусон видел Эби, а это значит, Доусон настороже. Так может, он просто сидит там и
тоже выжидает с дробовиком на коленях. Может, у него тоже
есть планы, на тот случай если появится его родственник.

«Как в последний раз».

Тед постучал «глоком» по бедру, думая, что главное — за-
стать Доусона врасплох. Подобраться поближе, чтобы полов-
чей прицелиться, потом сунуть труп в багажник и бросить
где-нибудь арендованную машину. Номера спилить, а маши-

ну поджечь, к черту, так чтобы ничего, кроме остова, не осталось. Да и вообще от тела избавиться не сложно: привязать к нему груз да и бросить в речку, а остальное пусть сделает вода и время. Или можно закопать где-нибудь в лесу, где никто не найдет. А тела нет, нет и убийства. Пусть милашка или даже шериф подозревают все, что угодно, — подозрение не доказательство. Шум, конечно, будет, но со временем все уляжется. Правда, потом придет очередь выяснять отношения с Эби. И если Эби не остережется, то тоже может оказаться на дне реки.

Наконец Тед вышел из машины и начал пробираться сквозь лес.

Доусон отложил в сторону гаечный ключ и захлопнул капот — теперь двигатель был в порядке. С тех пор как уехала Аманда, он никак не мог отделаться от ощущения, будто за ним следят. Почувствовав это в первый раз, он крепче сжал гаечный ключ в руке и, подняв голову над капотом, огляделся, но никого не заметил.

Выходя из гаража, он еще раз обвел взглядом окружающее пространство. Впереди высились дубы и сосны с увитыми пуэрарией стволами. Тени стали длиннее, на подъездной дорожке мелькнула тень пролетевшего ястреба. В кроне деревьев гомонили скворцы. В остальном ничто не нарушало спокойствия знойного дня начала лета.

И все же кто-то за ним наблюдал. Все же рядом был кто-то, Доусон не сомневался в этом. В голове у него мелькнула мысль о дробовике, зарытом много лет назад под дубом у дома. Зарыт он был неглубоко, не глубже фута. Промасленная ткань, в которую он был герметично упакован, обеспечивала защиту от влаги. Так тоже хранил дома оружие, скорее всего под кроватью, но уверенности в том, что это оружие лицензионное, у Доусона не было. Ничего особенного поблизости как будто не наблюдалось, однако в какой-то момент Доусон уловил некое движение за купой деревьев вдали у подъездной дорожки.

Попытавшись сфокусировать на этом месте взгляд, Доусон ничего, однако, не заметил. Он прищурился, ожидая, что движение возобновится, и пытаясь понять, не показалось ли ему все это, и вдруг почувствовал, как по спине у него пополз холодок.

Тед передвигался осторожно, знал, что спешка до добра не доведет. Он вдруг пожалел, что не взял с собой Эби: поддержка ему не помешала бы. Хорошо, что Доусон по крайней мере еще там, если, конечно, не собирается уйти. Но тогда бы зарокотал двигатель.

Интересно, где он именно, гадал Тед: в доме, в гараже или на улице? Тед очень надеялся, что не в доме. Добраться до дома незамеченным сложно. Дом Така стоит в небольшой прогалине, сзади — речка, но окна в доме со всех сторон, а значит, Доусон вполне мог его увидеть. Значит, надо подождать, пока Доусон выйдет. Проблема в том, что Доусон мог выйти как через парадный вход, так и через черный, а находиться в двух местах сразу Тед был не в состоянии.

Следовало как-то отвлечь Доусона, когда тот выйдет на улицу посмотреть, в чем дело, а Тед в это время нажмет на спусковой крючок. Он стрелял из своего «глока» уверенно где-то с тридцати футов.

Вот только как отвлечь Доусона?

Тед двинулся вперед, огибая растянувшиеся перед ним кучи камней. Эта местность — сплошь камни. Просто, но эффективно. Бросить один в машину и разбить окно. Доусон выйдет проверить, что там такое, а Тед тут как тут.

Схватив пригоршню камней, Тед сунул их в карман.

Доусон тихо пробирался к тому месту, где заметил движение. Ему вспомнились галлюцинации, преследовавшие его после взрыва на нефтяной вышке. Они напоминали только что виденное. Доусон дошел до конца прогалины и, пытаясь успокоить бешено колотящееся сердце, всмотрелся в лес перед собой.

Он стоял, прислушиваясь к щебету сотни — а может, и тысячи — скворцов на деревьях. В детстве его всегда завораживало то, как они всей стаей, стоило только хлопнуть в ладоши, срывались с деревьев, словно связанные одной веревкой. Сейчас они взывали, чего-то требовали.

«Может, это предостережение?»

Кто может знать? Лес казался живым существом. Воздух пах морской солью и гнилым деревом. Раскидистые ветви дубов сначала ползли по земле, а потом устремлялись ввысь. Из-за пуэрарии и бородатого мха уже в нескольких футах от Доусона почти ничего не было видно.

Краем глаза Доусон снова уловил движение. Дыхание застряло в груди. Резко развернувшись, он увидел, что за дерево зашел темноволосый человек в синей ветровке. Сердце Доусона оглушительно стучало в висках. Нет, подумал он, этого не может быть. Это ему просто мерещится.

Однако, отодвинув в сторону ветви, он проследовал за человеком в глубь леса.

«Надо бы подойти ближе», — подумал Тед. Сквозь листву он заметил верх дымохода и, очень аккуратно, абсолютно бесшумно ступая, нагнулся. Это главное правило в охоте, следовать которому Теду всегда хорошо удавалось.

А человек или зверь — без разницы, главное, чтобы охотник был опытный.

Лавируя между деревьями, Доусон продирался сквозь подлесок. Задыхаясь от изнеможения, он старался приблизиться к незнакомцу. Он боялся остановиться и в то же время боялся идти дальше. С каждым шагом его страх возрастал.

Наконец он добрался до того места, где заметил темноволосого человека, и, выискивая его глазами, двинулся дальше. Пот струился по телу, рубашка липла к спине. Доусон подавил внезапный порыв закричать, но скорее всего, подумал он, ему это и не удалось бы — горло превратилось в наждачную бумагу.

Сосновые иголки хрустели под ногами на иссохшей земле. Перескочив через поваленное дерево, Доусон наконец снова заметил темноволосого человека в ветровке, бьющей его по телу, который пробирался сквозь заросли.

Доусон бросился за ним.

Наконец Тед подобрался к сложенной у края прогалины поленнице. За ней высился дом. С этого места хорошо просматривался гараж. Свет там еще горел, и с минуту Тед стоял в ожидании каких-либо признаков движения — ведь Доусон там чинил машину. Однако сейчас его ни там, ни где-то еще поблизости не наблюдалось.

Он либо в доме, либо на заднем дворе, решил Тед. Пригнувшись, он скрылся в лесу и пошел в обход, пробираясь к заднему двору. Однако Доусона не оказалось и там. Тогда Тед вернулся к поленнице. В гараже по-прежнему Доусона не было видно. Следовательно, он в доме. Пошел, наверное, попить, а может, отлить понадобилось. В любом случае он скоро появится.

И Тед приготовился ждать.

Незнакомец мелькнул перед глазами Доусона в третий раз, на сей раз ближе к дороге, и Доусон бросился вслед за ним, продираясь сквозь бьющие по лицу ветви деревьев и заросли, однако сократить разделявшее их расстояние ему никак не удавалось. Задыхаясь от усталости, он начал терять скорость и в конце концов остановился у обочины.

Незнакомец исчез. Если, конечно, он вообще существовал, а уверенность в этом внезапно покинула Доусона. Пугающее ощущение, будто за ним наблюдают, исчезло, а с ним и леденящий душу страх. Остались лишь жара, усталость, разочарование и ощущение собственной глупости.

Так видел Клару, а теперь вот и Доусон видит темноволосого человека в ветровке — и это в такую жару. Неужели у Така были проблемы с психикой? Доусон стоял, пытаясь отдышаться. Без сомнения, за ним кто-то следил. Но кто он такой? И чего хочет?

Ответа на этот вопрос у Доусона не было, и чем больше он пытался сосредоточиться на виденном, тем больше оно от него ускользало. Как сны стираются из памяти через несколько минут после пробуждения, так и виденное Доусоном меркло в его сознании, и в конце концов он уже ни в чем не был уверен.

Он покачал головой, радуясь, что почти закончил со «стингреем». Ему захотелось вернуться в гостиницу, принять душ, прилечь, а затем поразмыслить обо всем — о темноволосом незнакомце, об Аманде... С момента аварии на нефтяной вышке в его жизни наступил сумбур. Устремив взгляд в ту сторону, где он увидел незнакомца, Доусон решил, что тащиться назад через лес нет смысла. Он вышел на дорогу и сразу же заметил в зарослях кустарника старый фургон.

Поскольку поблизости, кроме дома Така, ничего не было, Доусон задумался, с чего бы это кому-то взбрело в голову остановиться здесь. Шины были накачаны, и если предположить, что машина сломалась, то по логике вещей водитель должен бы пройти по подъездной дороге к дому в поисках помощи. Вступив в подлесок и приблизившись к машине, Доусон обнаружил, что она заперта. Он положил руку на капот, который оказался теплым, но не горячим. Видимо, машина простояла здесь час или два.

Вряд ли обычному человеку пришло в голову ее прятать за кустами. Если бы требовался буксир, встали бы у обочины. Судя по всему, водитель не хотел, чтобы его автомобиль заметили.

«Кто-то скрывался нарочно?»

Теперь все вставало на свои места, и первый, о ком подумал Доусон, был Эби, которого он видел утром. Правда, это не его машина — не та, мимо которой сегодня утром пробегал Доусон, — впрочем, это ничего не значило. Доусон тщательно осмотрел дорожку у противоположного конца фургона и, заметив отодвинутые в сторону ветви, остановился.

Вот отсюда человек начал свой путь.

И, должно быть, затем проследовал к дому.

Устав ждать, Тед вытащил из кармана камень. Поразмыслив, он решил, что если разбить окно, Доусон может и не выйти из дома. Другое дело какой-нибудь шум снаружи. Услышав что-то этакое, люди обычно выходят посмотреть. Когда Доусон выскочит, то, наверное, пройдет мимо поленницы всего в нескольких футах от него. И тогда уж расправиться с ним будет проще всего.

Довольный своим планом, Тед вытащил из кармана несколько камней. Он осторожно выглянул из-за поленницы, но никого в окнах дома не заметил. Стремительно выпрямившись, Тед изо всех сил швырнул камень и тут же снова спрятался за поленницей. Камень с резким, громким стуком ударился о дом.

За спиной с деревьев с шумом сорвались скворцы.

Послышался хлопок. Стая скворцов облаком взметнулась ввысь и тут же снова опустилась на ветви. Но то, что услышал Доусон, не было выстрелом — это было что-то другое. Бесшумно пробираясь к дому Така, Доусон замедлил шаг.

Там кто-то был. В этом Доусон не сомневался. Как пить дать, родственничек.

Тед весь извелся, гадая, куда запропастился Доусон. Не услышать шума он не мог. Тогда почему не выходит?

Он вытащил из кармана еще один камень и швырнул его на сей раз изо всех сил.

Услышав стук, на этот раз еще более громкий, Доусон застыл на месте. Постепенно напряжение отпустило, и он стал пробираться вперед, туда, откуда исходил звук.

За поленницей прятался Тед. С оружием.

Находясь спиной к Доусону, он следил за домом, выглядывая поверх поленницы. Караулил Доусона. Специально шумел, чтобы выманить его из дома.

Доусон вдруг пожалел, что не откопал дробовик или не взял с собой какого-нибудь другого оружия. В гараже имелось кое-что подходящее для него в настоящий момент, но достать это оттуда незаметно для Теда не представлялось возможности. Доусон подумал, не вернуться ли ему назад к дороге, но Тед в ближайшем будущем, как видно, уходить не собирался. И все же, судя по нервной позе Теда, было видно, что тот терял терпение, и это хорошо. Нетерпение — враг охотника.

Доусон спрятался за деревом, надеясь выкрутиться и остаться в живых.

Прошло пять минут, десять. Тед кипел от злости: ничего, абсолютно ничего не происходило. Ни малейшего движения ни перед домом, ни в окнах. Однако арендованная машина по-прежнему стояла на подъездной дороге — он видел наклейку на бампере — и в гараже кто-то работал. Но ведь не Так и не Аманда там работали. Если Доусона нет перед домом и на заднем дворе, значит, он в доме.

Но почему он не выходит?

Может, смотрит телевизор или слушает музыку... а может, спит или моется, или черт его знает что делает. Может, он просто ничего не слышал.

Распаляясь все больше, Тед еще несколько минут посидел за поленницей и наконец решил, что дальше ждать нечего. Он выскочил из-за поленницы и поспешил к дому, затем выглянул из-за угла и бросил взгляд на входную дверь. Ничего особенного не заметив, он на цыпочках приблизился к крыльцу и прижался к стене между дверью и окном.

Напрягая слух, Тед изо всех сил пытался услышать хоть какие-то звуки в доме, но безуспешно. Ни скрипа половиц, ни рева телевизора, ни музыки. Убедившись, что никто его не видит, Тед заглянул в окно. Взявшись за ручку двери, он медленно ее повернул.

Дверь оказалась отперта. Отлично.

Тед приготовил оружие.

Доусон видел, как Тед медленно толкнул дверь, и, когда она за ним закрылась, бросился в гараж, рассчитав, что в его распоряжении минута, а может, и того меньше. Схватив с верстака ржавую монтировку, он метнулся к парадному входу, предполагая, что Тед скорее всего уже в кухне или спальне. Доусон молился, чтобы его предположение оказалось правдой.

Он запрыгнул на крыльцо и, сжимая монтировку в руке, прижался к стене, в том же самом месте, где недавно стоял Тед. Долго ждать не пришлось. Из дома донеслись ругательства и шаги Теда, приблизившегося к выходу. Дверь распахнулась. При виде Доусона на лице Теда отразился страх.

Удар, которым Доусон размозжил Теду нос, оказался такой силы, что Доусон почувствовал, как завибрировало в его руке железо. Тед отшатнулся. Кровь горячей волной хлынула у него из носа, но Доусон действовал быстро. Он прижал руку свалившегося на пол Теда монтировкой, и пистолет отлетел в сторону. При звуке ломающихся костей Тед наконец закричал.

Пока Тед корчился на полу от боли, Доусон схватил его пистолет и наставил его на брата.

— Я же сказал, чтоб ты здесь больше не появлялся.

Это были последние слова, которые услышал Тед. После этого его глаза закатились и он потерял сознание от слепящей боли.

Как бы ни были ненавистны Доусону его родственники, его рука не поднялась убить Теда. Однако и что с ним дальше делать, он тоже не знал. Наверное, можно было вызвать шерифа, но Доусон понимал, что все равно уедет из города, не дожидаясь расследования, и обратно не вернется, и Теду все сойдет с рук без последствий. В этом случае Доусона задержали бы на много часов, чтобы снять показания, которые, вне всякого сомнения, были бы встречены с подозрением: ведь он как-никак один из Коулов, причем сидел. Поэтому Доусон, пораскинув мозгами, решил, что проблемы ему ни к чему.

Но и оставить Теда здесь он тоже не мог: тому требовалась медицинская помощь. Однако если отвезти его в клинику, снова встанет вопрос о шерифе. То же самое было бы и в случае со «скорой помощью».

Пошарив в карманах у Теда, Доусон нашел там сотовый телефон. Открыв его, он нажал кнопки и посмотрел на список контактов. Большая часть имен была ему знакома. Вот и хорошо. Доусон выудил из кармана Теда ключи от фургона, подбежал к гаражу и, достав оттуда трос и проволоку, связал его. Затем, когда уже стемнело, перекинул двоюродного брата через плечо и понес его к машине.

Он кинул его в кузов пикапа, сел за руль, завел машину и поехал туда, где прошло его детство. Чтобы остаться незамеченным, к владениям Коулов он подъезжал с выключенными фарами. Остановившись перед знаком «вход запрещен», он вытащил Теда из кузова и, усадив на землю, прислонил к столбу.

Потом открыл его телефон и выбрал из списка контактов Эби. Телефон прозвонил четыре раза, прежде чем тот ответил. В трубке слышалась громкая музыка.

— Тед? — прокричал Эби в трубку. — Где тебя черти носят?

— Это не Тед. Но ты должен приехать его забрать. Он очень плох, — проговорил Доусон и, прежде чем Эби что-то ответил, сказал, где его найти. Отключившись, Доусон бросил телефон на землю между ног Теда.

Затем он вернулся в пикап и, ударив по газам, поехал прочь. Выбросив пистолет Теда в реку, он решил тотчас заехать в гостиницу забрать свои вещи. После этого он поменяет машины, оставив пикап Теда там, где его сегодня нашел, и снимет гостиницу где-нибудь за пределами Ориентала, где наконец примет душ и, прежде чем лечь спать, перекусит.

Он очень сегодня устал. Слишком длинный выдался день. И Доусон был рад, что он закончился.

9

Живот у Эби Коула горел огнем, и температура никак не спадала. Когда врач зайдет осмотреть Теда в следующий раз, решил Эби, он покажет ему свою рану. Они, конечно, захотят и его упечь в больницу, да только этому не бывать — лишние вопросы ему ни к чему.

Было уже поздно, дело близилось к полуночи, и жизнь в больнице стала затихать. В тусклом свете палаты Эби посмотрел на брата: здорово его Доусон отделал, не хуже, чем в прошлый раз. Когда Эби его нашел, подумал, что Тед покойник: все лицо в крови, рука вывернута. Эби тогда сразу решил: либо Тед потерял бдительность, либо Доусон его поджидал, что, в свою очередь, наводило на мысль о наличии у Доусона своих планов.

Боль сверлила живот, вызывая приступы тошноты. Сидение с Тедом в больнице усугубило дело — там было жарко, как в пекле. Эби сидел там до сих пор лишь по одной причине — хотел быть рядом, когда Тед придет в себя, чтобы узнать, что там затевает Доусон. Навязчивая идея вызвала нервную дрожь, хотя, возможно, предположил Эби, у него просто путаются мысли. Поскорее бы подействовали антибиотики.

Получается, весь вечер коту под хвост, причем не только из-за Теда. Сначала он вздумал поехать повидать Кэнди, но когда добрался до «Тайдуотера», вокруг нее уже крутилась половина присутствующих в баре парней. Эби с первого взгляда смекнул, что она что-то задумала — красовалась в топе на бретельках, демонстрировавшем все ее прелести, и едва прикрывавших зад шортиках. А как увидела его, тут же занервничала, словно ее поймали за каким-то криминалом. Точно его появление ее не обрадовало. Он уж было хотел вытащить ее из бара, но слишком вокруг было много народу. В итоге он решил потолковать с ней позже, и уж тогда она узнает, где раки зимуют. Это точно. А сейчас хорошо бы выяснить, отчего у нее был такой виноватый вид, когда он вошел. Или, скорее, из-за кого.

Потому что ясно как божий день: дело было именно в этом. В одном из парней в баре. И несмотря на то, что Эби плохо соображал из-за жара и страшной боли в животе, он тем не менее собирался выяснить, кто именно тот самый парень.

Таким образом, он приготовился ждать и вскоре заметил одного, кто мог бы вполне им быть: молодой темноволосый малый. Слишком уж он откровенно флиртовал с Кэнди, чтобы это было просто так. Эби видел, как она коснулась его руки, а когда принесла ему пива, нагнулась, вывалив перед ним свои груди. И только Эби встал, чтобы пойти и навести там порядок, как у него затрезвонил телефон: звонил Доусон. Потом он, барабаня пальцами по рулю, вез в больницу Теда, распластавшегося на заднем сиденье. Однако, даже мчась в Нью-Берн, Эби рисовал себе в воображении Кэнди с тем самоуверенным нахалом — как он срывает с нее топ, а она стонет в его объятиях.

Вот сейчас она заканчивает работать. При этой мысли Эби вскипел от ярости, потому что точно знал, кто провожает ее к машине, но ничего не мог изменить. Сейчас нужно выяснить, что затеял Доусон.

Всю ночь Тед то приходил в сознание, то снова отключался. Из-за лекарств и сотрясения мозга он плохо соображал, даже когда был в сознании. Однако к середине следующего утра он начал чувствовать. Чувствовать ненависть. Эби он ненавидел потому, что тот все допытывался, не собирался ли Доусон прийти за ним; Эллу, потому что та все ныла, переживала и всхлипывала; ненавидел свою родню, их шепот доносился до него из коридора — там все решали, стоит ли им его по-прежнему бояться. Но больше всех он ненавидел Доусона. И, лежа в постели, до сих пор пытался понять, что именно произошло. Последнее, что он запомнил, перед пробуждением в больнице, был стоявший над ним Доусон. И понять смысл того, что ему говорили Эби с Эллой, ему удавалось далеко не сразу. В конце концов врачи были вынуждены его связать и пригрозили вызвать полицию.

Потом он все же стал поспокойнее, поскольку только так мог выбраться отсюда. Эби сидел на стуле, а Элла на кровати рядом. Она все суетилась вокруг него, и он с трудом подавлял в себе порыв врезать ей как следует, хотя был привязан к кровати, а потому даже при всем желании не смог бы этого сделать. Мысль о Доусоне снова заставила его попробовать ремни, которыми он был пристегнут, на прочность. Ну все, ему не жить, это как пить дать, и плевать Теду на предписание врача оставаться в больнице под наблюдением еще одну ночь и ограничить активность. Ведь Доусон может исчезнуть из города в любую минуту. Рыдания Эллы стали перемежаться с икотой.

— Пошла прочь, — сквозь зубы процедил Тед. — Мне нужно поговорить с Эби.

Элла вытерла лицо и без звука вышла из палаты. Тед повернулся к Эби. Брат выглядел хуже некуда — лицо горит, весь в поту. Заражение. Это Эби нужно в больницу, а не ему.

— Вытащи меня отсюда.

Эби, поморщившись, подался всем телом вперед.

— Хочешь снова пойти с ним разбираться?

— Я еще не закончил.

Эби показал на гипс.

— И как ты собираешься с ним разбираться, когда у тебя сломана рука? И если ты вчера с двумя пистолетами не смог ничего ему сделать.

— Ты пойдешь со мной. Сначала привезешь меня домой, и я возьму еще один «глок». А потом мы с тобой доведем дело до конца.

Эби откинулся на стуле.

— А с чего это я должен этим заниматься?

Тед не мигая смотрел на брата, пытаясь осмыслить сказанное.

— Потому что последнее, что я запомнил, прежде чем отключиться, это его слова о том, что ты следующий.

10

Доусон бежал вдоль берега моря, по плотному, слежавшемуся песку, вяло догоняя нырявших в волнах крачек. Несмотря на ранний час, пляж был полон: кто-то вышел на утреннюю пробежку, кто-то выгуливал собак, дети уже вовсю строили замки из песка. За дюной на террасах люди, положив ноги на перила, наслаждались утренним кофе.

С гостиницей Доусону повезло: в это время года те отели, что у пляжа, как правило, забиты до отказа, и ему пришлось обзвонить несколько мест, прежде чем нашелся номер, от которого только что отказались. У него был выбор, где поселиться: здесь или в Нью-Берне, но поскольку в Нью-Берне располагалась больница, решил, что лучше обосноваться где-нибудь от нее подальше. Он собирался лечь на дно. Тед этого, конечно, так не оставит.

Как Доусон ни старался, не мог выбросить из головы темноволосого незнакомца. Если б он за ним не пошел, не узнал бы об устроенной Тедом засаде. Призрак поманил Доусона, и он — как в прошлый раз, в океане, после взрыва на платформе — двинулся на его зов.

Эти случаи не выходили у Доусона из головы — крутились один за другим, замыкаясь в круг, не давая покоя.

Одно чудесное спасение могло оказаться просто случаем. Но два? Доусон впервые задумался, не действует ли темноволосый незнакомец, спасая его с каким-либо дальним прицелом, возможные мотивы которого Доусону неизвестны.

Пытаясь прогнать от себя эти мысли, он прибавил ходу. Воздух вырывался из легких с трудом. Не сбавляя темпа, Доусон снял с себя рубашку и, как полотенцем, обтер потное лицо. Затем он, сфокусировав взгляд на маячившей вдалеке пристани, решил бежать к ней, еще увеличив скорость, и через несколько минут мышцы его ног горели. Он хотел достичь предела своих физических возможностей, при этом глаза его продолжали бегать по сторонам: сам того не замечая, он сканировал людей на пляже в поисках своего темноволосого незнакомца.

Добежав до пристани, Доусон, однако, не остановился, но продолжил бег в том же темпе до самой гостиницы. Впервые за долгие годы к концу пробежки он чувствовал себя хуже, чем в ее начале. Он согнулся, не в силах отдышаться. В ответах на свои вопросы он не продвинулся ни на йоту и не мог не ощущать кардинальных перемен, произошедших в нем с момента приезда в город. Все кругом теперь казалось иным, и причиной тому были не темноволосый незнакомец или Тед и не кончина Така. Все изменилось из-за Аманды. Воспоминание, живущее в его памяти, вдруг стало реальностью, вибрирующей, живой версией прошлого, которое никогда не отпускало Доусона. Юная Аманда снилась ему не раз. Интересно, подумал он, какой она будет в его снах теперь? Чем она станет для него? Этого он не знал. Но в одном он не сомневался: когда Аманда с ним, ему ничего больше от жизни не нужно. Мало кому доводится пережить такое.

Жизнь на пляже наконец стихла. Люди после раннего моциона возвращались к своим машинам, в то время как отдыхающие еще не расстелили свои полотенца. Ритмично, наводя дремоту, о берег плескались волны. Доусон, прищурившись, смотрел на море. Размышления о будущем приводили его в отчаяние. Нельзя было сбросить со счетов тот факт, что у Аманды муж и дети. Некогда пережитое расставание с ней навсегда оставило в его сердце глубокую рану, и мысль о том, что придется снова пережить все это, внезапно стала Доусону невыносима. Ветер набирал силу, шепча на ухо, что время, отпущенное ему с Амандой на сей раз, истекает. Доусон направился в холл гостиницы. Осознание печальной реальности лишало его сил. Как жаль, что ничего нельзя изменить.

Пропорционально выпитому кофе в Аманде росла готовность для разговора с матерью. Они расположились на задней веранде, выходящей в сад. Мать в безупречной позе сидела в белом плетеном кресле, одетая так, словно ждала в гости самого губернатора, и разбирала события прошедшего вечера. Ей, по-видимому, доставляло удовольствие разоблачать бесконечные заговоры и скрытую критику в тоне и словах подруг за ужином и игрой в бридж.

Из-за долгой игры в карты вечер вопреки ожиданиям Аманды, надеявшейся на то, что он продлится час, ну максимум два, затянулся до половины одиннадцатого. И даже тогда, судя по всему, расходиться по домам никому не хотелось. К тому времени Аманда уже зевала и не могла припомнить, о чем говорила мать. Разговор, кажется, ничем не отличался от их обычных разговоров, которые, впрочем, можно услышать в любом маленьком городке. Разговор, начавшийся с обсуждения соседей, перешел на внуков, потом на ведущих занятия по изучению Библии, на рост цен на ростбиф и на то, как правильно вешать занавески, и все это приправлялось щепоткой безобидных сплетен. Словом, разговор был как всегда, однако мать, хлебом не корми, любила все поднимать до уровня государственной важности, хоть это и было нелепо. Она придиралась ко всему и все умела драматизировать. Аманда радовалась, что мать начала свои бесконечные жалобы лишь после того, как она допила первую чашку кофе.

Сосредоточиться на чем-либо Аманде было тем более трудно, что ее мысли постоянно крутились вокруг Доусона. Она все пыталась убедить себя, что контролирует ситуацию, но почему тогда она снова и снова вспоминает его густые волосы над воротником, его тело, их такие естественные объятия в первые минуты встречи? Правда, имея уже достаточный опыт семейной жизни, она вполне отдавала себе отчет, что подобные вещи на самом деле оказываются гораздо менее важны, чем просто дружба и доверие, порожденные общими интересами. Несколько дней, проведенных вместе, после более чем двадцатилетней разлуки — срок слишком маленький, чтобы можно было надеяться на зарождение подобной связи. Настоящими друзья становятся, лишь выдержав испытание временем. Женщины, думала Аманда, имеют склонность видеть в мужчинах то, что им хочется, по крайней мере поначалу, и теперь она спрашивала себя, а не совершает ли и она ту же ошибку. Так она размышляла над этими вопросами, которые не имели ответов, в то время как мать все зудела и зудела, не умолкая ни на минуту...

— Ты меня слушаешь? — прервала она поток мыслей Аманды.

Аманда опустила чашку.

— Ну конечно, слушаю.

— Я вот говорю, что тебе нужно вспомнить бридж.

— Я давно не играла.

— Советую тебе вступить в клуб или открыть свой, — сказала она. — Или ты не слышала меня?

— Прости. У меня сегодня голова забита всякой всячиной.

— Понимаю. Все думаешь о церемонии?

Аманда проигнорировала саркастическое замечание: спорить и пререкаться не хотелось. А именно этого, она знала, добивалась мать. Она накручивала себя все утро, муссируя про себя существующие только в ее воображении стычки прошлого вечера в качестве оправдания неотвратимого нападения.

— Я же тебе говорила: Так пожелал, чтобы его прах развеяли, — пояснила она, не повышая голоса. — Его жена, Клара, тоже была кремирована. Возможно, он видел в этом способ снова соединиться с ней.

Но мать как будто не слышала ее.

— И что можно надеть по такому случаю? При этом, наверное... можно сильно испачкаться.

Аманда, отвернувшись, уставилась на реку.

— Не знаю, мама. Я об этом не думала.

Лицо матери застыло, сделав ее похожей на манекен.

— А что дети? Как они?

— Я сегодня еще ни с кем не разговаривала: ни с Джаредом, ни с Линн. Но, насколько мне известно, все с ними в порядке.

— А Фрэнк?

Аманда сделала глоток кофе, оттягивая время: говорить о Фрэнке не хотелось. Особенно после вчерашней ссоры, один в один повторявшей все предыдущие. Фрэнк скорее всего уже давно забыл о ней. Удачный и неудачный браки имеют лишь то различие, что в жизни каждого из супругов преобладает бесконечно повторяющийся свой собственный мотив.

— С ним все в порядке.

Мать кивнула, ожидая продолжения, но Аманда молчала.

Прежде чем нарушить наступившую тишину, мать расправила на коленях салфетку.

— Ну и как это делается в наши дни? Просто вывалишь пепел там, где он хотел?

— Вроде того.

— А для этого нужно разрешение или что-то подобное? Мне неприятно оттого, что люди могут это делать везде, где вздумается.

— Адвокат ничего такого не сказал, значит, все в порядке. Я чрезвычайно благодарна Таку за то, что он выбрал меня для выполнения своего наказа.

Мать с усмешкой слегка подалась вперед.

— Ну да, — проговорила она. — Потому что вы с ним дружили.

Аманда резко обернулась. Ей внезапно осточертели и мать, и Фрэнк, и вся эта окружавшая их ложь, которая стала определять ее жизнь.

— Да, мама, потому что мы дружили. Мне нравилось его общество. Он был одним из самых благородных людей, что я знала.

Мать, кажется, в первый раз смутилась.

— Где пройдет церемония?

— А какая тебе разница? Ведь тебя все это раздражает.

— Я спросила просто так, для поддержания разговора, — фыркнула мать. — Незачем грубить.

— А тебе не приходит в голову, что мне больно, и я не могу ответить иначе, потому что ты не сказала ни одного теплого слова. Хотя бы дежурное: «Сожалею о твоей утрате. Знаю, что он много для тебя значил». Ведь именно это обычно говорят, когда кто-нибудь умирает.

— Возможно, я и сказала бы это, знай я о ваших взаимоотношениях. Но ты мне постоянно лгала.

— А ты не думала, что в этом лишь твоя вина?

Мать закатила глаза.

— Не смеши меня. Я из тебя твои слова клещами не тянула. Ты у меня не спрашивала совета, когда наведывалась сюда тайком. Это твое решение, а каждое решение влечет за собой определенные последствия. Тебе следует научиться отвечать за свой выбор.

— Думаешь, я этого не знаю? — Аманда почувствовала, как кровь приливает к лицу.

— Я думаю, — с расстановкой, растягивая слова сказала мать, — что ты иногда могла бы немного подумать и о других.

— Я? — Аманда часто заморгала. — Ты считаешь меня эгоисткой?

— Безусловно, — кивнула мать. — Все люди в той или иной мере эгоистичны. Но ты в этом иногда заходишь слишком далеко.

Аманда в потрясении безмолвно уставилась на мать. Как могла ее собственная мать — мать! — так думать? Этот факт лишь еще больше подогрел ее гнев. Люди для матери были лишь зеркалами, в которых она видела свое отражение. Тщательно выбирая слова, Аманда проговорила:

— Пожалуй, нам надо это обсудить.

— Согласна, — ответила мать.

— Ты считаешь меня эгоисткой потому, что я не рассказывала тебе о Таке?

— Нет, — сказала мать. — Дело в твоих проблемах с Фрэнком.

Последнее замечание заставило Аманду внутренне сжаться, и лишь невероятным усилием воли ей удалось не повысить голоса и сохранить на лице нейтральное выражение.

— С чего ты взяла, что у нас с Фрэнком проблемы?

Мать говорила ровно и холодно:

— Я знаю тебя лучше, чем ты полагаешь, и то обстоятельство, что ты моих слов не отрицаешь, лишь подтверждает мою точку зрения. Не вижу смысла обижаться на то, что ты предпочитаешь молчать о ваших делах. Это ваши с Фрэнком проблемы, и я тут не могу ничего сделать. Мы обе это понимаем. Брак — партнерство, а не демократия. И это, конечно, заставляет задуматься о том, что все эти годы объединяло вас с Таком. Я догадываюсь, что ты не просто навещала его — ты чувствовала необходимость поделиться с ним.

Вопросительно приподняв бровь, мать оставила последнее замечание висеть в воздухе. Воцарилось молчание. Аманда попыталась справиться с шоком. Мать поправила салфетку.

— Я полагаю, ты останешься на ужин. Хочешь поужинать дома или куда-нибудь пойти?

— Вот как? — вырвалось у Аманды. — Сначала ты бросаешь мне в лицо свои обвинения, а потом вот так просто закрываешь тему?

Мать сложила руки на коленях.

— Ничего подобного. Это ты отказываешься говорить. Но я бы на твоем месте задумалась о том, чего ты действительно хочешь, поскольку, вернувшись домой, тебе нужно будет принять какие-то решения по поводу вашего брака, который либо выживет, либо нет. И многое зависит напрямую от тебя.

В словах матери заключалась жестокая правда. Ведь дело не только в них с Фрэнком. Есть еще дети. Аманда поставила чашку на блюдце и внезапно почувствовала, как гнев покидает ее, оставляя после себя лишь ощущение поражения.

— Помнишь, у нашей пристани постоянно резвилось семейство выдр? — наконец спросила она, не ожидая ответа. — Ну когда я была маленькой? Каждый раз, как они появлялись, папа подхватывал меня на руки и нес за дом. Мы сидели на траве и наблюдали, как они плещутся и гоняются друг за дружкой. Я тогда думала, что они самые счастливые животные на земле.

— Не понимаю, какое это имеет отношение...

— Так вот я снова видела выдр, — продолжила Аманда, перебивая мать. — В прошлом году, когда мы ездили в отпуск на море, мы ходили в аквариум в Пайн-Нолл-Шорз. Я так радовалась, узнав, что там есть выдры. Я рассказывала Аннет о выдрах за нашим домом, наверное, раз сто, и ей не терпелось поскорее их увидеть. Но когда мы их нашли, все оказалось вовсе не так, как в детстве. Выдры там, конечно, были, но они все время спали на бортике. Мы провели в аквариуме не один час, а они так и не пошевелились. Когда мы уже уходили, Аннет спросила, почему они не играли, а я не знала, что ответить. Но потом, когда мы вышли оттуда, мне стало... грустно. Потому что я знала, почему они не играли.

Аманда, умолкнув, провела пальцем по краю чашки и подняла на мать глаза.

— Они не были счастливы. Выдры знали, что там, где они живут, не настоящая река. Наверное, они не понимали, как так получилось, но точно знали, что находятся в неволе. Они родились не для такой жизни и не такой жизни хотели, однако они не могли ее изменить.

Впервые за все это время мать, по-видимому, не знала что сказать. Аманда отодвинула от себя чашку и поднялась из-за стола. Уходя, она услышала, как мать откашлялась, и обернулась.

— Я полагаю, ты что-то хотела этим сказать? — спросила она.

Аманда устало улыбнулась.

— Да, — вяло проговорила она. — Хотела.

11

Доусон опустил крышу «стингрея» и, прислонившись к багажнику, приготовился ждать Аманду. Тяжелый воздух дышал зноем, предвещая дневную грозу, и Доусон лениво подумал, нет ли у Така, случаем, где-нибудь в доме зонта. Хотя вряд ли. Так с зонтиком — все равно что Так в платье. Впрочем, кто знает? Так, как выясняется, был человек-сюрприз.

Доусон наблюдал, как в небе медленно и лениво, отбрасывая на землю тень, кружила скопа. Но вот на подъездной дороге показалась машина Аманды. Захрустев гравием, она остановилась в тени рядом с автомобилем Доусона.

Из машины вышла Аманда и тут же остановилась, сраженная черными брюками и белой крахмальной рубашкой Доусона. Это сочетание действительно производило впечатление. С небрежно перекинутым через плечо пиджаком, Доусон смотрелся, пожалуй, даже слишком эффектно, что делало слова ее матери еще более пророческими. Сделав глубокий вдох, Аманда задумалась, как ей быть.

— Я опоздала? — спросила она, двигаясь навстречу к Доусону, который наблюдал за ее приближением и даже с расстояния в несколько футов мог видеть, как в ее синих глазах, словно в чистых озерах в солнечный день, играют лучи утреннего солнца. На Аманде был черный брючный костюм и шелковая блузка без рукавов, шею украшал серебряный медальон.

— Вовсе нет, — сказал Доусон. — Я специально приехал пораньше, хотел убедиться, что машина в полной готовности.

— И что же?

— Тот, кто ее чинил, знал свое дело.

Аманда улыбнулась. Она наконец подошла к Доусону и, повинуясь безотчетному порыву, поцеловала его в щеку. Доусон растерялся, а появившееся на его лице смущение, как в зеркале, отразило смущение Аманды. Аманда снова услышала слова матери. Пытаясь прогнать их, она махнула рукой в сторону машины.

— Ты опустил верх? — удивилась она.

Ее обращение вернуло Доусона к действительности.

— Я подумал, что мы можем на ней поехать в Ванде-мир.

— Это же не наша машина.

— Да, — кивнул Доусон. — Но чтобы проверить, все ли в порядке, на ней нужно прокатиться. Владелец, прежде чем решится выехать на ней вечером в город, пожелает убедить-ся, что автомобиль в безупречном состоянии, уж поверь.

— А вдруг она сломается?

— Не сломается.

— Уверен?

— Абсолютно.

На губах Аманды заиграла улыбка.

— Тогда зачем ее проверять?

Доусон развел руками, не зная, что ответить.

— Ну хорошо, скажу честно, мне просто хочется на ней прокатиться. Грех держать такую машину в гараже, тем бо-лее что владелец ничего не узнает, а ключи у меня.

— И могу тебе сказать, что мы сделаем потом... накатав-шись, мы поставим ее на блоки и включим заднюю переда-чу, чтобы одометр прокрутил пройденное расстояние назад, верно? Чтобы владелец ничего не узнал?

— Эта хитрость не пройдет.

— Знаю. Я узнала, об этом когда смотрела «Феррис Бьюл-лер берет выходной», — усмехнулась Аманда.

Доусон слегка отклонился назад, любуясь ею.

— Кстати, ты выглядишь потрясающе.

Аманда почувствовала, как ее лицо и шею заливает краска. Когда же она перестанет краснеть в его присутствии?

— Спасибо, — поблагодарила она, заправляя прядь волос за ухо. Держась от Доусона на некотором расстоянии, она, в свою очередь, тоже разглядывала его. — Я, кажется, никогда не видела тебя в костюме. Новый?

— Нет, но я редко его надеваю — лишь по особым случаям.

— Так, наверное, одобрил бы, — заметила Аманда. — Чем ты занимался вчера вечером?

Доусон вспомнил Теда и все, что случилось потом, в том числе и его переезд в другую гостиницу на побережье.

— Да, собственно, ничем. Как прошел твой ужин с мамой?

— Не стоит того, чтобы о нем рассказывать, — отмахнулась Аманда. Она наклонилась над машиной и скользнула рукой по рулю. — Впрочем, сегодня утром у нас состоялся любопытный разговор.

— В самом деле?

Аманда кивнула.

— Он заставил меня проанализировать прошедшие два дня, подумать о себе, о тебе... о жизни. Словом, обо всем. И по дороге сюда я поняла: хорошо, что Так тебе ничего обо мне не рассказывал.

— К чему ты ведешь?

— Когда мы вчера были в гараже... — Она помедлила, подбирая слова. — Думаю, я вела себя неправильно и должна извиниться.

— За что?

— Не могу объяснить. Я о том, что...

Она умолкла на полуслове. Какое-то время Доусон смотрел на нее и наконец сделал шаг навстречу.

— С тобой все в порядке, Аманда?

— Не знаю, — призналась она. — Я уже ничего не понимаю. В юности все было гораздо проще.

— Что ты хочешь этим сказать? — после паузы спросил Доусон.

Аманда подняла на него глаза.

— Надеюсь, ты понимаешь, что я не та девчонка, которой была когда-то, — проговорила она. — Я жена и мать и, как все, не идеальна. Мне трудно даются решения, я ошибаюсь и часто спрашиваю себя, кто я на самом деле и чего стоит моя жизнь. Я не какая-то особенная, Доусон, ты должен это знать. Тебе нужно понять, что я... самая обычная.

— Ты не обычная.

В глазах Аманды застыло страдание, но ее взгляд оставался твердым.

— Я знаю, ты в это веришь. Но ты не прав. Просто все, что я сейчас делаю, для меня необычно. Я чувствую себя не в своей тарелке. Все-таки жаль, что Так мне ни словом не обмолвился о тебе — тогда я подготовилась бы к этому уик-энду. — Аманда машинально дотронулась до серебряного медальона. — Я не хочу совершить ошибки.

Доусон переступил с ноги на ногу. Он понимал, почему она сказала то, что сказала, и любил ее за это. Впрочем, говорить вслух последнее, он знал, не стоит. Не это она хотела от него услышать.

— Мы просто беседовали с тобой, ужинали, вспоминали, — как можно мягче проговорил он. — Вот и все. Ты не сделала ничего предосудительного.

— Нет, сделала. — Аманда улыбнулась, но не смогла скрыть свою грусть. — Я не сказала матери, что ты здесь. И мужу тоже не сказала.

— А хочешь? — спросил Доусон.

Тот же вопрос? Сама того не зная, мать спросила ее о том же. Аманда знала, что должна сказать, но здесь и сейчас просто не могла произнести этих слов, а потому лишь покачала головой.

— Нет, — наконец прошептала она.

Доусон, казалось, почувствовал сковавший ее после этого признания страх, и коснулся руки Аманды.

— Поедем в Вандемир, — произнес он. — Нам надо исполнить завещание Така.

Аманда кивнула, покоряясь мягкой настойчивости прикосновения Доусона, но ощутила, как некая часть ее существа ускользает из-под ее контроля, и почти смирилась с этим.

Обойдя вокруг машины, Доусон открыл перед Амандой пассажирскую дверь. Чувствуя головокружение, Аманда села, спрятала сумочку за своим сиденьем и вынула карту. В это время Доусон достал из арендованной машины коробку с прахом Така, поставил ее за водительское сиденье и, накрыв своим пиджаком, устроился за рулем.

Прежде чем повернуть ключ зажигания, Доусон выжал педаль, и мотор взревел. Затем он несколько раз нажал на газ, и машина слегка завибрировала. Наконец звук мотора на холостом ходу выровнялся, и тогда Доусон дал задний ход, вывел машину из гаража и медленно, объезжая выбоины, двинулся к шоссе. Когда они проезжали через Ориентал и выруливали на тихое шоссе, рокот двигателя стих, но незначительно.

Мало-помалу Аманда стала успокаиваться. Все, что ей нужно, она видела краем глаза. Доусон держал руль одной рукой — поза, до боли знакомая ей с тех давних пор, когда они бесцельно колесили по дорогам. Так бывало, когда его ничто не тревожило, и когда он переключил передачу и мышцы его руки, напрягшись, тут же расслабились, Аманда снова почувствовала, что он совершенно спокоен.

Машина набирала скорость, волосы Аманды хлестали ее по лицу, и она собрала их в хвост. Двигатель работал слишком громко, и шум машины не позволял разговаривать, но Аманду это вполне устраивало. Ей хотелось побыть наедине со своими мыслями, хотелось побыть один на один с Доусоном, и как только машина стала накручивать мили, ее недавняя тревога стала исчезать, словно унесенная ветром.

Несмотря на пустую дорогу, Доусон не прибавлял скорости. Он никуда не спешил, Аманда тоже. Вместе с мужчиной, которого когда-то любила, она ехала туда, где ни он, ни она никогда не были, и думала, что подобная ситуация всего несколько лет назад ей показалась бы абсурдной. Она и сейчас представлялась ей ненормальной и невообразимой, но в то же время очень увлекательной. На какое-то время Аманда перестала чувствовать себя женой, матерью или дочерью, и впервые за долгие годы почувствовала себя свободной.

Впрочем, с Доусоном она всегда была свободной. Он выставил локоть из окна, чем привлек к себе внимание Аманды. Бросив на него взгляд, она пыталась вспомнить кого-нибудь, кто хоть отдаленно напоминал бы его. В его глазах, лучившихся морщинками, читались мудрость, боль и печаль.

«Каким бы он стал отцом?» — думала Аманда. Скорее всего хорошим. Его легко было представить отцом, который самоотверженно, по нескольку часов кряду бросает бейсбольный мяч или, не имея навыков, пытается заплести дочери косичку. В этой идее было что-то до странности привлекательное и в то же время запретное.

Доусон повернулся к Аманде, и она поняла, что он думал о ней. Интересно, как часто он это делал по вечерам на нефтяной вышке? Доусон, как и Так, принадлежал к редкой породе однолюбов. Расставание с любимыми делает их чувства лишь крепче. Два дня назад эта мысль приводила ее в смятение, но теперь она поняла, что у Доусона просто не оставалось другого выбора. В конце концов, любовь в большей степени характеризует тех, кто любит, чем объекты их любви.

Подул южный ветер, который принес с собой запах моря, и Аманда, закрыв глаза, полностью растворилась в своих чувствах. Когда они наконец достигли пригорода Вандемира, Доусон развернул план, который передала ему Аманда, и, быстро пробежав его глазами, сделал себе в уме пометку.

Вандемир оказался скорее деревушкой, чем городом, с населением не больше нескольких сотен человек. Поодаль от дороги показались россыпь домов и маленький сельский магазинчик с одиноким газовым баллоном перед ним. В следующую минуту Доусон свернул на ответвлявшуюся от шоссе разбитую дорогу. Аманда не могла понять, как ему вообще удалось ее разглядеть — она так заросла, что с автострады ее совсем не было видно. Они покатили вперед, аккуратно преодолевая один поворот, затем другой, объезжая гниющие стволы поваленных ветром в бурю деревьев, вверх по пологому склону. Двигатель, ревевший на автостраде, теперь стал почти неслышен, его звук потонул в наступавшей со всех сторон буйной растительности. Дальше дорога сужалась еще сильнее, и низко свисавшие, поросшие бородатым лишайником ветви чиркали по машине. Азалии с роскошными, уже подвядшими цветами боролись за солнце с пуэрариями, закрывая обзор с обеих сторон.

Доусон наклонился ближе к рулю, стараясь как можно осторожнее маневрировать. Он продвигался очень медленно, дюйм за дюймом, стараясь не поцарапать машину. Солнце между тем скрылось за очередным облаком, и краски потонувшего в зелени окружающего мира сгустились.

Еще один изгиб, потом еще один — и вот наконец дорога стала пошире.

— Невероятно! — ахнула Аманда. — Ты уверен, что мы на верном пути?

— Судя по карте, мы там, где нужно.

— Почему тогда это так далеко от главной дороги?

Озадаченный не меньше Аманды, Доусон пожал плечами. Однако, миновав очередной изгиб, он инстинктивно нажал на тормоз, и машина остановилась. Аманда и Доусон вдруг поняли почему.

12

Дорога вывела к дубовой роще. Среди вековых деревьев они увидели крошечный домик — довольно старый, с облупившейся краской и почерневшими в углах ставнями, но с небольшим каменным крыльцом с белыми колоннами, одна из которых за долгие годы почти скрылась под увившим ее буйным плющом, дотянувшимся почти до самой крыши. На крыльце стояли два металлических стула — один с края, другой в углу. Однако взгляды Аманды и Доусона оказались прикованы к цветам. Ярким пятном на фоне окружающей зелени выделялись цветущие герани в маленьком горшочке. Море полевых цветов, огромный луг разноцветья начинался почти от самых ступеней домика. Красные, оранжевые, пурпурные, синие и желтые цветы почти по пояс высотой колыхались от легкого ветра. Над этими волнующимися под солнцем пестрыми волнами порхали мириады бабочек. Сад был обнесен низеньким штакетником, едва видным сквозь лилии и гладиолусы.

Аманда в изумлении посмотрела на Доусона и снова перевела взгляд на цветочную поляну, казавшуюся фантастической картиной — обычно таким человек представляет себе рай. «Что подвигло Така на создание этой красоты? Когда он успел все это сделать?» — удивилась Аманда. Но ответ возник тут же сам собой. Он разбил сад для Клары, вложив в свою работу всю полноту чувства к ней.

— Невероятно! — выдохнула Аманда.

— Ты знала об этом? — с не меньшим изумлением в голосе проговорил Доусон.

— Нет, — ответила она. — Сад должен был принадлежать только им двоим.

И тут Аманда ясно увидела сидящую на крыльце Клару и Така, который стоял, прислонившись к колонне, — они наслаждались потрясающей красотой цветочного луга. Наконец Доусон убрал ногу с педали тормоза, и машина покатила вперед к дому. Цвета и оттенки сливались, словно капли живой краски, тянущейся ярким пятном к самому солнцу.

Остановившись возле крыльца, Доусон и Аманда вышли из машины и замерли, не в силах оторваться от окружающей картины. Через сад между цветами вилась узенькая тропинка. Доусон и Аманда как завороженные вступили в раскинувшееся перед ними великолепие под облачным небом. Но вот из-за тучи снова выглянуло солнце, одарив своим теплом цветы, заблагоухавшие еще сильнее. Чувства Аманды обострились, словно этот день был создан специально для нее.

Она позволила шедшему рядом Доусону взять себя за руку, удивляясь, до чего естественным оказалось это движение. За годы тяжкого труда его руки огрубели, маленькие ранки превратились в шрамы, но ничего приятнее его прикосновения она не знала. И тут она внезапно и окончательно поняла, что и Доусон для нее тоже вырастил бы такой сад, если б она того захотела.

«Навеки». Когда-то он вырезал это слово на верстаке Така — обещание подростка, не более того, однако он его сдержал. И теперь, продвигаясь вместе с Доусоном среди цветов, Аманда чувствовала, как пространство между ними заполняется силой этого обещания. Издалека, словно обращенный к ним призыв, донесся глухой раскат грома. Их с Доусоном плечи соприкоснулись, и сердце Аманды забилось сильнее.

— Интересно, это многолетние цветы, или Таку приходилось их сеять каждый год? — задумчиво проговорил Доусон.

Его слова заставили ее очнуться.

— Думаю здесь есть всякие, — ответила она и не узнала собственного голоса. — Некоторые из них мне известны.

— Значит, и в этом году он уже приезжал сюда, чтобы их посеять?

— Должно быть, так. Вот бутень. У моей мамы он есть. Он погибает с наступлением зимы.

Следующие несколько минут, пока они брели по тропинке, Аманда указывала на знакомые ей однолетники, перемежающиеся многолетниками: рудбекию, лиатрис, ипомею и астры, а также незабудки, ратибиды и маки. В саду все росло как попало, словно, игнорируя любые замыслы Така, Господь и природа задумали сделать по-своему, сотворив здесь невообразимый хаос, который на самом деле лишь добавлял саду красоты, и, пока они пробирались сквозь эту пеструю россыпь, Аманда не переставала радоваться, что она и Доусон могут созерцать это великолепие вместе.

Холодный ветер набирал силу, нагоняя тучи. Доусон посмотрел в небо.

— Сейчас начнется гроза, — заметил Доусон, посмотрев на небо. — Наверное, лучше поднять верх машины.

Аманда кивнула, но не выпустила его руки из своей — боялась, что им не представится случая снова соединить руки. Однако Доусон был прав — тучи сгущались.

— Жди меня в доме, — проговорил он и нехотя расплел их пальцы.

— Думаешь, дверь не заперта?

— Держу пари, что нет, — улыбнулся Доусон. — Я приду через минуту.

— Возьми мою сумку из машины.

Доусон кивнул и направился к автомобилю. Глядя ему вслед, Аманда вспомнила, как зарождался их роман. Все началось с девичьей влюбленности, что заставляла ее вместо уроков машинально чертить его имя в тетради. Никто, даже Доусон, не знал, что они попали в одну пару по химии не случайно. Аманда специально отпросилась в туалет, когда химичка попросила школьников разбиться на пары. Вернувшись, она увидела, что Доусон, как и ожидалось, остался единственным учеником без пары. Подруги взглядами выражали ей сочувствие, в то врем как она втайне ликовала — ее желание быть поближе к этому спокойному, загадочному мальчику, казавшемуся мудрым не по годам, сбылось.

И сейчас, когда он проделывал необходимые манипуляции с машиной, Аманда ощутила то же радостное возбуждение. Они с Доусоном представляли собой две половинки единого целого, разъединенного все эти долгие годы. Исчезли последние сомнения — его одного она ждала всю жизнь, так же как и он ее.

Невозможно было представить, что она никогда больше не увидит Доусона, нельзя было допустить, чтобы Доусон превратился для нее лишь в воспоминание. Судьба сама, воплотившись в воле Така, направляла ее сейчас к дому, и Аманда знала, что это не случайно. Все это имеет свое значение. В конце концов, прошлое позади, но ведь есть еще и будущее.

Как и предсказывал Доусон, дверь оказалась не заперта. Лишь переступив порог дома, Аманда тут же поняла, что этот дом был абсолютной епархией Клары.

Несмотря на такие же, как в Ориентале, стертые сосновые доски на полу, кедровые панели на стенах и аналогичную планировку, здесь глаз радовали подушки ярких расцветок на диване, со вкусом развешанные на стенах черно-белые фотографии и гладко отшлифованные, выкрашенные в голубой цвет стены, через широкие окна комнату заливал яркий свет. Две белые книжные полки в нишах были заставлены книгами, перемежавшимися с фарфоровыми фигурками, — все это явно собиралось много лет. Спинку большого удобного кресла покрывало лоскутное одеяло ручной работы с замысловатым узором, а на журнальных столиках не было и признака пыли. У каждой стены стояло по торшеру, а в углу возле радио виднелась малоформатная фотография с годовщины их свадьбы.

За спиной Аманды послышались шаги Доусона. С пиджаком и сумкой в руках, он молча застыл в дверном проеме, не зная, что сказать.

— Это нечто, правда? — изумленно воскликнула Аманда.

Доусон медленно обводил взглядом комнату.

— Может, мы не туда попали?

— Ничего подобного, — сказала Аманда, указывая на фотографию. — Мы находимся там, где нужно. Вот только это явно дом Клары, а не Така. И он в нем никогда ничего не менял.

Доусон, перекинул пиджак через спинку стула, рядом поставил сумку Аманды.

— Не помню, чтобы у Така в доме была когда-нибудь такая чистота. Наверное, Тэннер нанял кого-нибудь, чтобы подготовить дом к нашему приезду.

«Ну конечно», — подумала Аманда. Ей вспомнились слова Тэннера о его планах наведаться сюда и его просьбе, чтобы они с Доусоном повременили с поездкой денек. Незапертая дверь лишь подтверждала их подозрения.

— Ты уже осматривала остальное помещение? — поинтересовался Доусон.

— Еще нет — я все стараюсь угадать, где было место Така. Клара, очевидно, не позволяла ему здесь курить.

Большим пальцем Доусон указал через плечо в сторону открытой двери.

— Теперь ясно, зачем на крыльце кресло. Скорее всего Так курил там.

— Даже после того, как Клары не стало?

— Наверное, боялся, что призрак Клары осудит его за курение в доме.

Аманда улыбнулась. Затем они, слегка касаясь друг друга, прошли через гостиную в кухню, которая, как и в Ориентале, располагалась в глубине дома. Ее окна также выходили на реку. И здесь во всем — от белых шкафов и лепных орнаментов с прихотливыми завитками до сине-белой плитки над стойками — чувствовалась рука Клары. На плите стоял заварной чайник, а на кухонной стойке — ваза с полевыми цветами явно из сада. На примостившемся под окном столе стояли бутылки красного и белого вина с двумя сверкающими бокалами.

— Он становится предсказуемым, — заметил Доусон, оглядывая бутылки.

— Что ж, не самое плохое, — пожала плечами Аманда.

Они застыли, любуясь открывающимся из окна видом на реку Бэй. Аманда наслаждалась молчанием, которое ей было давно знакомо и потому действовало умиротворяюще. Ощущая, как дышит Доусон, как заметно вздымается и опускается его грудь, она еле справилась с желанием снова взять его руку. Словно по молчаливому согласию, они разом развернулись и продолжили путешествие по дому.

Напротив кухни находилась спальня, в центре которой возвышалась кровать с четырьмя столбиками. Белые шторы, гладкий, без царапин и щербин, письменный стол — не то что мебель Така в Ориентале. На прикроватных тумбочках стояли две одинаковые хрустальные лампы, а напротив шкафа висел какой-то пейзаж в импрессионистском стиле.

К спальне примыкала ванная комната с ванной на ножках в виде лап — давняя мечта Аманды — и антикварным зеркалом над умывальником. В зеркале отразились их лица. Впервые после их возвращения в Ориентал она увидела себя с Доусоном со стороны и вспомнила, что они ни разу, даже когда были подростками, не сфотографировались вместе. Только собирались, но дело до этого так и не дошло.

Теперь Аманда об этом жалела. Впрочем, что ей от этой фотографии? Что бы она с ней сделала — сунула бы в ящик стола и забыла, чтобы обнаружить через несколько лет, или, может, хранила бы как особую ценность в каком-нибудь укромном месте? Этого Аманда не знала, но их лица рядом, увиденные ею в зеркале, смотрелись как-то особенно интимно. Уже давно никто не давал ей почувствовать себя красивой, но сейчас было именно так. Ее тянуло к Доусону. Ей нравилось ощущать на себе его взгляд, нравилась непринужденность его движений. Она прекрасно знала о существующем между ними почти первобытном взаимопонимании. Вот и на этот раз они провели вместе всего нескольких дней, но она уже целиком и полностью доверяла Доусону и могла рассказать ему все, что угодно. Правда, в тот первый вечер за ужином столкнулись по поводу Боннеров, но они всегда были откровенны друг с другом. Никакого подтекста в их словах или осуждения. Их размолвки всегда угасали так же быстро, как вспыхивали.

Аманда продолжала рассматривать отражение Доусона в зеркале. А он, поймав ее взгляд, поднял руку, осторожно поправил упавший Аманде на глаза локон и, развернувшись, ушел. Она осталась одна с мыслью о том, что в ее жизни, как бы она ни сложилась в дальнейшем, уже произошли необратимые перемены, прежде казавшиеся ей невозможными.

Аманда взяла свою сумку из гостиной и отправилась в кухню за Доусоном. Тот уже откупорил бутылку вина и, разлив его по бокалам, один протянул Аманде. Они молча вышли на крыльцо. На горизонте сгущались черные тучи. Они приближались, окутанные легким туманом. Зеленая листва на поросшем лесом берегу реки стала более яркой.

Аманда отставила в сторону бокал с вином и, порывшись в сумочке, достала оттуда два конверта. Она передала Доусону тот, на котором значилось его имя. Другое письмо, то, что нужно было прочесть перед церемонией, она положила себе на колени. Доусон сложил свой конверт и спрятал его в задний карман брюк.

Аманда указала на конверт без надписи.

— Ты уже готов?

— Вполне.

— Хочешь распечатать конверт? Мы должны прочитать это письмо перед тем, как развеять прах.

— Распечатай ты, — ответил Доусон, пододвигая к Аманде свой стул. — Я увижу текст отсюда.

Аманда приподняла краешек клапана, осторожно разорвала конверт и развернула письмо. В глаза тут же бросился неразборчивый почерк Така. Тут и там встречались перечеркнутые слова, неровные, дрожащие строчки свидетельствовали о почтенном возрасте Така. Послание занимало три страницы, исписанные с обеих сторон. Оставалось лишь гадать, сколько времени ушло у Така на то, чтобы написать его. Письмо датировалось 14 февраля этого года. День святого Валентина. Хороший день.

— Готов? — спросила Аманда.

Доусон кивнул, она откинулась на спинку кресла, и они начали читать.

«Аманда и Доусон!

Спасибо, что приехали. И спасибо за то, что выполняете мою просьбу. Я не знал, кого еще попросить об этом.

Я не мастак писать, а потому сразу хочу сказать, что это история любви. Нашей с Кларой любви. Пересказывая все подробности моего жениховства и первых лет нашего брака, я лишь нагоню на вас тоску, а наша настоящая история — та ее часть, которая вам была бы интересна — началась в 1942 году. К тому времени мы прожили вместе три года, и у Клары уже случился первый выкидыш. Я знал, как тяжело она это перенесла, и тоже сильно переживал, потому что ничего не мог поделать. У некоторых супружеских пар невзгоды порождают отчуждение. Других, как мы, они лишь сильнее сплачивают.

Но я отвлекся. В старости это, кстати, часто бывает. Поживете — сами увидите.

Шел, как я сказал, 1942 год, и в день нашей свадьбы мы отправились в кино на фильм «Для меня и моей девочки» с Джином Келли и Джуди Гарланд. До этого мы никогда не были в кино и, чтобы посмотреть эту картину, поехали аж в сам Роли. Фильм закончился, включили свет, а мы все сидели на своих местах и размышляли о только что увиденном. Вряд ли вы смотрели эту картину, и я не стану докучать вам ее подробностями, но, если в двух словах, это история о человеке, который во время Первой мировой намеренно нанес себе увечья, чтобы не идти на фронт. А потом ему приходится снова добиваться любимой женщины, потому что та теперь считает его трусом. Я к тому времени уже получил повестку из военкомата, поэтому многое в этом фильме было мне близко: я тоже не хотел бросать свою девочку и идти на фронт, но и она, и я старались об этом не думать. Вместо этого мы говорили о песне с тем же названием, что и фильм. Это самая прекрасная песня из всех, что мы когда-либо слышали. Мы пели ее всю дорогу, пока шли домой. А через неделю я пошел на флот.

Немного странно, поскольку, как я уже сказал, меня собирались забрать в пехоту, и сейчас, многое пережив, я понимаю, что лучше бы мне, наверное, тогда пойти именно в пехоту — тем более что я умею обращаться с двигателями, а плавать не умею. Я бы мог готовить грузовики и джипы для отправки в Европу. Ведь без машин в армии делать нечего, верно? Но, даже будучи деревенским парнем, я знал: в армии никого не спрашивают, а посылают туда, куда считают нужным, и потом, к тому времени всем уже стало ясно, что нас в этой войне ждет победа — это лишь вопрос времени. Айк тогда только что уехал в Северную Африку. Им там требовались пехотные войска и, как бы ни вдохновляло меня желание воевать против Гитлера, пехота меня почему-то совсем не привлекала.

В военкомате на стене висел агитационный плакат военно-морского флота. Плакат призывал: «К орудию!» На нем изображался заряжающий снаряд моряк в безрукавке, и меня это чем-то зацепило. «Я смогу», — подумал я и, проигнорировав стол, где записывали в пехоту, подошел к столу, где записывали в военный флот. Когда я сообщил об этом Кларе, она проревела несколько часов кряду. Потом взяла с меня слово, что я к ней непременно вернусь. И я пообещал.

Я прошел курс общей подготовки и специальной подготовки. А в ноябре 1943-го меня отправили на эсминец «Джонстон» в Тихом океане. Даже не думайте, что служба на флоте менее опасна, чем на суше или в морской пехоте. Или что там не так страшно. На флоте ты полностью во власти корабля, от тебя самого ничего не зависит: если судно пойдет ко дну, ты покойник. Если упадешь за борт, тебе конец, поскольку никто из конвойных кораблей не рискнет остановиться, чтобы спасти тебя. Там некуда бежать, негде спрятаться. Ты быстро привыкаешь к мысли, что от тебя ничего не зависит. Никогда в жизни мне не было так страшно, как на флоте. Кругом рвутся снаряды, валит дым, горит палуба. И все это при громе орудий, да таком, что оглохнуть можно. Раз в десять сильнее грома, хотя все, конечно, намного ужаснее. Во время крупных сражений судно постоянно обстреливал японский «Зерос», и снаряды рикошетили от палубы во все стороны. А ты при этом еще должен делать свое дело как ни в чем не бывало.

В октябре 1944-го мы проходили мимо острова Самар, готовились к вторжению на Филиппины. Наших тринадцати кораблей, казалось бы, вполне достаточно, но, не считая авианосца, то были в основном эсминцы и конвойные суда, так что большой огневой мощью мы похвастаться не могли. И вдруг на горизонте показались японские корабли — казалось, весь японский флот двигался на нас: четыре линкора, восемь крейсеров, одиннадцать эсминцев, и все они хотели во что бы то ни стало отправить нас на дно. Позже я слышал, как кто-то сравнил нас с Давидом, противостоящим Голиафу, правда, у нас даже не было рогатки. И это очень близко к правде. Потому что при попытке отбить атаку противника снаряды из наших орудий до вражеских кораблей даже не долетали. И что мы сделали, зная, что шансов уцелеть у нас нет? Мы вступили в бой. Теперь он называется сражением в заливе Лейте. Наш корабль направился прямо на противника, первым открыл огонь, первым начал атаковать торпедами. Мы что было сил палили и по крейсеру, и по линкору. Надо сказать, отделали их. Однако следуя в авангарде, пойти ко дну наше судно также было обречено первым. Вражеские крейсера атаковали нас с двух сторон, и мы стали тонуть. На борту находились 327 человек, и 186 из них — в их числе мои близкие друзья — в тот день погибли. 141 выжил. Я оказался одним из них.

Вот вы сейчас, готов поспорить, гадаете, с чего я вам все это рассказываю, думаете, наверное, хожу вокруг да около, поэтому, пожалуй, перейду к делу. Я оказался на плоту, а вокруг шел морской бой. И вдруг я понял, что уже ничего не боюсь, что со мной ничего не случится, ведь наша с Кларой история еще не закончена, и тогда я окончательно успокоился. Если хотите, можете назвать это военным психозом, но я знаю то, что знаю, и там, под разорванным взрывами дымным небом мне вспомнился тот самый день двухгодичной давности, когда мы отмечали годовщину нашей свадьбы, и начал петь «Для меня и моей девочки», как мы с Кларой пели в машине по дороге из Роли. Я голосил что есть мочи, будто мне все нипочем, поскольку знал: Клара обязательно услышит меня и поймет, что за меня волноваться не стоит. Ведь я дал ей слово, и ничто, даже гибель в Тихом океане, не помешает мне его сдержать.

Знаю, это невероятно, но я спасся. Затем меня назначили на транспортное судно, доставлявшее к месту назначения войска, и уже весной я вез морпехов на Иводзиму. А потом война кончилась, и я вернулся домой. Дома я никогда не говорил о войне — не мог. Никогда ни слова — очень было тяжело, больно было, и Клара меня понимала. Наша жизнь наконец вошла в прежнее русло. В 1955-м мы начали своими силами строить здесь дом. Почти все я сделал сам. Как-то к вечеру, закончив работу, я услышал, как Клара, которая вязала в тени, напевает «Для меня и моей девочки».

Я замер на месте и сразу вспомнил тот бой. Я совсем позабыл об этой песне и никогда не рассказывал Кларе, что случилось в тот день на плоту. Но она, должно быть, что-то прочитала на моем лице, потому что, подняв на меня глаза, сказала:

— День годовщины нашей свадьбы. — И продолжила вязать. — Я тебе не говорила, но, когда ты был на фронте, мне однажды ночью приснился сон, — прибавила она. — Будто меня окружает море полевых цветов. И я слышу, как ты поешь мне эту песню, хотя я тебя не вижу. Проснувшись, я почувствовала, что страх отпустил меня. Ведь я до тех пор никак не могла избавиться от тревоги за тебя.

Я замер как громом пораженный.

— Это был не сон, — наконец выговорил я.

Она улыбнулась, и я понял, что она ждала именно этого ответа.

— Знаю. Я же сказала, что слышала тебя.

После этого меня ни на минуту не покидала мысль, что между мной и Кларой существует что-то такое — какая-то мощная духовная связь. Вот таким образом я решил разбить здесь сад и через несколько лет, в годовщину нашей свадьбы, привез сюда Клару, чтобы показать его ей. Правда, тогда сад был совсем крошечный, не как сейчас, но Клара меня уверила, что это самое прекрасное место на земле. Поэтому я на следующий год увеличил участок и, напевая нашу песню, подсеял еще цветов. Потом в день нашей свадьбы, до тех самых пор, пока Клары не стало, я проделывал это каждый год. Здесь, в месте, которое она так любила, я развеял ее прах.

Однако после ее смерти я изменился не в лучшую сторону — обозлился на всех, начал пить, словом, погибал. Сад забросил, перестал сеять цветы, перестал петь, потому что не видел больше в этом смысла — ведь Клара ушла. Я возненавидел весь свет, не хотел жить, подумывал о самоубийстве. Но вот появился Доусон. Я был рад ему. Он возродил у меня интерес к жизни, напомнил, что моя миссия здесь еще не окончена. Но вот ушел и Доусон. А я приехал сюда и после долгих лет снова увидел это место. Лето было на исходе, но некоторые цветы продолжали цвести, и, когда я запел нашу с Кларой песню, у меня на глазах непроизвольно выступили слезы. Наверное, я оплакивал потерю Доусона, свою судьбу, но главное, оплакивал Клару.

Именно тогда все и началось. Возвращаясь в тот вечер домой, в окне кухни я увидел Клару. Это был некий неясный образ, но я слышал, как она пела нашу песню. Однако когда я вошел в дом, она уже исчезла. Я снова вернулся в наш домик и продолжил заниматься садом — то есть «готовить почву» — и тогда я снова увидел ее, на сей раз на веранде. Через несколько недель, когда я посеял цветы, она начала приходить ко мне регулярно, где-то раз в неделю, и, прежде чем она исчезала, мне удавалось к ней приблизиться. Но вот сад зацвел, и я как-то после очередной прогулки среди цветов, войдя в дом, отчетливо, как живую, увидел Клару. Она стояла прямо здесь, на веранде, и ждала меня, словно недоумевая, отчего это мне потребовалось столько времени, чтобы разобраться, что к чему. С тех пор так все и было.

Дело в том, что Клара — часть этих цветов. Они выросли из ее праха, и чем больше они разрастаются, тем живее становится Клара. Пока я ухаживал за цветами, у Клары был способ приходить ко мне.

Именно поэтому вы здесь, именно поэтому я и попросил вас исполнить мою просьбу. Это наше место, тот крошечный уголок земли, где любовь делает невозможное возможным. Думаю, вы это поймете лучше, чем кто бы то ни было.

Мне пришло время присоединиться к Кларе. Пора нам с ней спеть вместе. Настал мой час, и я об этом не жалею. Я снова с Кларой, и это единственное место, где бы я хотел остаться навсегда. Прошу развеять мой прах над цветами, и не нужно по мне плакать. Наоборот — я хочу, чтобы вы радовались за нас. Улыбайтесь веселее для меня и моей девочки.

Так».

Подавшись вперед, Доусон положил руки на колени и попытался представить себе пишущего это письмо Така. В авторе этого послания он никак не мог узнать приютившего его немногословного, сурового человека. Такого Така Доусон не знал.

Глаза Аманды излучали тепло, она осторожно, чтобы не разорвать бумагу, сложила письмо.

— Я знаю песню, о которой он говорит, — сказала она, аккуратно спрятав письмо в сумку. — Я однажды слышала, как он ее поет, сидя в кресле-качалке. Когда я спросила, что за песня, он ничего толком не ответил, а просто включил мне пластинку.

— Дома?

Аманда кивнула.

— Помню, я подумала, что мотив какой-то запоминающийся, но Так закрыл глаза и будто... растворился в музыке. Но вот песня закончилась, он встал и убрал пластинку, и я не знала, как это все воспринимать. Но теперь все встало на свои места. — Аманда повернулась к Доусону. — Он звал Клару.

Доусон медленно вертел в руках бокал.

— Ты веришь? Веришь, что он видел Клару?

— Раньше не верила. Но теперь не знаю, что и думать.

Вдали послышались громовые раскаты. Они словно напоминали, зачем Аманда и Доусон сюда приехали.

— Пожалуй, нам пора, — сказал Доусон.

Аманда встала, оправив на себе брюки, и они с Доусоном спустились в сад. Ветер уже дул, не ослабевая, туман сгустился. Ясное утро сменилось днем, который словно олицетворял темное, тяжелое прошлое.

Доусон достал шкатулку, и они подошли к ведущей в глубь сада тропинке. Волосы Аманды трепал ветер, и она то и дело их приглаживала. Они дошли до середины сада и остановились.

Доусон застыл, ощущая в руках тяжесть шкатулки.

— Наверное, нужно что-нибудь сказать, — пробормотал он. Аманда кивнула, и Доусон, начав первым, отдал дань приютившему его и подарившему ему свою дружбу человеку. Аманда, в свою очередь, поблагодарила Така за то, что нашла в нем наперсника, к которому, как к отцу, прикипела душой. Едва прозвучали последние слова, ветер как по волшебству усилился, и Доусон открыл крышку.

Пепел, взметнувшись, закружился над цветами, и Аманда подумала, что это Так ищет Клару, взывая к ней в последний раз.

Вернувшись в дом, они начали вспоминать Така, иногда просто сидели молча. Пошел дождь — затяжной, но не сильный, а легкий, как благословение.

Проголодавшись, они, несмотря на дождь, вышли из дома и по извилистой дороге на «стингрее» снова выехали на шоссе. Однако они направились не в Ориентал, а в Нью-Берн, в ресторан «Челси», что недалеко от исторического центра города. Заведение оказалось полупустым, но когда они уходили, все столики уже были заняты.

Дождь на время утих, и Аманда и Доусон воспользовались случаем, чтобы побродить по тихим улочкам, посетить еще не закрывшиеся магазины. Пока Доусон рассматривал книги в букинистической лавке, Аманда с улицы позвонила домой. Она поговорила с Джаредом и с Линн, а потом и с Фрэнком. Набрав номер матери, она оставила на автоответчике сообщение, сказав, что, возможно, припозднится, а потому просила не запирать дверь. Доусон подошел к ней в тот момент, когда она дала отбой. Ей стало очень грустно от того, что вечер почти закончился. Кажется, он прочитал ее мысли. Он предложил ей свою руку, и они побрели к машине.

Когда они выехали на шоссе, дождь возобновился. А едва они пересекли реку Ньюс, туман сгустился еще сильнее. Ветви деревьев торчали, словно пальцы привидений. Тусклые лучи автомобильных фар с трудом пробивались сквозь мглу и почти полностью тонули в густых зарослях. Сбросив скорость, Доусон осторожно пробирался сквозь сырой мрак.

Дождь равномерно барабанил по крыше машины, напоминая далекий стук колес поезда, и Аманда поймала себя на том, что постоянно прокручивает в голове прошедший день. За обедом она не раз ловила на себе взгляд Доусона, но при этом не смущалась — наоборот, ей хотелось, чтобы он продолжал на нее смотреть.

Она знала, что это неправильно, что подобные желания не одобряются обществом. И если бы она была уверена, что ее чувства к Доусону несерьезны, что они просто способ хотя бы на время уйти от некоторых жизненных проблем, то можно было бы махнуть на все рукой. Но Аманда понимала, что это не так. Доусон не случайный человек, к которому она пришла на свидание. Он ее первая и скорее всего единственная любовь, которая умрет вместе с ней.

Узнай Фрэнк, о чем она думает, это бы сломило его. Несмотря на все беды, которые выпали ей на долю в течение их совместной жизни, Аманда любила мужа, хотя и знала, что, даже если бы она уехала сегодня домой, она не смогла бы забыть Доусона, он все равно преследовал бы ее. И дело тут не в том, что она ищет утешения на стороне, поскольку их с Фрэнком брак уже давно трещит по швам. Просто между ней и Доусоном существует некая связь, которая давала о себе знать всякий раз, как они оказывались вместе, и которая делала все происходящее естественным и неизбежным. Поэтому Аманда с большой долей уверенности полагала, что их с Доусоном история не окончена, ведь они оба ждут ее продолжения.

После Бэйборо Доусон сбросил скорость: они приближались к выезду на шоссе, ведущее в южном направлении, в Ориентал. Впереди лежал Вандемир. Аманда была готова просить Доусона не сворачивать, а ехать прямо в Вандемир. Ее ужасала мысль, что, проснувшись завтра, она будет гадать, доведется ли им еще когда-нибудь встретиться, но слова не шли у нее с языка.

На шоссе, кроме них, никого не было. Вода стекала с асфальта в тянувшиеся по обеим сторонам канавы. Немного не доезжая до перекрестка, Доусон мягко нажал на тормоза и, к удивлению Аманды, остановил машину.

Дворники гоняли воду по стеклу из стороны в сторону. Капли дождя сверкали в свете фар. Не заглушая двигатель, Доусон, лицо которого оставалось в тени, повернулся к Аманде.

— Тебя, наверное, ждет мама.

Сердце Аманды забилось.

— Да, — кивнула она и не сказала больше ни слова.

Наверное, целую минуту Доусон молча смотрел на нее, читая ее мысли. Увидев в устремленных прямо на него глазах Аманды все ее надежды, страхи и желания, он коротко улыбнулся и, снова сосредоточив взгляд на дороге, медленно тронулся. Они поехали прямо, без остановок, по направлению к Вандемиру.

Оказавшись перед дверью дома Така, они не почувствовали никакой неловкости. Аманда тут же прошла в кухню, достала бокалы и стала разливать вино, а Доусон зажег лампу. Аманду переполнял восторг, хотя при этом она ощущала некоторую неуверенность.

Доусон включил радио в гостиной и, найдя какой-то старомодный джаз, почти до предела убавил звук. Он снял с полки одну из старых книг и принялся перелистывать пожелтевшие страницы, когда к нему подошла Аманда. Вернув книгу на полку, он принял у Аманды бокал. И они вместе подошли к дивану.

— Как тихо, — сказала Аманда, скинув туфли. Она поставила бокал на столик и, подтянув к себе ноги, обхватила колени руками. — Я понимаю, отчего Так с Кларой захотели здесь остаться.

В тусклом свете гостиной лицо Аманды выглядело загадочным. Доусон откашлялся.

— Ты вернешься сюда когда-нибудь? — спросил он. — После этого уик-энда?

— Не знаю. Будь я уверена, что все останется так, как сейчас, вернулась бы. Но я знаю, что так не будет, что нет ничего вечного. Мне хочется на всю жизнь запомнить этот цветущий сад.

— И конечно же, чистоту в доме.

— И это тоже, — согласилась Аманда. Взяв в руку бокал, она поболтала в нем вино. — Знаешь, о чем я думала, когда пепел летел над садом? О той ночи, когда мы с тобой на причале наблюдали метеоритный дождь. Отчего-то вдруг я снова вернулась туда и увидела нас с тобой лежащими на расстеленном одеяле. Мы шептались, слушали раздававшиеся по всей округе совершенные песни сверчков и смотрели в... живое небо.

— Почему ты заговорила об этом? — мягко спросил Доусон.

На лице Аманды застыла печаль.

— Потому что в ту ночь я поняла, что люблю тебя. По-настоящему. И моя мама, кажется, это поняла.

— Откуда ты это знаешь?

— Дело в том, что на следующее утро она стала расспрашивать меня о тебе, и, когда я призналась ей в своих чувствах, наш разговор перешел в самый настоящий скандал, один из самых грандиозных, бывших между нами. Дошло до того, что она влепила мне пощечину. И это так меня поразило, что я даже растерялась. А она все твердила, что я глупая девчонка, сама не знаю, что творю. Тогда я думала, она злится на меня из-за тебя, но сейчас понимаю, что любой мой кавалер ее начал бы раздражать. Дело было не в тебе, не в нас и даже не в твоей семье. Дело было в ней самой. Мама, видя, как я взрослею, боялась потерять надо мной власть. Она не представляла, что в этом случае можно сделать — и тогда не представляла, не представляет и сейчас. — Аманда пригубила вино и, поставив бокал на столик, покрутила его за ножку. — Например, сегодня утром она назвала меня эгоисткой.

— Она не права.

— Я тоже так думала, — кивнула Аманда. — По крайней мере раньше. Но теперь я в этом не уверена.

— Из чего ты делаешь такой вывод?

— Я веду себя так, как не пристало вести себя замужней женщине.

Доусон молча смотрел на Аманду, давая ей время осмыслить собственные слова.

— Отвезти тебя назад? — в конце концов спросил он.

Немного поколебавшись, Аманда отрицательно покачала головой.

— Нет, — произнесла она. — Именно в этом дело. Я хочу остаться здесь, с тобой, хотя знаю, что это нехорошо. — Она потупилась. Ее ресницы отчетливо выделялись на фоне скул. — Ты считаешь, в моих словах есть логика?

Доусон скользнул пальцем по тыльной стороне ее руки.

— Ты действительно хочешь, чтобы я ответил?

— Да нет, наверное, — сказала она. — Но тут все... так сложно. Я о своем браке. — Доусон, легким прикосновением чертил пальцем узоры на ее руке.

— Ты счастлива замужем? — осторожно спросил Доусон.

Прежде чем ответить, Аманда сделала глоток вина, собираясь с силами.

— Фрэнк хороший человек. Ну если говорить в общем и целом. Однако брак — это не то, что люди вкладывают в это понятие. Всем хочется верить, что каждый брак — это идеально сбалансированные отношения, однако это не так. Один всегда любит сильнее, чем другой. Фрэнк, я знаю, меня любит, и я тоже его люблю... но не так сильно. И никогда не смогу отвечать ему равнозначным чувством.

— Почему?

— Разве ты не знаешь? — Аманда подняла на него глаза. — Конечно же, из-за тебя. Даже в церкви, готовясь произнести брачную клятву, я, помню, жалела, что на его месте не ты. Я не только продолжала любить тебя — я любила тебя безмерно, и уже тогда подозревала, что никогда не испытаю подобного чувства по отношению к Фрэнку.

У Доусона пересохло во рту.

— Тогда почему ты вышла за него замуж?

— Потому что так принято. И потом, я надеялась, что смогу измениться. Что со временем, возможно, смогу почувствовать к нему нечто подобное, что чувствую к тебе. Однако этого не произошло, и Фрэнк, наверное, это тоже понял. Эта мысль причиняла ему боль, и он изо всех сил старался показать мне, насколько я для него важна, чем еще больше душил меня своей любовью. И меня это раздражало. Он меня раздражал. — Аманда поморщилась. — Знаю, все это, наверное, выставляет меня в ужасном свете.

— Вовсе нет, — сказал Доусон. — Ты просто откровенна.

— Это еще не все, — перебила его Аманда. — Я хочу, чтобы ты понял меня до конца. Я действительно его люблю и дорожу нашей семьей. Фрэнк в детях души не чает. Они центр его вселенной. Именно поэтому на нас так тяжело отразилась потеря Беи. Ты и представить себе не можешь, каково это — видеть, как угасает твой ребенок, и быть не в состоянии помочь. Ты переживаешь полную гамму эмоций: и гнев на Бога, и предательство, и поражение, и абсолютное опустошение. Однако я смогла пережить все это. Фрэнк не смог. Наверное, потому что в основе его бездонного отчаяния лежало нечто другое, и все вместе высасывало из него жизненные силы. Вместо радости, которой была для нас Бея, образуется зияющая пустота. Мы в шутку говорили, что она уже из утробы появилась с улыбкой. Даже в младенчестве она почти не плакала. Она постоянно смеялась. Все новое становилось для нее волнующим открытием. Джаред и Линн соперничали за ее внимание. Можешь себе представить?

Аманда умолкла, а когда вновь заговорила, никак не могла справиться с волнением.

— А потом у нее начались головные боли. Ковыляя по дому, она начала натыкаться на все подряд. Бесчисленные специалисты, у которых мы консультировались, оказались бессильны. — Аманда сглотнула комок в горле. — Потом... ее состояние стало катастрофически ухудшаться, хотя она не переставала радоваться жизни. И даже перед смертью, когда она уже едва могла сидеть без посторонней помощи, она продолжала смеяться. Всякий раз, когда я слышала этот смех, я чувствовала, как в моем сердце увеличивается рана. — Умолкнув, Аманда, с отсутствующим видом уставилась в темное окно. Доусон ждал.

— В конце я часами лежала с ней в постели, просто обнимая ее, пока она спала. А когда она просыпалась, мы лежали лицом друг к другу. Я не могла отвернуться, потому что хотела запомнить ее получше — ее нос, подбородок, ее крошечные локоны. А когда она наконец снова засыпала, я прижимала ее к себе и плакала от несправедливости происходящего.

Аманда заморгала, по-видимому, даже не замечая струившихся по ее щекам слез, не делая даже попытки смахнуть их с лица. Доусон тоже не шелохнулся. Он сидел совершенно неподвижно, ловя каждое ее слово.

— С ее смертью во мне тоже что-то умерло. И мы с Фрэнком после этого долго не могли смотреть друг на друга. Не потому, что злили друг друга, а потому что было больно. Я видела во Фрэнке Бею, а Фрэнк видел ее во мне, и это оказалось... невыносимо. Мы держались с трудом, хотя Джаред и Линн тогда нуждались в нас больше, чем когда бы то ни было. Я стала по вечерам выпивать два-три бокала вина, пытаясь забыться, а Фрэнк пил еще больше. Наконец я поняла, что это не помогает, и остановилась. Фрэнку это сделать оказалось сложнее. — Аманда прервалась, потерла переносицу: эти воспоминания вызвали знакомую головную боль. — Он не смог остановиться. Я решила, что рождение еще одного ребенка сможет его излечить, но и это не помогло. Он алкоголик, и последние десять лет проживает свою жизнь лишь наполовину. А я уже дошла до той точки, когда не знаю, как ему помочь.

Доусон сглотнул.

— У меня нет слов.

— У меня тоже. Я постоянно повторяю себе, что, если бы не смерть Беи, ничего подобного с Фрэнком бы не случилось. Но потом начинаю сомневаться: а нет ли и моей вины в его падении? Ведь я причиняла ему боль, обделяя своей любовью. И это началось уже давно, еще до рождения Беи.

— В этом нет твоей вины, — сказал Доусон как-то не очень уверенно.

Аманда отрицательно покачала головой.

— Ты очень добр ко мне, хотя формально ты прав. Но он ведь пьет, оттого что хочет забыться, убежать от чего-то, скорее всего от меня. Он знает, что я раздражена и недовольна, и, как бы он ни старался стереть прошедшие десять лет, полные боли и страданий, это невозможно. А кому захочется с этим жить? Особенно если это связано с любимым человеком? Если ты хочешь лишь одного — чтобы человек, которого ты любишь, так же любил тебя.

— Не надо, — сказал Доусон, перехватывая и удерживая ее взгляд. — Нельзя брать на себя вину за его проблемы.

— Это слова человека, который никогда не был женат. — Аманда криво улыбнулась. — Скажу одно, что чем дольше я живу в браке, тем яснее понимаю, что в жизни нет ничего однозначного, не бывает только черного или только белого. Я не говорю, что наши семейные проблемы исключительно моя вина. Ведь существует масса промежуточных оттенков. Никто не совершенен.

— Твои слова мне напомнили сеанс у психотерапевта.

— Возможно. Через несколько месяцев после смерти Беи я дважды в неделю стала ходить к психотерапевту. Не знаю, как бы я без него выжила. Джаред и Линн тоже к нему ходили, правда, не так долго. У детей, наверное, воля к жизни сильнее.

— Тебе виднее.

В растерянности Аманда уперлась подбородком в колени.

— Я никогда не рассказывала Фрэнку о нас.

— Вот как?

— Он знал, конечно, что у меня в школе был парень, но не предполагал, насколько у нас все было серьезно. И родители хотели, чтобы ничто не выплыло наружу. Они считали эту историю семейной тайной. Когда я сообщила матери, что помолвлена, она вздохнула с облегчением. Правда, не от радости. Моя мать вообще ничему не радуется — как видно, считает это ниже своего достоинства. Но если тебе от этого станет легче, скажу, что имя Фрэнка мне приходилось ей напоминать. Дважды. Тогда как твое имя...

Рассмеявшись, Доусон вдруг резко умолк. Аманда сделала глоток вина, которое горячей волной побежало по ее горлу.

— Сколько же произошло всякого с тех пор, как мы с тобой виделись последний раз, — тихо проговорила она, почти не замечая чуть слышную музыку.

— Произошла жизнь.

— Больше, чем просто жизнь.

— Что ты имеешь в виду?

— Все это. Поездку сюда, встречу с тобой. Было время, когда я верила, что все мои желания могут исполниться. Давно я такого не чувствовала. — Аманда повернулась к Доусону. Их лица разделяли какие-то несколько дюймов. — Как ты думаешь, у нас бы все сложилось, если бы мы уехали и стали жить вместе?

— Сложно сказать.

— Ну а если предположить?

— Думаю, сложилось бы.

Аманда кивнула, ощутив, как что-то надломилось у нее внутри после его слов.

— Мне тоже так кажется.

Порывы шквалистого ветра на улице волнами гнали дождь, который стучал в окно, словно кто-то бросал в него пригоршнями гальку. Тихо играло радио — музыка другой эпохи, сливавшаяся с размеренным ритмом дождя. Тепло комнаты окутывало словно кокон, и Аманда почти поверила, что за ее пределами ничего нет.

— Ты был таким стеснительным, — пробормотала она. — Когда мы в школе попали в одну пару, ты рот боялся раскрыть. Я все намекала, ждала, когда же ты меня куда-нибудь пригласишь, гадала, произойдет ли это когда-нибудь вообще.

— Ты была красавица, — пожал плечами Доусон. — А я пустое место, вот и робел.

— И до сих пор робеешь?

— Нет, — ответил он, но потом задумался, и на его лице обозначилась улыбка. — Ну разве немножко.

Аманда подняла бровь.

— Я могу что-то сделать в этом направлении?

Доусон взял ее руку и, рассмотрев ее со всех сторон, отметил про себя, как эффектно она смотрится рядом с его рукой. Это в очередной раз напомнило ему, чего он когда-то лишился. Неделю назад он был всем доволен. Не счастлив, конечно, возможно, немного одинок, но доволен. Он понимал, кто он такой, и знал свое место в мире. Одиночество не тяготило его, это был его сознательный выбор, и даже сейчас — тем более сейчас — он не сокрушался о своей жизни, поскольку никто и никогда не мог бы занять место Аманды раньше и никто не займет его в будущем.

— Потанцуешь со мной? — наконец предложил он.

— Хорошо, — едва улыбнувшись, ответила Аманда.

Доусон поднялся с дивана и мягко помог подняться ей. Ноги плохо держали ее, однако они двинулись в центр тесной комнатушки. Звуки музыки наполнили комнату томительным ожиданием, и какое-то мгновение они застыли в растерянности, не зная, что делать. Аманда ждала, глядя в непроницаемое лицо Доусона. Наконец он положил ей руку на бедро и притянул к себе. Их тела соприкоснулись. Аманда прильнула к его твердой груди, и они медленно начали свой танец. Как хорошо было с Доусоном. Аманда вдыхала его запах, чистый и естественный — как раз таким она его помнила. Ее тело касалось плоского живота и сильных ног Доусона. Закрыв глаза, Аманда склонила голову ему на плечо. Она ощутила желание и вспомнила о той ночи, когда они впервые занимались любовью. Тогда ее, как и сейчас, сотрясала дрожь.

Песня закончилась, но они продолжали сжимать друг друга в объятиях, пока не началась следующая. Аманда ощущала жаркое дыхание Доусона у себя на шее и вдруг почувствовала, как он выдохнул, словно получив облегчение. Его лицо еще ближе склонилось к ней, и Аманда резко откинула голову назад, желая, чтобы этот танец никогда не кончался. Она хотела, чтобы они никогда не расставались.

Сначала Доусон ласкал ее шею губами, потом легко коснулся ее щеки. В голове Аманды эхом прозвучало предостережение, на которое она не обратила внимания, поскольку всей душой жаждала легкого прикосновения его губ.

Наконец они поцеловались. Сначала это был неуверенный, робкий поцелуй, который перерос в более страстный, словно они старались наверстать упущенное за долгие годы. Аманда чувствовала на себе руки Доусона, и когда их тела наконец разъединились, Аманда думала лишь о том, как долго она мечтала об этом. Тосковала по нему. Она посмотрела на Доусона из-под полуопущенных век, желая его так, как никого в жизни не желала, всего его, здесь и сейчас. Почувствовав ответную страсть Доусона, она почти предопределенным движением поцеловала его еще раз и повела за собой в спальню.

13

День выдался дрянь. Начался дерьмово, так же продолжился и так же дерьмово закончился. И погода была гнусная. Эби казалось, что он умирает. Дождь лил не переставая много часов кряду, рубашка Эби промокла насквозь, и его, несмотря на все старания, продолжало лихорадить.

Тед, надо сказать, чувствовал себя не лучше — выписавшись из больницы, едва дотащился до машины. Но это его не остановило, и он прямиком отправился в заднюю комнату своей хибары, где хранил оружие. Затем они нагрузили пикап и отправились к Таку.

Вот только Доусона там не нашли. Перед домом стояли две машины, но никаких признаков владельцев не наблюдалось. Эби знал, что Доусон с девчонкой должны вернуться — обязательно: ведь машины-то их здесь. Поэтому они с Тедом разделились и, затаившись в засаде, приготовились ждать.

Они ждали и ждали.

Просидели в засаде уже часа два до того, как начался дождь. Еще час под дождем, и у Эби начался озноб. Всякий раз глаза ему застило белой пеленой, лишь только начинал болеть живот. Ему, честно, казалось, будто он умирает. Чтобы скоротать время и отвлечься, он попробовал думать о Кэнди, но тем самым добился лишь одного — стал думать о том парне: интересно, появится ли он в баре сегодня вечером? Эта мысль привела Эби в ярость и лишь вызвала новый приступ лихорадки. Где же, думал он, этот треклятый Доусон и что он, кстати, тут вообще делал. Эби не очень-то верил Теду насчет Доусона — скорее, вообще не верил, — но, увидев выражение лица Теда, решил лучше помалкивать. Тед от своей затеи так просто не отступится. И Эби впервые в жизни боялся подойти к нему и сказать, что пора возвращаться домой. Боялся того, что он после этого мог сделать.

А Кэнди и тот парень между тем, наверное, прохлаждаются в баре, посмеиваясь и обмениваясь многозначительными взглядами. Лишь представив себе эту картину, Эби почувствовал, как от злости у него бешено заколотилось сердце. Боль в животе вспыхнула с новой силой, и на секунду он решил, что сейчас потеряет сознание. Нет, он все же убьет того парня. Во что бы то ни стало. Как только увидит его снова, сразу убьет, а после этого втолкует Кэнди, как надо себя вести. Нужно только сперва решить эту семейную проблему, и тогда Тед сможет ему помочь. Ведь он, ей-богу, сам сейчас не справится.

Прошел еще час, и солнце приблизилось к горизонту. Теда тошнило. При малейшем движении голова, казалось, вот-вот взорвется, а рука под гипсом зудела нет сил, так и хотелось сорвать с нее к чертям проклятую штуковину. Через распухший нос невозможно было дышать, и Теду хотелось только одного — чтобы скорее появился Доусон и можно было покончить со всем этим здесь и сейчас.

И плевать даже на то, будет ли с ним его девчонка. Вчера он еще беспокоился о свидетелях, а теперь его это не волнует — просто будет два трупа, которые нужно спрятать, и все дела. Многие тогда решат, что они вместе сбежали.

Ну где же, черт подери, Доусон? Где можно шляться весь день? Да еще под дождем? В его планы такое развитие событий совершенно не входило. На сидевшего против него позеленевшего Эби было страшно смотреть — тот выглядел так, будто вот-вот собирался отдать концы. Но в одиночку Теду не справиться — с одной рукой, тогда как мозги в голове стучат и перекатываются из стороны в сторону. И дышать, ей-богу, больно, и при каждом движении так кружится голова, что приходится хвататься за что попало.

Стемнело, туман сгустился, а Тед все твердил себе, что они вернутся с минуты на минуту, но убеждать себя в этом становилось все труднее. Во рту у него со вчерашнего дня маковой росинки не было, и голова кружилась все сильнее и сильнее.

Часы показывали десять вечера, а их все не было. Одиннадцать. Наконец наступила полночь. На небе между облаками проглядывали звезды, и оно было похоже на мерцающее одеяло, растянутое над головой.

Тело свело судорогой, Тед окончательно замерз, у него начались рвотные позывы. Он не мог унять колотившую его дрожь.

И в час ночи все оставалось по-прежнему. В два Эби с трудом поднялся и едва устоял на ногах. К тому времени Тед с Эдом уже поняли, что в эту ночь Доусон и Аманда не вернутся. Им ничего не оставалось, как вернуться к пикапу. Тед едва помнил, как они доехали до дома и как они с Эби, цепляясь друг за друга, ковыляли по дороге. В памяти осталась злость, охватившая его, когда он рухнул в постель. А потом наступила темнота.

14

Проснувшись на следующее утро, Аманда не сразу поняла, где находится, а когда поняла, тут же вспомнила события прошлого вечера. С улицы доносилось пение птиц, в щель между шторами лился солнечный свет. Аманда осторожно повернулась в постели и обнаружила, что место рядом пустует. Тут же охватившее ее разочарование почти сразу сменилось смятением.

Сев на кровати, она прижала к себе простыню и, гадая, где же Доусон, посмотрела в сторону ванной. Его одежды не было на месте, и Аманда, обернувшись простыней, встала с постели, подошла к двери спальни. Выглянула наружу. Он сидел на ступенях крыльца. Аманда вернулась, поспешно оделась и, быстро причесавшись в ванной, вновь направилась к входной двери. Ей нужно было поговорить с Доусоном. Так же, как и ему с ней — она это знала.

Доусон обернулся, услышав, как скрипнула дверь, и улыбнулся Аманде. Темная щетина у него на лице придавала его внешности какой-то плутоватый вид.

— Привет. — Он достал стоявший у него за спиной стаканчик и протянул ей. Другой он держал на коленях. — Я подумал, что ты захочешь кофе.

— Откуда он у тебя? — спросила Аманда.

— Из магазина. Который на дороге. Насколько я понимаю, это единственное место в Вандемире, где продают кофе. Но он, наверное, хуже, чем тот, что ты пила в пятницу утром.

Аманда взяла стаканчик и под пристальным взглядом Доусона устроилась рядом.

— Хорошо спала?

— Да, — ответила Аманда. — А ты?

— Не очень, — едва заметно пожал плечами Доусон и, отвернувшись, снова устремил взгляд на цветы.

— Я заметила.

— Когда приедем к Таку, наверное, стоит помыть машину, — проговорил Доусон. — Если хочешь, позвоню Моргану Тэннеру.

— Я сама позвоню, — сказала Аманда. — Наверное, все равно придется с ним разговаривать. — Аманда понимала, что ничего не значащий разговор — способ не говорить об очевидном. — Неважно себя чувствуешь?

228

Плечи Доусона поникли, но он ничего не сказал.

— Ты расстроен, — прошептала Аманда, и сердце у нее заныло.

— Нет, — к ее удивлению, ответил Доусон и обнял ее. — Вовсе нет. С чего мне расстраиваться? — Нагнувшись, он нежно поцеловал ее и медленно отстранился.

— Послушай, — начала Аманда, — что касается прошлой ночи...

— А знаешь, что я нашел, пока здесь сидел? — перебил ее Доусон.

Заинтригованная, Аманда отрицательно покачала головой.

— Я нашел клевер с четырьмя лепестками. Прямо здесь, возле лестницы, как раз перед тем, как ты вышла. Он был прямо перед моими глазами. — Доусон протянул Аманде тоненький зеленый стебелек, завернутый в обрывок бумаги. — Это к счастью, я сегодня утром об этом много думал.

Аманда уловила в его голосе тревогу, и у нее возникло дурное предчувствие.

— Ты о чем? — тихо спросила она.

— Об удаче, — ответил он. — О призраках. О судьбе.

Его слова ничуть не уменьшили ее смятения. Она продолжала внимательно смотреть на Доусона. Тот сделал глоток кофе и, поставив стаканчик, уставился вдаль.

— Ведь я чуть не погиб, — наконец выдал он. — Хотя по всему должен был погибнуть. Одного падения с высоты хватило бы. Или взрыва. Черт, да я мог погибнуть два дня назад...

Доусон в задумчивости умолк.

— Ты меня пугаешь, — наконец сказала Аманда.

Доусон очнулся.

— Весной на вышке случился пожар, — начал он и затем выложил Аманде все: о пожаре на нефтяной платформе, превратившемся в адское пекло; о том, как он, оказавшись в море, увидел темноволосого человека; как этот незнакомец вывел его к спасательному кругу; и как он снова неожиданно возник на корабле в синей ветровке, а потом внезапно исчез. Он также рассказал ей обо всем, что произошло с ним за прошлые несколько недель, — о преследовавшем его ощущении, будто за ним кто-то наблюдает, и как снова увидел того человека на причале. В конце концов он описал ей свою встречу с Тедом в пятницу, и очередное необъяснимое появление темноволосого незнакомца, и его исчезновение в лесу.

Когда он закончил, сердце у Аманды бешено колотилось.

— Хочешь сказать, Тед пытался тебя убить? Он пришел к дому Така с оружием, чтобы пристрелить тебя, и ты об этом вчера даже не обмолвился?

Доусон с видимым безразличием покачал головой:

— Теперь все позади. Я решил проблему.

— Ты выгружаешь его из машины возле вашего участка и звонишь Эби? — Аманда словно со стороны слышала, как ее собственный голос звучит все громче и громче. — Берешь оружие Эда, выбрасываешь его, и это называется решить проблему?

— Это моя родня, — проговорил Доусон, слишком усталый, чтобы спорить. — Мы решаем проблемы именно таким образом.

— Ты не такой, как они.

— Я всегда был одним из них, — возразил Доусон. — Я Коул, не забывай. Они пришли, и мы подрались, затем они снова пришли. Так мы ведем себя.

— Ты что хочешь сказать? Что эта история еще не закончена?

— Не для них.

— Тогда что ты собираешься делать?

— То, что всегда делал. Постараюсь не показываться им на глаза, по мере возможности не пересекаться с ними. Это будет не слишком сложно. Мне тут делать нечего — только машину помыть да, может, на кладбище еще раз заехать.

Внезапная мысль, поначалу жидкая и расплывчатая, начала принимать отчетливую форму, и в душе Аманды зашевелилась паника.

— Так мы именно поэтому вчера не стали возвращаться к Таку? — начала она допрос. — Ты опасался, что они будут ждать тебя там?

— Не сомневался, — сказал Доусон. — Но это не имело значения. Я вчера о них вообще не думал. Главное — мы с тобой провели замечательный день.

— Неужели тебя не возмущает то, что они делают?

— Не особенно.

— Как это? Просто не обращаешь внимания? Даже зная, что они за тобой охотятся? — Аманда ощутила, как адреналин волной прокатился по ее телу. — Это что, тоже связано с твоим идиотским представлением о своем уделе в качестве одного из Коулов?

— Нет, — едва заметно покачал головой Доусон. — Я и не вспоминал о них, моя голова была занята тобой. С тех пор

231

как ты впервые вошла в мою жизнь, в ней больше ни для кого нет места, потому что я люблю тебя.

Аманда опустила глаза.

— Доусон...

— А ты не должна этого говорить, — остановил ее Доусон.

— Нет должна, — настойчиво повторила Аманда и поцеловала его в губы. — Я люблю тебя, Доусон Коул, — естественно, как дыхание, прозвучали ее слова.

— Знаю, — сказал он, нежно обнимая ее за талию.

Гроза выжала из воздуха влагу, сохранив голубое небо и благоухание цветов. С крыши, правда, еще падали отдельные капли, которые приземлялись на папоротник и плющ, отчего те блестели и переливались в чистом золотистом свете. Доусон сидел, обняв Аманду, а она тесно прижималась к нему, наслаждаясь ощущением близости.

Аманда снова завернула в бумажку клевер и спрятала его в карман, затем они поднялись и в обнимку отправились прогуляться вокруг дома. Дорожку, по которой они ходили накануне, размыл дождь, а потому они шли прямо вдоль кромки цветочного поля. Они завернули за дом, располагавшийся на невысоком, но отвесном берегу реки Бэй, расстилавшейся перед ними широкой гладью, реки такой же широкой, как и река Ньюс. У берега по мелководью бродила, высоко поднимая ноги, голубая цапля. Чуть поодаль на бревне грелись на солнышке черепахи.

Они постояли так какое-то время, любуясь этой красотой. Затем медленно побрели назад к дому. На крыльце Доусон притянул Аманду к себе и поцеловал еще раз. В приливе любви она ответила на его поцелуй, но когда они наконец оторвались друг от друга, послышался приглушенный звон мобильного телефона, который напомнил Аманде, что у нее где-то есть и другая жизнь. Она медленно опустила голову. Доусон повторил ее движение, и их лбы под продолжавшийся звон телефона соприкоснулись. Аманда закрыла глаза. Казалось, этому звону не будет конца, но как только он все-таки умолк, Аманда открыла глаза и посмотрела на Доусона в надежде, что он поймет ее.

Он кивнул и открыл дверь, пропуская внутрь Аманду, которая обернулась, поняв, что Доусон за ней не последует. Доусон присел на ступеньку, а Аманда, превозмогая себя, направилась к ванной. Вынув из сумки телефон, она по пути посмотрела на «пропущенные вызовы».

К горлу внезапно подступила тошнота, а в голове бешено закружились мысли. Сбрасывая с себя одежду, она машинально стала составлять для себя список того, что ей предстоит сделать и что сказать. Включив воду, она, к счастью, обнаружила в шкафчике шампунь и мыло и, встав под душ, попыталась смыть с себя охватившую ее панику. Аманда вытерлась полотенцем, снова оделась и как следует высушила волосы, затем слегка подкрасила лицо — минимум косметики она всегда носила с собой.

Очень быстро она заправила постель и прибралась в комнате — положила на место подушки, слила остатки вина в рукомойник и выбросила бутылку в ведро под раковиной. Подумав, не взять ли мусор с собой, она в конце концов решила оставить все как есть. Два полупустых бокала со столиков возле кровати были вымыты, вытерты и убраны в буфет. Так она заметала следы.

Но что делать с телефонными звонками? Пропущенными вызовами. Сообщениями.

Придется лгать. Мысль о том, что придется рассказать Фрэнку, где она была, внезапно показалась ей совершенно невозможной. И ей даже страшно было представить, что могут подумать дети. Или мать. Нужно было все это уладить. Нужно было что-то делать, однако внутренний голос настойчиво шептал ей: «Знаешь, что ты натворила?»

«Да. Но я люблю его», — отвечал другой.

Раздираемая противоречивыми чувствами, Аманда стояла в кухне и еле сдерживалась, чтобы не расплакаться. Но как раз в это время, предвидя ее смятение, в кухню вошел Доусон. Он обнял ее и еще раз шепнул, что любит ее. И Аманде вдруг показалось — хотя это невероятно, — что все будет хорошо.

В Ориентал ехали молча. Тревога Аманды передавалась Доусону, и он почел за благо молчать, хотя руль в руках держал крепко.

У Аманды на нервной почве пересохло в горле. Лишь близкое присутствие Доусона помогало ей держаться. Ее мысли, хаотично сменяя одна другую, метались от воспоминаний к планам на будущее, чувствам и, наконец, тревоге. Погрузившись в них, она едва замечала, как они проезжали милю за милей.

Прибыв в Ориентал незадолго до полудня, они проехали вдоль причала, а через несколько миль уже свернули на дорогу, ведущую к дому. Аманда несколько отстраненно заметила, как Доусон напрягся и, склонившись к рулю, стал вглядываться в тянувшийся вдоль дороги лес. Мало того, он напрягся и стал чрезвычайно осторожным. Его двоюродные братья, вдруг вспомнила Аманда. Машина замедлила ход, и на лице Доусона отразилось удивление.

Проследив за его взглядом, Аманда повернулась в сторону дома. И дом, и гараж выглядели точно так же. Их машины стояли на прежнем месте. Но когда Аманда увидела то, что уже заметил Доусон, она перестала что-либо чувствовать. Она так и знала, что все закончится этим.

Доусон остановил машину. Аманда повернулась к нему и коротко улыбнулась, пытаясь убедить его, что в состоянии справиться с этим сама.

— От нее три сообщения, — беспомощно пожала плечами Аманда, и Доусон кивнул, соглашаясь, что она должна справиться с этим сама. Глубоко вздохнув, Аманда открыла дверь и вышла из машины, совершенно не удивляясь тому, что мать выглядит так, будто наряжалась по какому-то особому случаю.

15

Доусон наблюдал, как Аманда направилась прямо к дому, оставляя матери возможность, если она того хочет, последовать за ней. Эвелин, по-видимому, растерялась. Она явно никогда раньше не бывала в доме Така, который подходящим местом для дам, разряженных в кремовые брючные костюмы и жемчуга, особенно после грозы, не назовешь. В замешательстве Эвелин взглянула на Доусона. Внимательно и невозмутимо, словно реагировать на его присутствие считала ниже собственного достоинства, она какое-то время смотрела на него.

В конце концов она развернулась и последовала за дочерью, которая к тому времени уже устроилась на крыльце в одном из кресел-качалок. Доусон включил передачу и медленно завел машину в гараж.

Выйдя из автомобиля, он прислонился к верстаку, откуда уже не мог видеть Аманду. Он и представить себе не мог, что можно сказать ее матери. Разглядывая гараж Така, Доусон вдруг вспомнил, что сказал Морган Тэннер, когда они с Амандой сидели у него в кабинете. По его словам, и Доусон, и Аманда узнают сами, когда придет время прочитать письма, оставленные им Таком. И Доусон вдруг понял: Так хотел, чтобы он прочитал его послание именно сейчас. Возможно, Так предвидел, как будут развиваться события.

Достав из кармана конверт, Доусон развернул его и, скользнув пальцем по имени Така, увидел все тот же дрожащий неразборчивый почерк, которым было написано прочитанное им с Амандой послание. Перевернув, Доусон вскрыл конверт. В отличие от предыдущего это послание занимало всего страницу, исписанную с обеих сторон. В тишине гаража, который Доусон когда-то называл своим домом, он сосредоточенно начал читать.

«Доусон!

Не знаю, как по-другому начать это письмо, кроме того, что за долгие годы я хорошо узнал Аманду. Хочется верить, она не изменилась с тех пор, как я впервые ее увидел, хотя точно никто не может этого знать. Давно это было. Вы, как многие молодые, сторонились меня, замолкали, стоило мне появиться рядом с вами. Меня это, надо сказать, не задевало. Мы с Кларой в свое время вели себя так же. Не помню, слышал ли ее отец от меня до свадьбы хоть слово, но это другая история.

Все это к тому, что я на самом деле не знаю, какая Аманда была раньше, но какая она сейчас, знаю и понимаю, почему ты не смог ее забыть. Главное ее качество — это доброта. Она умеет любить и терпеть. При этом она очень умна и красива. Аманда самая красивая женщина их тех, что когда-либо гуляли по улицам этого города, — это точно. Однако я больше всего ценю в ней доброту — прожив долгую жизнь, я знаю, как редко она встречается.

Наверное, я ничего нового тебе не открыл. Но за последние несколько лет я стал относиться к ней как к дочери, а значит, мне придется говорить с тобой, как говорил бы ее отец, а отцы мало чего стоят, если не переживают за детей. Тем более за такую дочь, как она. Ты должен знать, что Аманде больно, и думаю, уже давно. Я заметил это, когда она впервые пришла навестить меня. Тогда я надеялся, что это пройдет. Но чем дальше, тем ей становилось хуже. Иногда, проснувшись, я видел, как она ходит туда-сюда в гараже. Постепенно до меня дошло, что одна из причин ее меланхолии — это ты. Она не могла забыть прошлое, не могла забыть тебя. Но память, поверь, вещь коварная. Не всегда воспоминания соответствуют реальности, довольно часто мы желаемое выдаем за действительность, и Аманда, судя по всему, пыталась понять, чем было для нее прошлое на самом деле. Именно поэтому я все устроил для вас таким образом. У меня возникло чувство, что встреча с тобой для нее единственный способ выхода из темноты.

Но, как я уже сказал, ей больно, а боль, я точно знаю, застит глаза и мешает увидеть вещи в истинном свете. Сейчас у Аманды очень трудный период, когда ей предстоит для себя решить кое-какие проблемы, и именно в это время появляешься ты. Вы вместе должны подумать о том, как быть дальше. Однако помни, что Аманде может потребоваться больше времени, чем тебе. Она может несколько раз изменить свое решение. Но как только вы придете к обоюдному согласию, вам нужно будет неукоснительно действовать в соответствии с ним. И даже если у вас не все пойдет как задумано, вы не должны оглядываться в прошлое. Оно способно погубить все. Нельзя жить, постоянно сожалея о чем-то, потому что жалость высасывает жизнь. У меня при одной только мысли об этом разрывается сердце. Я начал относиться к Аманде как к дочери, следовательно, тебя воспринимаю как своего сына. И самым большим, последним моим желанием было благополучное устройство вашей жизни, счастье моих детей.

Так».

Аманда наблюдала, как мать внимательно разглядывает гнилые доски веранды, словно боится, что под ее весом может провалиться пол. Затем, приблизившись к креслу-качалке, Эвелин снова засомневалась, стоит ли на него вообще садиться.

Однако она осторожно села — на самый краешек, постаравшись, чтобы поверхность соприкосновения с креслом у нее была как можно меньше. Аманда при этом ощутила приступ знакомой тоски.

Эвелин повернула голову к дочери, словно ждала, что та заговорит первой, но Аманда молчала. Она не могла сказать ничего, что сделало бы их разговор менее мучительным, а потому намеренно отвернулась и стала наблюдать за игрой пробивавшегося сквозь навес солнца.

Мать закатила глаза.

— Ну хватит, Аманда, не веди себя, как ребенок. Я тебе все же не враг — я твоя мать.

— Я знаю все, что ты скажешь, — без выражения произнесла Аманда.

— Вполне возможно, и тем не менее обязанность родителя предостеречь детей от ошибок.

— Ты считаешь мое поведение ошибкой? — огрызнулась Аманда, прищурившись.

— А как еще это можно назвать? Ведь ты замужняя женщина.

— Думаешь, я не знаю?

— Судя по всему, нет, — ответила мать. — Ты не первая женщина, которая несчастлива в браке. И чье поведение продиктовано этим обстоятельством. Главное, что ты обвиняешь в этом других.

— О чем ты? — Аманда вцепилась в подлокотники кресла.

— Да, ты обвиняешь в этом других, Аманда, — повторила мать. — Меня, Фрэнка, а после того, что случилось с Беей, даже Бога. Ты везде ищешь виноватых в твоих невзгодах, только не хочешь трезво взглянуть на себя, разыгрывая мученицу: бедную, несчастную Аманду, на долю которой выпало так много горестей в этом жестоком мире. Однако жизнь вообще тяжелая штука. Так было всегда, и так будет. И если быть честной с самой собой, ты должна признать, что и сама не похожа на невинную овечку.

Аманда стиснула зубы.

— А я-то все надеялась получить от тебя хотя бы толику сочувствия и понимания.

— Ты это серьезно? — спросила Эвелин, смахивая воображаемую ворсинку с платья. — Что же, по-твоему, я должна была тебе сказать? Взять за ручку и осведомиться о твоем самочувствии? Успокоить, сказав, что все устроится? Что все будет шито-крыто? — Она сделала паузу. — Ничто не проходит бесследно, Аманда. И ты достаточно взрослый человек, чтобы это понимать. Нужно ли мне напоминать тебе это?

— Ты меня не понимаешь. — Аманда всеми силами старалась не повышать голоса.

— А ты меня. Ты не так хорошо меня знаешь, как думаешь.

— Я знаю тебя, мама.

— Ну конечно, по-твоему я не способна даже на капельку сочувствия и понимания. — Эвелин коснулась маленького бриллиантового гвоздика в ухе. — Тогда непонятно, с чего это мне вчера вечером вздумалось прикрывать тебя?

— Ты о чем?

— О том, что вчера звонил Фрэнк. В первый раз я прикинулась, что ничего не знаю, а он все бубнил о каком-то гольфе, который он планировал на завтра с другом по имени Роджер. А потом, позже, когда он позвонил во второй раз, я ему сказала, что ты уже спишь, хотя вполне представляла, чем ты занимаешься с Доусоном и что домой к ужину не вернешься.

— Как ты могла это знать? — решительно спросила Аманда, пытаясь скрыть изумление.

— Ты что, не в курсе, какой маленький городок Ориентал? Тут мест, где можно остановиться, раз-два и обчелся. Сначала я позвонила Элис Рассел в гостиницу. Мы с ней, кстати, очень мило побеседовали. Она сказала, что Доусон выехал, но мне достаточно было знать, что он в городе, чтобы понять, что происходит. Собственно, именно поэтому я не стала ждать тебя дома, а приехала сюда. Мне кажется, не стоит отрицать очевидного. Так нам с тобой будет проще разговаривать.

У Аманды закружилась голова.

— Спасибо, — промямлила она. — За то, что ничего не сказала Фрэнку.

— Я не хочу еще больше осложнять вашу жизнь. Что ему сказать, решать тебе. Не думаю, что произошло нечто особенное.

Аманда, ощущавшая горечь во рту, сглотнула.

— Тогда почему ты здесь?

Мать вздохнула.

— Потому что ты моя дочь. Возможно, ты предпочла бы избежать разговора со мной, но я хотела бы, чтобы ты меня выслушала. — В голосе матери Аманды послышалось разочарование. — Должна сказать, что у меня нет желания выслушивать пошлые подробности прошедшей ночи, тем более твою речь на тему, как было ужасно с моей стороны не принять Доусона. Так же я не желаю обсуждать ваши с Фрэнком проблемы. Я просто хочу дать тебе совет. Как мать. Несмотря на твое мнение обо мне, ты все-таки моя дочь и потому мне небезразлична. Так ты хочешь выслушать меня или нет?

— Да, — едва слышно ответила Аманда. — Что мне делать?

С лица матери тут же сошла наигранная чопорность, потеплел голос.

— Все очень просто, — сказала она. — Не слушай моих советов.

Аманда ждала продолжения, но мать, кажется, не собиралась ничего добавлять к сказанному. Аманда не знала, как это понимать.

— Ты что, советуешь мне уйти от Фрэнка? — наконец прошептала она.

— Нет.

— Значит, попытаться наладить жизнь с ним?

— Этого я тоже не говорила.

— Тогда я не понимаю.

— Не пытайся увидеть в моих словах какой-то скрытый смысл. — Мать встала и, оправив на себе жакет, направилась к лестнице.

Аманда часто заморгала, пытаясь вникнуть в смысл происходящего.

— Постой... ты что, уходишь? Ты же так ничего и не сказала.

Мать обернулась.

— Наоборот. Я сказала самое важное.

— Не слушать твоих советов?

— Вот именно, — кивнула мать. — Не слушай моих советов. И ничьих вообще. Доверяй только себе. Чем бы это ни завершилось в итоге, это твоя жизнь, и как ты ее строишь, касается только тебя. — Она поставила блестящую туфлю на заскрипевшую ступеньку. Ее лицо снова застыло в маске. — Ну теперь, полагаю, до встречи? Ты ведь заедешь за вещами?

— Да.

— Я приготовлю бутерброды и фрукты, — сказала мать и продолжила спускаться по лестнице. Подойдя к машине, она заметила в гараже Доусона. Окинув его коротким оценивающим взглядом, она отвернулась, села за руль, включила зажигание и уехала.

Отложив письмо в сторону, Доусон вышел из гаража и посмотрел на Аманду, которая стояла, устремив взгляд куда-то вдаль, на лес. Она оказалась более спокойной, чем он ожидал, однако понять что-либо по выражению ее лица он не сумел.

Доусон двинулся к ней навстречу, и она, слабо улыбнувшись ему, тут же отвернулась. Доусон почувствовал, как внутри у него рождается паника.

Он сел в кресло-качалку и, молча сцепив руки, наклонился вперед.

— Не хочешь поинтересоваться, как прошел разговор? — наконец спросила Аманда.

— Я решил, ты в итоге сама все расскажешь, — сказал Доусон. — Ну если захочешь.

— Неужели я так предсказуема?

— Нет, — возразил Доусон.

— Оказывается, предсказуема. Не то что моя мать... — Аманда потянула себя за мочку уха. — Если я когда-нибудь скажу тебе, что поняла свою мать, напомни мне о сегодняшнем дне.

— Хорошо, — кивнул Доусон.

Аманда глубоко вздохнула, а когда наконец заговорила, ее голос прозвучал необычно отстраненно.

— Когда она приближалась к крыльцу, я была почти уверена в том, как будет развиваться наш разговор, — сказала Аманда. — Сначала она спросит, понимаю ли я, что творю и какую грандиозную ошибку совершаю. Затем последует лекция о последствиях и ответственности, после чего я ее перебью, сказав, что она ничего обо мне не знает. Я хотела донести до нее, что любила тебя всю жизнь и что Фрэнк уже не может сделать меня счастливой. Что хочу быть с тобой. — Аманда повернулась к Доусону, надеясь найти у него понимание. — И почти уже высказала ей все это, но потом... — Доусон следил за выражением ее лица. — Все же она может заставить меня усомниться в чем угодно.

— Ты имеешь в виду нас с тобой, — произнес Доусон, и комок страха еще более затвердел.

— Я имею в виду себя, — едва слышно прошептала Аманда. — Хотя и нас тоже. Ведь я действительно собиралась все это сказать ей. Именно это, потому что это правда. — Аманда тряхнула головой, словно пытаясь прояснить мысли, избавиться от иллюзий. — Но мама заговорила, и реальность тут же напомнила о себе. Я вдруг услышала, что говорю нечто совершенно иное. Как будто работали две радиостанции, одна из которых транслировала некую альтернативную версию той, которой я должна придерживаться. В альтернативной версии я говорила, что не хочу, чтобы Фрэнк все узнал обо мне, что меня дома ждут дети, для которых любые мои слова и оправдания на самом деле будут продиктованы элементарным эгоизмом.

Аманда замолчала. Доусон наблюдал, как она машинально крутит на пальце обручальное кольцо.

— Аннет еще маленькая, — продолжила Аманда. — Представить себе не могу, как ее можно лишить матери или отца. Как объяснить ей ситуацию, чтобы она поняла меня? А Джаред и Линн? Они почти взрослые, но от этого не легче. Как они отреагируют, узнав, что я разрушаю семью ради тебя, словно пытаюсь вернуть свою юность? — В голосе Аманды сквозила боль. — Я люблю своих детей, и их разочарование разбило бы мне сердце.

— Они тебя любят, — сказал Доусон, сглотнув комок в горле.

— Да. Поэтому я не хочу ставить их в такое положение, — возразила Аманда, отколупывая отслоившуюся краску на кресле-качалке. — Не хочу, чтобы они чувствовали по отношению ко мне ненависть или разочарование. А Фрэнк... — Она судорожно вздохнула. — Да, у него есть проблемы, и мне больших усилий стоит не позволить окончательно угаснуть своим чувствам. Он неплохой человек и всегда будет жить в моем сердце. Иногда мне кажется, что он продолжает функционировать в нормальном режиме только благодаря мне. Но он не тот человек, который сможет пережить мою измену. Ему не оправиться от такого удара. Это... убьет его. Он совсем сопьется. Или впадет в глубокую депрессию, с которой не сможет справиться. Я не смогу пойти на такое. — Плечи Аманды поникли. — И потом — ты.

Доусон почувствовал, что она скажет дальше.

— Мы замечательно провели выходные, но это не настоящая жизнь, а что-то вроде медового месяца, который вскоре кончится. Можно уверять себя, что этого не случится, давать какие угодно обещания, но это неизбежно, и спустя какое-то время ты уже не будешь смотреть на меня так, как смотришь сейчас. Я перестану быть женщиной твоей мечты, девочкой, которую ты когда-то любил, а ты — моей единственной настоящей любовью. Ты превратишься в человека, презираемого моими детьми, презираемого за развал нашей семьи, и тогда увидишь меня в истинном свете — обыкновенной стареющей женщиной под пятьдесят, с тремя детьми, которые, возможно, даже ненавидят ее и которая в конце концов из-за всего этого возненавидит себя сама. Да и ты тоже меня возненавидишь.

— Это неправда, — твердо заявил Доусон.

Аманда собрала волю в кулак, стараясь сохранить решительность.

— Это правда, — сказала она. — Любой медовый месяц имеет конец.

Доусон положил ей руку на колено.

— Время, которое мы с тобой проводим вместе, не медовый месяц. Это время, когда нам с тобой не нужно ничего скрывать. Я хочу по утрам просыпаться рядом с тобой, а по вечерам сидеть против тебя за обеденным столом, рассказывая, как провел день, и слушая о том, что произошло с тобой. Я хочу смеяться с тобой и засыпать, держа тебя в своих объятиях. Потому что ты не просто женщина, которую я когда-то любил. Ты мой самый лучший друг, то лучшее, что есть во мне, и я не могу себе представить, что придется снова отказаться от этого. — Доусон помедлил, подбирая точные слова. — Возможно, тебе сложно понять, но когда ты уехала, ты взяла с собой все самое лучшее, и моя жизнь кардинально изменилась. — Ладони Доусона стали влажными. — Я знаю, ты боишься, мне тоже страшно. Но если мы упустим этот шанс и сделаем вид, будто ничего не произошло, то другой такой возможности у нас уже не будет. — Доусон поправил Аманде упавший на лицо локон. — Мы еще молоды. У нас еще есть время поправить дело.

— Не так уж мы и молоды.

— Молоды, — настойчиво повторил Доусон. — У нас впереди целая жизнь.

— Знаю, — прошептала Аманда. — А потому хочу, чтобы ты кое-что для меня сделал.

— Все, что угодно.

Аманда, стараясь не расплакаться, терла переносицу.

— Пожалуйста... не зови меня с собой, потому что, если ты станешь меня уговаривать, я поеду. Пожалуйста, не проси, чтобы я рассказала Фрэнку о нас, потому что я сделаю и это. Пожалуйста, не проси меня забыть о своих обязанностях и разрушить семью. — Аманда судорожно, словно утопающий, вдохнула воздух. — Я люблю тебя, и если ты меня тоже любишь, то не будешь просить меня сделать это. Потому что я не доверяю себе и скорее всего не смогу отказаться.

Доусон молчал. Не желая признавать очевидного, он, однако, понимал, что Аманда права. Распад семьи все изменит, в том числе и Аманду, как ни страшно было Доусону об этом думать. Он вспомнил письмо Така, который считал, что ей может потребоваться гораздо больше времени. Не исключено, что все уже кончено, и ему нужно просто жить дальше.

Но этого не должно быть. Он вспомнил, как все прошедшие годы мечтал снова ее увидеть, мечтал об их совместном будущем, которого у них, вероятно, никогда не будет. Он не хотел, чтобы она раздумывала, он хотел чтобы она сделала выбор сейчас же, хотя знал, что именно сейчас, как ничто другое, ей необходимо время. Он с силой выдохнул, надеясь, что так станет легче говорить.

— Будь по-твоему, — наконец произнес он.

И тогда Аманда заплакала. Борясь с охватившими его эмоциями, Доусон поднялся. За ним последовала Аманда. Он притянул ее к себе, и она бессильно прильнула к нему. Вдохнув ее запах, Доусон вновь представил ее волосы, окрашенные предвечерним солнцем, в тот миг, когда он впервые увидел ее выходящей из гаража возле дома Така, ту естественную грацию, с которой она двигалась по цветочному саду в Вандемире, тот момент, когда в теплом уютном доме Така, о существовании которого Доусон никогда не знал, их губы слились в жадном поцелуе. И вот теперь всему этому пришел конец — словно последний всполох света мелькнул в темноте бескрайнего туннеля.

Потом они еще долго стояли на крыльце, прижавшись друг у другу. Аманда прислушивалась к биению сердца Доусона, и ей казалось, что ничто в ее жизни не может быть более естественным. Ей так хотелось невозможного — начать все с чистого листа. И уж тогда бы она все сделала правильно — не позволила бы ему уйти. Ведь они предназначены друг для друга, они две половинки единого целого. *У них еще есть время.* Аманда чуть не произнесла эти слова, почувствовав, как Доусон прикоснулся к ее волосам, но сдержалась и лишь пробормотала:

— Я была рада снова тебя видеть, Доусон Коул.

Рука Доусона продолжала касаться ее гладких, роскошных волос.

— Быть может, мы еще встретимся как-нибудь?

— Возможно, — ответила Аманда и смахнула слезы с щеки. — Кто знает? Вот я как-нибудь соберусь, да и нагряну в Луизиану. Вместе с детьми.

Доусон выдавил из себя улыбку — в его сердце затеплилась слабая надежда.

— А я приготовлю ужин, — сказал он. — На всех.

Аманде пришла пора ехать. Спускаясь с крыльца, Доусон протянул ей руку, и Аманда сжала ее с такой силой, что Доусону стало больно. Они вытащили из «стингрея» вещи и медленно побрели к машине Аманды. Доусон вдруг необычно остро почувствовал, как покалывает его шею сзади утреннее солнце, как ласково, словно перышком, его касается ветерок, как шелестит листва, но все это ему виделось словно во сне. Он сознавал лишь одно: все подходит к концу.

Пока они шли к машине, Аманда не выпускала его руку. Доусон открыл перед Амандой дверь и, развернувшись к ней лицом, нежно поцеловал ее. Легко, едва касаясь губами ее щеки, он скользнул по оставленным слезами дорожкам, по ее подбородку. При этом он не переставал думать о том, что написал ему Так. Он внезапно, очень ясно понял, что, несмотря на наказы Така, уже никогда не сможет спокойно жить дальше. Аманда — единственная любовь его жизни, та женщина, которую он хотел любить.

Аманда с трудом оторвалась от него, затем, сев за руль, завела машину, захлопнула дверь и опустила окно. Их глаза блестели от слез. Она неохотно сдала назад, и Доусон, не сказав ни слова, отошел в сторону. Терзавшая его боль отражалась в искаженном страданием лице Аманды.

Она развернула машину и направилась к шоссе. От слез весь мир слился в единое мутное пятно. Достигнув поворота дороги, Аманда посмотрела в зеркало заднего вида и зарыдала: фигура Доусона, который продолжал стоять на том же месте, стала совсем маленькой.

Чем быстрее ехала машина, тем сильнее плакала Аманда. Деревья по сторонам стояли стеной. Хотелось развернуться и возвратиться к Доусону, сказать, что она найдет смелости стать той, кем хочет.

— Доусон... — прошептала Аманда, и хоть он не мог ее слышать, поднял руку в последнем прощальном жесте.

Вернувшись в дом матери, Аманда увидела ее сидящей на веранде, потягивающей холодный чай. По радио тихо звучала музыка. Аманда молча поднялась по лестнице и проследовала к себе в комнату. Она включила душ и разделась. Обессиленная и опустошенная, как порожний сосуд, она встала перед зеркалом.

Жалящие струи воды показались наказанием. После душа Аманда натянула джинсы и простую хлопчатобумажную блузку, собрала вещи. Клевер был спрятан в кармашек сумки на молнии. Все делая на автопилоте, она сняла простыни с кровати, отнесла их в прачечную и бросила в стиральную машину.

Вернувшись к себе в комнату, она стала перебирать в памяти все, что предстояло сделать: починить ледогенератор в холодильнике дома — она забыла это сделать перед отъездом; начать планировать мероприятие по сбору средств, которое она все откладывала, однако не успеешь оглянуться, как наступит сентябрь. Нужно найти фирму по обслуживанию подобных мероприятий, и, пожалуй, стоит начать с пожертвований на подарочные наборы. Не забыть записать Линн на подготовительные курсы. Аманда пыталась вспомнить, внесли ли они задаток за комнату Джареда в общежитии. На следующей неделе домой приедет Аннет и, наверное, захочет чего-нибудь вкусненького на ужин.

Так она строила планы, оставляя этот уик-энд позади, постепенно возвращаясь к своей прежней жизни, что тоже показалось ей наказанием, как и душ, смывший запах Доусона с ее тела.

Но даже когда она немного успокоилась и ее мысли вошли в прежнее русло, Аманда не могла спуститься вниз. Она села на кровать. Комнату заливал мягкий солнечный свет, который вдруг напомнил ей Доусона, оставшегося на дороге. Его образ возник перед ней как наяву, и вопреки себе — вопреки всему — Аманда внезапно осознала, что приняла неверное решение. Но шанс вернуться еще оставался, и они могли постараться, чтобы, несмотря на все трудности, все получилось. Пройдет время, и все образуется, дети простят ее. Даже она сама себя простит.

Однако Аманда продолжала сидеть словно парализованная, не в силах пошевелиться.

— Я тебя люблю, — прошептала она в тишине комнаты, ощущая, как ее будущее, словно песчинки, уносится ветром, будущее, которое уже почти превратилось в сон.

16

Мэрилин Боннер стояла в кухне, лениво наблюдая из дома, как рабочие в саду отлаживают систему полива. Вчера был ливень, но поливать деревья все равно было нужно, и она знала, что рабочие, несмотря на выходные, проведут здесь большую часть дня. Мэрилин давно поняла, что фруктовый сад — все равно что избалованное дитя: ему всегда не хватает внимания, ему всегда чего-нибудь не хватает.

Однако настоящий двигатель бизнеса был не сад, а маленький заводик по производству желе и фруктовых консервов. Всю рабочую неделю там трудилось около десятка человек, но в выходные заводик пустовал. Когда Мэрилин его только построила, все вокруг шептались, что предприятие не покроет издержек. И правда, первое время было действительно тяжеловато, однако мало-помалу слухи улеглись, потому что дело стабилизировалось, хотя на желе да джеме особо не разбогатеешь. Но все же бизнес обеспечивал безбедное существование, и даже было что оставить детям. А Мэрилин это вполне устраивало.

Сегодня она все никак не могла собраться с силами и переодеться, как обычно: снять одежду, в которой ходила в церковь и на кладбище. И есть ей тоже не хотелось, что для нее было не совсем обычно. Возможно, кто-то решил бы, что она заболела, но Мэрилин знала, в чем дело.

Отвернувшись от окна, она оглядела кухню. Несколько лет назад она отремонтировала ее вместе с ванными и большей частью первого этажа. После этого она поймала себя на том, что начала наконец относиться к старому деревенскому дому как к своему собственному или, скорее, как к дому, о котором она всегда мечтала. Пока не было ремонта, она воспринимала его как дом родителей, что с годами стало вызывать у нее дискомфорт. У Мэрилин в течение ее нелегкой взрослой жизни много чего вызывало дискомфорт, но как бы тяжело ей ни было, из всего она всегда делала выводы. И потому, несмотря ни на что, сожалений в ее жизни было гораздо меньше, чем могли бы подумать окружающие.

Ее не оставляла тревога от увиденного сегодня днем, и она не знала, что делать. Более того, она не знала, нужно ли вообще что-то делать. Ведь вполне можно притвориться, будто ничего не поняла, и предоставить времени сделать свое дело.

Однако с годами Мэрилин усвоила, что не всегда полезно закрывать глаза на ситуацию. Она взяла сумку. Ей вдруг стало ясно, что делать.

Запихнув последнюю коробку на пассажирское сиденье машины, Кэнди вернулась в дом и взяла с подоконника в гостиной золотую статую Будды. Сказать правду, вещица довольно уродливая, но Кэнди ее всегда любила, воображая, что Будда приносит ей удачу. Кроме того, он являлся ее страховым полисом. И, полагая, что первое время на новом месте она будет нуждаться в деньгах, Кэнди решила — на удачу или нет — как можно скорее его заложить.

Завернув Будду в газету, она спрятала его в бардачок и, отступив назад, оглядела свой скарб. Просто удивительно, что удалось затолкать все необходимые вещи в «мустанг». Правда, багажник еле закрылся, и каждый угол в салоне был чем-то забит, наваленные на пассажирское сиденье вещи закрывали обзор через боковое окно. Пора прекратить покупки через Интернет. А в будущем стоит приобрести машину побольше, иначе «свалить по-быстрому» превратится в проблему. Что-то можно было, конечно, не брать, например, кофеварку для капуччино из «Уильямс-Сонома», но в Ориентале она так была нужна, хотя бы для того, чтобы не чувствовать, в какой глухомани ты живешь. Небольшой атрибут городской жизни, так сказать.

Что ж, как бы то ни было, а дело сделано. Вот отработает она сегодня смену в «Тайдуотере», и прости-прощай. Доехав до шоссе I-95, свернет на юг. Кэнди решила переехать во Флориду. До нее доходило много заманчивых слухов о Саут-Бич. Похоже, это как раз то место, где можно пожить какое-то время. И даже осесть. Что ж, она уже давно об этом говорила, но пока этого не случилось. Однако ведь можно же девушке помечтать?

Субботний вечер был богат на улов, а вот пятница разочаровала, поэтому Кэнди и решила поболтаться тут еще ночку — последнюю. Вечер в пятницу начался как нельзя лучше — она надела блузку на бретельках и коротенькие шорты, и все парни, чтобы привлечь ее внимание, в буквальном смысле швыряли деньгами, но вот появился Эби и все испортил. Он уселся за стол — при этом выглядел совсем больным, пот лился с него градом, словно он только что вылез из сауны — и полчаса пялился на нее безумными глазами.

Она уже видела это выражение собственника-параноика на его лице, которое в пятницу вечером стало еще более угрожающим, чем обычно. И Кэнди не могла дождаться, когда кончится вечер. Ей казалось, что Эби вот-вот выкинет какую-нибудь штуку, может быть, даже очень опасную. В тот вечер ее не покидала уверенность, что он затеял нечто такое, и он обязательно выполнил бы задуманное, но, к счастью, ему позвонили на мобильный, и он поспешно покинул бар. Кэнди боялась, что в субботу утром он будет поджидать ее у двери дома или вечером в баре, но он, как ни странно, не появился. К великому облегчению Кэнди, он не показывался вплоть до сегодняшнего дня. И это хорошо, поскольку нагруженная машина выдала бы ее планы, которые не слишком обрадовали бы Эби. Кэнди очень боялась Эби, хотя и не хотела в этом признаваться. В пятницу вечером он распугал полбара. Стоило ему войти в заведение, народ сразу же стал расходиться, потому-то иссяк поток ее чаевых. И даже после ухода Эби бар заполнялся с трудом.

Но все уже почти позади. Еще одна смена — и только ее и видели. Ориентал, как и все прочие места, где она когда-то жила, вскоре станет не более чем воспоминанием.

Алан Боннер всегда в воскресенье немного впадал в меланхолию, поскольку выходные заканчивались. А работа, как он уже понял, не такая замечательная штука, как о ней говорят.

Впрочем, выбора у него практически не было. Мать просто спит и видит, чтобы он «выбился в люди», или как там она еще выразилась, и это досадно. Вот бы ей взять его к себе управляющим на завод, где он сидел бы себе в офисе с кондиционером, писал бы приказы да следил за производством, вместо того чтобы развозить по магазинам закуски. Но ничего не поделаешь, мать — начальник, и она приберегала это местечко для его сестры Эмили, которая в отличие от него закончила колледж.

Но конечно же, не все так плохо. Благодаря матери у него есть свое жилье, и оплачивается оно за счет фруктового сада, поэтому почти все, что он зарабатывает, тратит на себя. Имея свое жилье, он может приходить и уходить, когда ему вздумается, а это большой прогресс по сравнению с тем временем, когда он жил в семье. И потом, работать на маму даже в офисе с кондиционером было бы не так просто. Во-первых, если бы он на нее работал, они постоянно находились бы вместе, а это ни ему, ни ей не понравилось бы. И учитывая тот факт, что мать очень требовательна к ведению документов, что никогда не являлось его сильной стороной, лучше уж пусть все идет так, как идет. Вечера и выходные принадлежали исключительно ему, и он почти всегда мог делать то, что ему заблагорассудится и когда ему заблагорассудится.

В пятницу вечер выдался особенно удачный: в «Тайдуотере» было совсем не так многолюдно, как обычно. По крайней мере после того, как там появился Эби. Весь народ моментально разбежался. А вот он остался в баре, и какое-то время это казалось чертовски... приятным. Он мог разговаривать с Кэнди, и то, что он говорил, по-видимому, ее искренне интересовало. Она, конечно, флиртует со всеми парнями подряд, но он как-то почувствовал, что нравится ей, и надеялся, что в субботу дело продвинется, но заведение превратилось в зоопарк. В баре народ стоял в три ряда, и все до одного столика были заняты. Он и мыслей-то своих почти не слышал, не то что слов Кэнди.

Зато всякий раз, подходя за выпивкой, он видел, как она улыбалась ему поверх голов, и это внушало ему надежду на сегодняшний вечер. Обычно в воскресенье народу бывает не много, и он все утро собирался с духом, чтобы пригласить ее куда-нибудь. Согласится она, не согласится, что он теряет? Ведь она не замужем, верно?

В трех часах езды в западном направлении от дома Фрэнк стоял на грине перед тринадцатой лункой и пил пиво, пока Роджер готовился к патту. Роджер играл хорошо, гораздо лучше Фрэнка. Сегодня Фрэнк, хоть ты тресни, никак не мог загнать мяч в лунку. Его драйвы шли по касательной, его чипы не достигали цели, и о патте ему даже думать не хотелось.

Он напомнил себе, что находится здесь не для того, чтобы переживать из-за счета. Гольф — это возможность сбежать из кабинета и провести время с лучшим другом, подышать свежим воздухом и расслабиться. Однако самоуговоры не помогали. Все знали, что истинное наслаждение гольфом в том, чтобы сделать тот самый замечательный удар, тот дальний драйв на фервей или чип, останавливающийся в двух футах от лунки. А он до сих пор не сделал ни одного приличного удара, а на восьмой лунке делал патт пять раз. Пять! С таким же успехом он мог, послав мяч поверх ветряной мельницы, угодить им в рот клоуну на местной площадке для мини-гольфа, уж так хорошо он сегодня играет. Даже тот факт, что Аманда возвращается домой, его не радовал. Из-за того, что все так пошло, ему после всего даже игру смотреть не захотелось. Никакого удовольствия.

Он одним большим глотком опустошил пивную банку и подумал, что поступил предусмотрительно, взяв с собой кулер. День обещал быть долгим.

* * *

Джаред был рад, что мама в отъезде: можно гулять сколько хочешь. И вообще, являться домой вечером ко времени смешно. Он все же учится в колледже, и никого там не заставляют приходить домой к определенному часу. Но мама, как видно, об этом не слышала. Пусть она только вернется из Ориентала, он ее просветит.

Впрочем, в эти выходные все это не имеет значения. Отец, как уснет — считай, умер для мира, а значит, можно приходить домой когда заблагорассудится. Вот в пятницу вечером он гулял до двух ночи, а вчера пришел домой в четвертом часу, а отец даже ничего и не понял. А может, понял, но Джаред об этом не мог знать, поскольку еще до того, как он сегодня утром поднялся, отец уже отчалил на поле для гольфа со своим другом Роджером.

Однако ночные загулы даром не прошли. После налета на холодильник Джаред решил, что, пожалуй, стоит еще немножко вздремнуть у себя в комнате. Иногда нет ничего лучше, чем поспать днем. К тому же младшая сестра в лагере, Линн на озере Норман и родители в отъезде. Иными словами, в доме покой и тишина, или по крайней мере так тихо, как еще никогда не бывало летом.

Потянувшись, лежа в постели, Джаред подумал, не выключить ли мобильник. С одной стороны, не хочется, чтобы побеспокоили, а с другой — вполне может позвонить Мелоди. Они с ней гуляли в пятницу вечером, а вчера вместе ходили на вечеринку. Встречались они недолго, но она ему нравилась. Вообще-то даже очень.

Оставив телефон включенным, Джаред залез в кровать. И через несколько минут уснул.

***

Тед проснулся от чудовищной головной боли. Казалось, его череп вот-вот разорвет на части. Но, несмотря на хаос в его сознании, отрывочные образы постепенно стали складываться в общую картину. Доусон, его сломанный нос, больница. Загипсованная рука. Вчерашний вечер, ожидание под дождем, и Доусон, который пока оставался в недосягаемости, вроде как играл с ним...

«Доусон. Играет. С ним».

Тед осторожно сел в постели. В голове стучало, живот крутило. Тед поморщился. Но даже это движение причинило ему боль, а когда он дотронулся до лица, боль стала и вовсе нестерпимой. Нос распух до размеров картофелины, волнами подступала тошнота. Ему хотелось отлить, но он сомневался, что дойдет до туалета.

Он вспомнил про железяку, разбившую ему лицо, вспомнил ночь, проведенную под дождем, и снова начал закипать от гнева. Из кухни донесся визгливый детский плач, который сразу же заглушил звук телевизора. Тед зажмурился, безуспешно пытаясь отгородиться от этого шума, и наконец с трудом поднялся с постели.

В глазах потемнело. Он ухватился за стену, чтобы не упасть, сделал глубокий вдох и, скрежеща зубами, подумал: почему, черт возьми, Элла не заткнет продолжавшего верещать ребенка? И почему так громко орет телевизор?

Покачиваясь, он направился в ванную, но на выходе, стараясь удержаться на ногах, слишком быстро поднял загипсованную руку, и его пронзила такая боль, словно к руке был присоединен электропровод. Он вскрикнул, и дверь спальни распахнулась перед ним. Детский плач резанул уши словно ножом, и Тед увидел сразу двух Элл и двух детей.

— Сделай же что-нибудь с ребенком, не то я сам, — прорычал он. — И заглуши этот треклятый телевизор.

Элла попятилась. Тед, развернувшись, закрыл один глаз, пытаясь отыскать «глок». В глазах постепенно перестало двоиться, и он заметил пистолет, лежавший на столике у кровати, возле ключей от пикапа. Взять его у него получилось лишь со второй попытки. Все выходные Доусон одерживал над ним верх. Пришло время положить этому конец.

Широко раскрыв глаза, Элла смотрела, как он выходит из спальни. Она успокоила ребенка, но про телевизор забыла, и его звук тяжелыми ударами отдавался в голове Теда. Пошатываясь, он прошел в тесную гостиную и опрокинул телевизор на пол. Трехлетний ребенок вновь пронзительно заплакал. Ему стала подвывать и Элла, державшая малыша на руках. Выйдя из дома, Тед почувствовал, что его вот-вот вывернет, к горлу подступила тошнота.

Он перегнулся через перила крыльца и сблевал. Затем, вытерев рот рукой, сунул пистолет в карман и, ухватившись за перила, осторожно спустился с лестницы. Он направился к пикапу, который выглядел для него мутным пятном.

Нет, на сей раз Доусону не уйти.

Эби наблюдал из окна своего дома, как Тед тащился к пикапу. Ему было ясно, куда направляется Тед, пусть даже тот вилял то влево, то вправо, не в состоянии идти по прямой.

Как ни отвратительно чувствовал себя Эби прошлой ночью, наутро впервые за несколько последних дней ему стало лучше. Наверное, ветеринарные пилюли все же подействовали: температура прошла, и хоть к ране на животе все еще было больно прикоснуться, она выглядела уже не такой красной, как вчера.

Не сказать, чтобы он чувствовал себя на все сто. Вовсе нет. Но гораздо лучше, чем Тед, это уж точно. И меньше всего ему хотелось, чтобы остальные родственники видели состояние Теда. Эби уже слышал разговоры о том, что Доусон снова одолел Теда, и это плохо. Потому что люди могут задуматься, а не удастся ли и им тоже одержать над Тедом верх, и уж чего-чего, а этого ему сейчас совершенно не надо.

И кто-то должен пресечь это на корню. Открыв дверь, Эби направился к брату.

17

Отмыв грязный после дождя «стингрей», Доусон положил шланг и пошел на зады дома Така, к реке. Днем потеплело. Кефаль уже не прыгала над водой — для этого стало слишком тепло, — и речная гладь выглядела абсолютно безжизненной и гладкой, как стекло. Доусон поймал себя на том, что вспоминает последние проведенные с Амандой минуты.

После того как она оставила его, он еле удержался, чтобы не броситься вслед за ней, не попытаться еще раз уговорить ее остаться с ним. Хотелось еще раз сказать ей, как сильно он ее любит. Но вместо этого он просто стоял и смотрел ей вслед, в глубине души сознавая, что видит ее в последний раз. Как, черт возьми, так вышло, что он снова упустил ее?

Не стоило ему возвращаться в родные края. Он тут чужой, и всегда был чужим. Ему больше нечего тут делать, пора уезжать. Доусон знал, что, оставаясь здесь так долго, он искушает судьбу. Развернувшись, он прошел вдоль дома к своей машине. Нужно было сделать еще одну, последнюю, остановку в городе, и после этого он покинет Ориентал навсегда.

Аманда не знала, как долго просидела в комнате наверху. Час, два, может, дольше. Всякий раз, выглядывая из окна, она видела сидящую внизу на веранде с открытой книгой на коленях мать. Еда была прикрыта от мух салфетками. С тех пор как Аманда вернулась домой, мать ни разу не поднялась наверх, посмотреть, как там Аманда, но та этого и не ждала. Они достаточно хорошо знали друг друга, чтобы понимать: Аманда сама спустится, когда будет готова.

Чуть раньше звонил с поля для гольфа Фрэнк. Он был лаконичен, но Аманда почувствовала, что он выпил. За десять лет она мигом научилась его распознавать. Разговаривать ей не хотелось, но он этого не заметил. Не потому, что был пьян — а он был пьян, — а потому, что, несмотря на ужасное начало игры, в итоге ему удалось загнать мяч в четыре лунки, не превышая пар. Наверное, впервые Аманда была рада, что он набрался: к ее возвращению он так устанет, что скорее всего уснет, прежде чем она ляжет в постель. Уж чего-чего, а сексуальных поползновений с его стороны ей совсем не хотелось. Этого она сегодня просто не вынесет.

Спуститься вниз, однако, она была не готова. Вместо этого она поднялась с кровати и отправилась в ванную, где, порывшись в аптечке, нашла пузырек «Визина». Она закапала несколько капель в свои красные, распухшие глаза и расчесала волосы. Внешность от этого не улучшилась, но ее это мало волновало; она знала, что Фрэнк ничего не заметит.

А вот Доусон заметил бы. И при нем ей было бы небезразлично, как она выглядит.

Пытаясь не давать волю чувствам, она снова вернулась мыслями к нему, как делала это постоянно с тех пор, как вернулась домой. Бросив взгляд на свои вещи, она заметила угол конверта, который выглядывал из ее сумочки. Вытащив его, она заметила на нем свое имя, нацарапанное дрожащей рукой Така. Снова опустившись на кровать, Аманда открыла конверт и достала оттуда письмо, отчего-то будучи уверенной, что Так знал все ответы на интересующие ее вопросы.

«Дорогая Аманда!

Читая это письмо, ты скорее всего будешь находиться перед самым трудным в своей жизни выбором, когда кажется, что твой мир распадается на части.

Не удивляйся, что я об этом знаю. Ведь я за последние годы очень хорошо тебя узнал и переживал из-за тебя, Аманда. Но письмо не о том. Не мне давать тебе советы, и вряд ли я смогу тебя утешить. Вместо этого мне хотелось рассказать тебе историю. О нас с Кларой. Ты этой истории не слышала — я не знал, как тебе все это сказать. Мне было неловко, а еще больше я боялся, что ты сочтешь меня лгуном и перестанешь навещать.

Клара для меня не была призраком. Я ее отчетливо видел и слышал, поэтому не могу сказать, что этого не было. Все, что я написал вам с Доусоном в письме, правда. Я увидел ее в тот день, когда вернулся домой из коттеджа, и чем старательнее я ухаживал за цветами, тем более живым становился для меня ее образ. Любовь способна многое одушевить. На самом деле в глубине души я, конечно, понимал, что Клары нет. А видел и слышал ее я, потому что хотел этого, потому что тосковал по ней. Она, безусловно, являлась только в моем воображении, не более того, хотя мне очень хотелось обмануть себя, поверить в ее существование.

Наверное, ты удивишься: зачем я говорю тебе об этом сейчас? Поэтому перейду к делу. Мы поженились с Кларой, когда мне было семнадцать, и прожили вместе сорок два года. Наши жизни, да и мы сами за это время переплетались, сливались воедино, образовав одно нераздельное целое. Те двадцать восемь лет, которые я прожил после ее смерти, так измучили меня, что многие, кто знал меня, в том числе и я сам, решили, будто я совсем свихнулся.

Ты еще молода, Аманда, хотя, возможно, и не ощущаешь этого, но для меня ты сущее дитя, и тебе еще жить да жить. Послушай меня, вот я жил и с реальной Кларой, и с призрачной. Одна наполняла мою жизнь радостью, а другая была лишь ее бледным отражением. Если ты сейчас отвернешься от Доусона, то с тобой будет жить лишь призрак того, кто бы мог принадлежать тебе реально. Имей в виду, что от наших решений неизбежно страдают невинные люди. Назови меня старым эгоистом, но я никогда не хотел, чтобы ты страдала.

Так».

***

Аманда снова спрятала письмо в сумку. Она сознавала, что Так прав. Она настолько остро почувствовала справедливость его слов, что ей стало трудно дышать.

В каком-то отчаянном порыве, суть которого она сама не вполне понимала, Аманда собрала вещи и спустилась с ними вниз. Обычно она оставляла их у двери до тех пор, пока окончательно не будет готова ехать. Теперь вопреки обыкновению она нажала на ручку двери и сразу проследовала к машине.

Забросив вещи в багажник, она обошла вокруг автомобиля и лишь тогда заметила, что мать наблюдает за ней, стоя на веранде.

Аманда не произнесла ни слова. Мать тоже. Они просто молча смотрели друг на друга, и Аманда каким-то сверхъестественным образом почувствовала, что мать знает о происходящем с ней и о том, куда она собралась. Но все это не имело никакого значения — у Аманды в ушах звучали слова Така. Она знала одно: нужно найти Доусона.

Вряд ли она застанет его у Така: помыть машину недолго, а учитывая, что за ним охотятся его двоюродные братья, он надолго в городе не останется.

«Он, кажется, говорил еще об одном месте, куда может заехать...» — внезапно, сами собой в сознании у Аманды возникли слова, и она села за руль, точно зная, где может найти его.

На кладбище Доусон вышел из машины и коротким путем направился к могиле Дэвида Боннера.

Раньше он всегда приезжал на кладбище, выбирая самое безлюдное время, стараясь соблюдать анонимность и как можно меньше бросаться людям в глаза.

265

Сегодня это оказалось невозможно. В выходные на кладбище всегда много народу, и между могилами бродили многочисленные посетители. Никто, казалось, не обращал на Доусона внимания, но он тем не менее шел, не поднимая головы.

Добравшись наконец до места, он заметил, что цветы, оставленные им в пятницу утром, сохранились, только переставлены на другую сторону — скорее всего смотрителем, косившим траву. Опустившись на корточки возле могильного камня, Доусон поднял несколько выпавших из букета длинных колосьев.

Его мысли вернулись к Аманде, и его вновь охватило чувство безысходного одиночества. Наверное, он проклят с самого рождения, подумал Доусон. Закрыв глаза, он помолился про себя за упокой души Дэвида Боннера, не обратив внимания, что к его тени только что присоединилась еще одна. Что кто-то стоит за его спиной.

Автомобиль Аманды, выехав на главную улицу, пересекавшую весь Ориентал, остановился на перекрестке. Свернув налево, она проедет мимо пристани, мимо дома Така, затем свернет направо и выедет на загородное шоссе, ведущее к ее дому. Впереди, за кованой оградой, располагалось самое большое в Ориентале кладбище, где покоился доктор Боннер. Аманда вспомнила, что Доусон хотел заехать туда по дороге домой.

Кладбищенские ворота оказались открыты. В поисках арендованного Доусоном автомобиля Аманда окинула взглядом полдесятка машин на стоянке и, когда наконец его заметила, у нее перехватило дыхание. Три дня назад, подъехав к дому Така, Доусон припарковал эту машину рядом с ее. А сегодня утром она, Аманда, стояла возле этой машины, когда Доусон в последний раз ее поцеловал.

Доусон здесь.

«Мы еще молоды, — говорил он ей. — У нас еще есть время все исправить».

Нога Аманды стояла на педали тормоза. Прогрохотавший по главной дороге в сторону центра минивэн загородил Аманде обзор. В остальном дорога была пуста.

Надо только пересечь дорогу и припарковаться, и она его обязательно найдет. Аманда вспомнила слова Така, годы тоски и отчаяния, прожитые им без Клары, и поняла, что совершила бы ошибку, расставшись с Доусоном, — она не представляла себе жизни без него.

Аманда представляла, как они встретятся сейчас, что скажут друг другу. Вот она видит Доусона у могилы доктора Боннера и говорит ему, что их расставание невозможно. Она, зная, что они созданы друг для друга, уже представляла, как будет счастлива, когда он обнимет ее.

Если она решит остаться с Доусоном, то всегда и везде будет следовать за ним. Или он за ней. Однако чувство долга все же не отпускало Аманду. Она медленно убрала ногу с педали тормоза и вместо того чтобы проехать прямо, вдруг повернула руль. Сдерживая рыдания, Аманда направилась к главному шоссе в сторону дома.

Она начала набирать скорость, все дальше и дальше удаляясь от кладбища, вновь пытаясь убедить себя, что приняла единственно верное решение.

— Прости меня, Доусон, — прошептала Аманда, жалея, что он не слышит ее, жалея, что ей приходится говорить эти слова.

Шорох за спиной вывел Доусона из задумчивости и заставил подняться. Он тут же ее узнал, но от неожиданности не мог произнести ни слова.

— Вы здесь, — констатировала Мэрилин Боннер. — У могилы моего мужа.

— Простите, — извинился Доусон, опустив глаза. — Мне не следовало приходить.

— Но вы все равно пришли, — проговорила Мэрилин. — И совсем недавно были тут. — Доусон ничего не ответил, и она кивком указала на цветы. — Я после церкви всегда захожу сюда. В прошлые выходные цветов не было, к тому же они совсем свежие, а значит, появились здесь совсем недавно. Стало быть... в пятницу?

— Утром, — сглотнув комок в горле, выговорил Доусон. Мэрилин смотрела твердо и решительно.

— Ведь вы какое-то время и раньше присылали сюда цветы? После того как вышли из тюрьмы? Это вы были, да?

Доусон промолчал.

— Так я и думала, — вздохнула Мэрилин и шагнула к камню, оглядывая надпись. Пропуская ее, Доусон отступил в сторону. — Дэвиду сюда многие приносили цветы. Но через пару лет его стали забывать. Осталась только я. Только я приносила цветы. Но вот прошло четыре года после его смерти, и рядом с моими цветами стали появляться еще чьи-то — правда, нерегулярно, но достаточно часто, чтобы возбудить во мне любопытство. Мне было непонятно, кто бы это мог быть. Я спрашивала родителей, друзей, однако никто не признавался. Представьте себе, какое-то время я даже стала подумывать, не было ли у Дэвида, случайно, при жизни другой женщины. — Мэрилин со вздохом покачала головой. — Только когда цветы перестали появляться, я сообразила, что это ваших рук дело. Мне было известно, что вы вышли из тюрьмы досрочно, а потом где-то через год отсюда уехали. Все эти ваши действия меня просто... вывели из себя. — Мэрилин стояла скрестив руки, казалось, она пытается отгородиться от воспоминаний. — И вот сегодня утром, снова увидев эти цветы, я поняла, что вы здесь. Я не знала точно, появитесь ли вы на кладбище сегодня... но вы появились.

Доусон сунул руки в карманы. Ему вдруг страшно захотелось оказаться где-нибудь подальше от этого места.

— Если вы так хотите, я больше не буду приходить сюда, — пробормотал он. — Даю слово.

Мэрилин взглянула на него.

— Вам не кажется, что ваши посещения могилы Дэвида не совсем нормальны, учитывая, что вы совершили? Учитывая, что мой муж здесь, а не со мной? Что он не видел, как выросли его дети?

— Согласен с вами, — сказал Доусон.

— Конечно, это ненормально, — сказала Мэрилин. — Ваша совесть до сих пор не дает вам покоя. Ведь поэтому вы все эти годы присылали нам деньги?

Доусон хотел солгать, но не смог.

— Когда вы об этом узнали? — спросил он.

— Тогда же, когда получила первый чек, — ответила Мэрилин. — Всего пару недель до этого вы останавливались возле моего дома, помните? Понять, что к чему, не составило труда. — Она помедлила в нерешительности. — Вы хотели попросить прощения лично? Когда пришли к моему крыльцу в тот день?

— Да.

— В тот день я не пустила вас на порог. И наговорила вам... всякого, многое из которого, наверное, не следовало говорить.

— Вы имели на то полное право.

Губы Мэрилин сложились в некое подобие улыбки.

— Вам было двадцать два. На крыльце я увидела взрослого мужчину. Но чем старше я становлюсь, тем больше укрепляюсь во мнении, что люди не взрослеют по крайней мере лет до тридцати. Мой сын старше, чем были вы в то время, но я до сих пор считаю его ребенком.

— Так у всех.

— Возможно, — чуть заметно пожав плечами, сказала Мэрилин и придвинулась к Доусону поближе. — Деньги, которые вы присылали, нам очень помогли, — проговорила она. — Они нас поддерживали на протяжении многих лет, но теперь мы больше не нуждаемся. Так что не присылайте их больше.

— Я просто хотел...

— Я знаю, чего вы хотели, — перебила Мэрилин. — Но даже все деньги мира не смогут вернуть мне мужа, а моим детям отца, не смогут заглушить чувство утраты, поселившееся в моем сердце после смерти Дэвида. И они не дадут детям отца, которого они не знали.

— Понимаю.

— И потом, никакими деньгами прощение не купишь.

Доусон сник.

— Я, пожалуй, пойду, — сказал он и повернулся, чтобы уйти.

— Да, — кивнула Мэрилин, — идите. Но напоследок хочу сказать вам еще кое-что.

Доусон обернулся, Мэрилин поймала глазами его взгляд.

— Я понимаю: то, что произошло тогда, было несчастным случаем. Это было ясно с самого начала. Так же, как было ясно, что вы бы сделали все, чтобы изменить прошлое. Ваши последующие действия не оставляют сомнений на сей счет. Кроме того, я сожалею, что так вела с вами, когда вы пришли ко мне. Я была зла, напугана, одинока, я выместила на вас свое отчаяние, но должна сказать, что никогда не видела в ваших поступках злого умысла. Просто так устроено, что в жизни порой случаются страшные вещи. — Ее слова повисли в воздухе, и, когда она продолжила, ее голос смягчился. — Теперь у меня все в порядке, и дети тоже. Мы выжили. У нас все хорошо.

Доусон повернулся, чтобы уйти, но Мэрилин дождалась, когда он снова повернется к ней лицом.

— Я пришла сюда сказать, что вам больше не нужно мое прощение, — медленно проговорила она. — Хотя я знаю: все, что вы делали, — не для того, чтобы его получить. Вам не столько нужно мое прощение или прощение моей семьи, сколько вы хотите усмирить собственную совесть, которая вас терзает столько времени. Дело в вас. Будь вы моим сыном, я бы посоветовала вам утихомирить ее. Скажите ей, что вы прощены, Доусон. Прошу вас, сделайте это ради меня.

Она пристально посмотрела на него, желая убедиться, что он правильно понял ее, потом развернулась и пошла прочь. Доусон застыл на месте и глядел ей вслед, пока она удалялась, обходя могильные памятники, и наконец не исчезла совсем.

18

Аманда ехала на автопилоте, не замечая еле ползущую рядом вереницу машин. Семьи в минивэнах и джипах, некоторые из них с лодками, после проведенного на пляже уик-энда заполонили шоссе.

Аманда не представляла себе, как, вернувшись домой, станет жить, словно и не было этих нескольких дней. Она понимала, что никому не сможет о них рассказать, и все же, как ни странно, не чувствовала себя виноватой. И даже она жалела, что не повела себя иначе. Если б знать с самого начала, чем закончится уик-энд, осталась бы в первый вечер с Доусоном подольше и не отстранилась бы, когда он захотел ее поцеловать. И увиделась бы с ним в пятницу вечером, пусть для этого ей и пришлось бы наврать с три короба матери. Она все бы отдала за то, чтобы провести в его объятиях всю субботу. Уступи она собственным чувствам раньше, субботний вечер мог бы закончиться иначе: возможно, преграды, возводимые брачными клятвами, были бы преодолены. И она почти преодолела их. Танцуя с ним в гостиной, она только и думала о том, как бы ему отдаться. Когда они целовались, она точно знала, что произойдет сейчас. Она хотела быть с ним, как тогда, однажды.

Она была уверена, что сумеет, что, как только они окажутся в спальне, она сможет притвориться — хотя бы на одну ночь, — что ее жизни в Дареме не существует. Даже когда он раздел и отнес ее в постель, она думала, что сможет забыть о своей семье. Но как она ни хотела стать в ту ночь другой, свободной от обязанностей и обещаний женщиной, как она ни хотела Доусона, она знала, что, перейдя черту, не сможет вернуться назад. Несмотря на его нетерпеливые прикосновения и близость его тела, она не могла полностью отдаться своим чувствам.

Понимая ее состояние, Доусон не рассердился, только прижал ее к себе крепче. Он гладил ее волосы, целовал ее в щеку, шептал, что это никак не может изменить его чувств к ней.

Так они лежали, пока небо не посветлело и в теле не обосновалась усталость. Перед рассветом она наконец уснула в его объятиях. А когда утром проснулась, ее первым порывом было обнять Доусона. Но его уже не было.

В баре загородного клуба — партия в гольф была давно закончена — Фрэнк знаком потребовал у бармена еще одно пиво, не замечая, как тот вопросительно посмотрел на Роджера. Роджер, уже переключившийся на диетическую колу, лишь пожал плечами. Бармен неохотно поставил перед Фрэнком еще бутылку. Пытаясь перекрыть шум в баре, который за последний час набился до отказа, Роджер наклонился к Фрэнку поближе. Счет сравнялся на девятом иннинге.

— Я, как ты помнишь, ужинаю со Сьюзан, поэтому не смогу подбросить тебя до дома. А вести машину ты не можешь.

— Знаю.

— Вызвать тебе такси?

— Давай посмотрим игру. Потом решим, ладно? — Фрэнк поднял бутылку и, не отрывая остекленевшего взгляда от экрана, стал пить.

Эби сидел на стуле у постели брата, в очередной раз удивляясь, что Тед живет в такой дыре. В доме жутко воняло грязными подгузниками, плесенью и бог знает чем еще. Ребенок ни на минуту не прекращал орать, а Элла, словно испуганное привидение, металась по дому. Просто чудо, что Тед еще не свихнулся окончательно. И не отдал Богу душу.

Тед пролежал без сознания большую часть дня, с тех пор как свалился по пути к пикапу. Когда Эби, схватив его в охапку, внес в дом, Элла уже орала благим матом, что его надо везти обратно в больницу.

Хотя, если Теду станет хуже, возможно, он так и поступит, но от врачей мало проку. Теду нужно просто отлежаться — то же самое он получит в больнице. У него сотрясение мозга, ему бы вчера полежать тихонечко, но он, поди ж ты, ни в какую, и вот теперь за это расплачивается.

Дежурить у постели брата всю ночь в больнице у Эби никакого желания не было, особенно теперь, когда ему самому полегчало. И черт возьми, ему и здесь-то сидеть не хотелось, но у него бизнес, суть которого — угроза насилия, и Тед являлся важной составляющей этого бизнеса. Большая удача, что остальные родственники ничего не видели и что ему удалось внести Теда в дом незамеченным.

Однако вонь тут как в сточной трубе, и предвечерний зной лишь усиливал запах. Вытащив мобильник, Эби прошелся по списку контактов, отыскал номер Кэнди и нажал кнопку вызова. Он уже звонил ей сегодня, но она не ответила и не перезвонила. Подобное пренебрежение ему не нравилось. Совершенно не нравилось.

Второй раз за день телефон Кэнди звонил и звонил.

— Что, черт возьми, происходит? — вдруг проскрежетал Тед. Голос у него скрипел, а голова трещала, словно ее долбили отбойным молотком.

— Ты в постели, — ответил Эби.

— Что же, черт побери, случилось?

— Ты не дошел до машины и грохнулся, а я притащил тебя сюда.

Тед медленно сел на кровати, ждал, что закружится голова, и она закружилась, но не так сильно, как утром. Он вытер нос.

— Ты нашел Доусона?

— Я его не караулю. Сегодня я смотрю за твоей задницей.

Тед сплюнул на пол рядом с валявшейся там грязной одеждой.

— Он, может, еще где-то здесь.

— Может. Но я сомневаюсь. Он скорее всего в курсе, что ты за ним охотишься, и если он не дурак, то давно смотался.

— А может, он все же не такой умный. — Привалившись к стойке кровати, Тед наконец поднялся с постели и заткнул «глок» за пояс. — Машину поведешь ты.

Эби знал, что Тед так просто не успокоится. Хотя, может, родственникам не помешает знать, что Тед на ногах и готов к работе.

— А если его там уже нет?

— Нет так нет. Но я должен проверить.

Эби пристально посмотрел на брата, думая в это время о телефонных звонках Кэнди, которые она оставила без ответа, и о том, где она сейчас может быть. О парне, флиртовавшем с ней в «Тайдуотере».

— Ладно, — согласился он. — Но после я, наверное, и тебя попрошу сделать кое-что для меня.

Припарковавшись у «Тайдуотера», Кэнди проверила мобильник. Два пропущенных вызова. Два звонка от Эби, которому она до сих пор не перезвонила. Обнаружив их, Кэнди забеспокоилась. Она знала, что лучше перезвонить Эби. Ну помурлыкать, сказать все, что там полагается. Хотя вдруг ему тогда взбредет в голову явиться к ней на работу, а ей этого хотелось меньше всего. Заметив ее машину на стоянке, он сообразит, что она собралась сделать ноги, и что тогда этому психу вздумается, неизвестно.

Нужно было бы собрать вещи позже, после работы, и уехать из дома. Но ей это не пришло в голову, а сейчас начнется ее смена. И если на еду и недельное проживание в мотеле ей хватило бы, то чаевые на бензин ей точно нужны.

Останавливаться перед баром, там, где Эби сразу заметит ее машину, нельзя. Сдав назад, Кэнди покинула стоянку, проехала вдоль изгиба шоссе и направилась в центр Ориентала. За одним из антикварных магазинов на краю города располагалась маленькая парковка. Вот там Кэнди и припарковалась, чтобы никто не заметил. Так лучше. Пусть даже придется пройтись пешком.

А что, если Эби появится и не увидит ее машину? Это тоже может создать проблемы. Кэнди не хотелось, чтобы он задавал слишком много вопросов. Поразмыслив, Кэнди решила ответить, если он позвонит еще раз, и тогда между делом упомянет, что весь день проторчала на сервисе, чинила машину. На душе у Кэнди было неспокойно, но она утешала себя тем, что ей осталось пережить всего пять часов. К завтрашнему вечеру все останется позади.

Джаред еще спал, когда в четверть шестого зазвонил его телефон. Перевернувшись на кровати, он достал мобильник. И чего это отцу вздумалось звонить, удивился он.

Вот только звонил не отец, а его товарищ по гольфу, Роджер. Он просил Джареда приехать и забрать отца из гольф-клуба. Потому что отец набрался и не может вести машину.

«Да неужели? — проговорил про себя Джаред. — Отец? Набрался?»

Впрочем, вслух этого Джаред не произнес, хоть ему и очень хотелось. Пообещав быть на месте минут через двадцать, он встал с постели, натянул надеванные шорты и футболку, а на ноги надел вьетнамки. Потом взял со стола ключи и бумажник и, позевывая, спустился по лестнице. О том, чтобы позвонить Мелоди, уже не было речи.

Прятать пикап на дороге перед домом Така и пробираться через лес, как прошлым вечером, Эби не стал. Наоборот, заехав на ухабистую подъездную дорогу, он, как руководитель группы спецназа во время выполнения боевого задания, прибавил скорость и резко, так что из-под колес полетел гравий, затормозил перед самым домом. Из машины он вышел с оружием, опередив Теда, который выбрался из пикапа с удивительным для его состояния проворством, хотя своим видом мог испугать кого хочешь: синяки под глазами уже приобрели пурпурно-черный оттенок. Лицом парень походил на енота.

Как и подозревал Эби, вокруг не было ни души. Ни в доме, ни в гараже никаких признаков Доусона не наблюдалось. Однако шустрый этот мерзавец, его кузен. Жаль, что все эти годы он с ним не якшался, не то бы нашел ему хорошее применение, пусть даже Теда от этого хватил бы удар.

Тед тоже не высказал удивления, обнаружив, что Доусон улизнул, однако гнев его от этого не уменьшился. Эби наблюдал, как играют у Теда на скулах желваки, как он пальцем поглаживает спусковой крючок «глока». Кипя от злости, он какое-то время постоял на дороге, ведущей к дому, затем Тед решительно подошел к дому Така и распахнул дверь ногой.

Эби прислонился к пикапу, решив переждать, дать возможность брату выпустить пар. Из дома донеслись извергаемые Тедом ругательства и грохот — это он громил мебель. Вот из окна вылетел стул, разбив на тысячи осколков стекло. Наконец в дверях появился Тед и в бешенстве зашагал к старому гаражу.

Там стоял классический «стингрей». Прошлым вечером его в гараже не было — очередное доказательство тому, что Доусон здесь появлялся, но уже уехал. Дошло ли это до Теда, Эби не мог сказать. Впрочем, это было не важно. Следовало дождаться, пока Тед успокоится. Чем скорее он выпустит пар, тем скорее жизнь вернется в прежнее русло. Эби требовалось, чтобы Тед поменьше думал о том, что хочется ему, и больше о том, что говорит ему Эби.

Схватив с верстака монтировку, Тед размахнулся и со всей дури с воплем обрушил ее на лобовое стекло «стингрея», после чего начал молотить ею по багажнику. Он колотил монтировкой по фарам, сбил зеркала, но это было лишь начало.

Не больше пятнадцати минут потребовалось Теду, чтобы чем ни попадя разнести машину на части. Ненависть к Доусону была столь велика, что вскоре двигатель, шины, обивка и приборная доска — все было раскурочено, разрезано на мелкие части.

Жаль, подумал Эби. Машинка была загляденье, настоящая классика. Однако машина чужая, и Теду от этого легче, а значит, решил Эби, это на пользу.

Закончив свое дело, Тед наконец направился к Эби. Шаг его оказался тверже, чем ожидал Эби, хотя дышал Тед тяжело, а его взгляд по-прежнему оставался диким. «Как бы он не прицелился да не пальнул в меня, просто так, со зла», — подумал Эби.

Однако недаром Эби стал главой семьи — испугать его было не так просто, даже когда брат его становился действительно страшен. Он продолжал стоять, непринужденно прислонившись к машине, перед приближавшимся к нему Тедом. Видя, что Тед уже совсем близко, Эби ковырнул в зубах, после чего внимательно осмотрел палец.

— Ну что, закончил?

* * *

Доусон стоял у причала за гостиницей в Нью-Берне между слипами с яхтами. Приехав сюда прямо с кладбища, он все оставшееся до вечера время, пока не начало садиться солнце, провел здесь.

За последние четыре дня это было уже его четвертое пристанище. После выходных он чувствовал себя изнуренным физически и эмоционально. Как ни пытался, он не мог представить себе, как жить дальше. Завтра, послезавтра, а также дальнейшие бесконечные череды недель и лет. Они казались бессмысленными. До этого в его жизни были некие своеобразные цели, которые теперь исчезли. Аманда, а теперь еще и Мэрилин Боннер отпустили его навсегда. Так умер. Что ему теперь делать? Уехать? Остаться на прежнем месте? Работать там же? Или попробовать что-то новое? Какова теперь его цель, когда прежние жизненные ориентиры утрачены?

Доусон знал, что ответов на свои вопросы здесь не найдет, и, поднявшись, поплелся обратно в гостиницу. Его самолет вылетал в понедельник рано утром. Доусону надо было встать до рассвета, чтобы вернуть арендованную машину и зарегистрироваться на рейс. В Новом Орлеане он окажется до полудня, а там еще немного, и он дома.

Добравшись до своего номера, он прямо в одежде повалился на кровать. Впервые ощущая себя в жизни абсолютно дезориентированным, он ничего не мог, кроме как вспоминать прикосновения губ Аманды к его губам. «Ей может потребоваться время», — писал Так. И прежде чем провалиться в сон, Доусон уцепился за эту надежду: хоть бы Так был прав.

* * *

Остановившись на красный свет, Джаред посмотрел на отца в зеркало заднего вида. Вот уж набрался так набрался, думал Джаред. Когда он приехал в гольф-клуб несколькими минутами раньше, отец стоял, привалившись к одной из колонн. Туманный и рассеянный взгляд. Дыхание, которым можно было воспламенить газовый гриль в саду за домом. Наверное, поэтому он все время молчал — старался скрыть, насколько он пьян на самом деле.

Джаред к такому уже давно привык. Пьянство отца его не столько раздражало, сколько удручало. У мамы сразу портилось настроение, хотя она и пыталась вести себя как ни в чем не бывало, пока муж шатался по дому в стельку пьяным. Злиться на отца — только зря энергию тратить, он того не стоил, но мама, Джаред прекрасно знал, внутри буквально кипела от гнева. Она изо всех сил старалась держаться цивилизованно, но где бы в конце концов отец не пристраивался, она неизменно уходила от него в другую комнату, будто это у супругов нормальное дело.

Вот и сегодня ничего хорошего не жди, правда, расхлебывать все это придется Линн, если она явится домой прежде, чем отец отключится. Что до него, Джареда, то он уже позвонил Мелоди, и они договорились пойти купаться.

Наконец загорелся зеленый свет. Рисуя в воображении образ Мелоди в бикини, Джаред нажал на газ и не заметил, что через перекресток на полной скорости уже ехала машина.

С оглушительным треском она врезалась в автомобиль Джареда. Во все стороны полетели осколки и обрывки ме-

281

талла. Часть искореженной дверной рамы выгнулась внутрь, надавив ему на грудь. И в тот же самый момент вылетела подушка безопасности. Пристегнутый ремнями, Джаред дернулся всем телом. Его машина, крутясь вокруг своей оси, неслась через перекресток, голова Джареда моталась из стороны в сторону. «Я погиб», — мелькнуло у него в голове, но чтобы произнести хоть что-то, ему не хватало воздуха.

Машина наконец остановилась, и Джаред не сразу понял, что еще дышит. Грудь болела, шея едва двигалась, казалось, он сейчас задохнется от порохового облака, вылетевшего вместе с подушкой безопасности.

Джаред попробовал пошевелиться, но его грудь пронзила боль. Дверная рама и руль врезались в тело, и ему никак не удавалось вылезти из-под них. Как-то изогнувшись и сдвинувшись вправо, он вдруг высвободился.

Его взгляд выхватил остановившиеся на перекрестке машины. Из них выходили люди, кто-то уже звонил в службу спасения. Сквозь сетку зазубренного стекла Джаред заметил, что капот его машины вздыбился и напоминал теперь маленькую палатку.

Словно откуда-то издалека до него донеслись крики людей, запрещавших ему двигаться. Но он, внезапно вспомнив об отце, тем не менее повернул голову и увидел вместо его лица кровавую массу. И тогда он закричал.

Аманда находилась в часе езды от дома, когда зазвонил ее сотовый. Протянув руку к пассажирскому сиденью, она порылась в сумке и ответила наконец на третий звонок.

Ужас парализовал ее, когда она слушала срывающийся голос Джареда, говоривший ей о случившемся. Из обрывков его слов она поняла, что на место аварии приехала «скорая помощь», что окровавленного Фрэнка и самого Джареда, который, по его уверениям, не пострадал, забирают в госпиталь Дьюка.

Аманда судорожно сжала телефон в руке. Впервые после болезни Беи она почувствовала ужас. Настоящий ужас — тот, что не оставлял места для каких-то других мыслей и чувств.

— Еду, — сказала она. — Буду так скоро, как только...

Но тут телефон почему-то отключился. Она тут же снова набрала номер, но ей никто не ответил.

Вырулив на соседнюю полосу, она вдавила педаль газа в пол и, мигнув фарами, обогнала ехавшую впереди машину. Ей нужно было очутиться в больнице немедленно. Но вереница машин, тянувшаяся с пляжей, пока не иссякла.

После вылазки к Таку Эби почувствовал, что умирает с голоду. С тех пор как у него началось заражение, ему совсем не хотелось есть, но теперь аппетит вернулся, причем волчий — еще один признак эффективной работы антибиотиков. В итоге он заказал в «Ирвинз» чизбургер с луковыми кольцами и жареный картофель с сыром и чили. Еще не приступая к еде, он знал, что съест все без остатка. Быть может, у него даже останется место на кусок пирога и мороженое.

Тед же в отличие от Эби по-прежнему был плох. Он тоже заказал чизбургер, но ел маленькими кусочками и жевал еле-еле. Машина, которую он разнес в пух и прах, судя по всему, отняла у него последние силы.

Пока они ждали еду, Эби позвонил Кэнди. На этот раз она ответила сразу же, и они немного поговорили. Она сказала, что уже на работе, и извинилась, что не перезвонила, сославшись на проблемы с машиной. И вроде бы она была рада его слышать, кокетничала, как всегда. Дав отбой, Эби немного успокоился на ее счет и даже подумал, не слишком ли большое значение он придал тому, что видел тем вечером.

Но то ли еда, то ли выздоровление так на него подействовали, что, поедая чизбургер, Эби снова поймал себя на том, что прокручивает в голове разговор с Кэнди. Он пытался понять, что его в нем насторожило. А ведь что-то его насторожило. В том числе то обстоятельство, что Кэнди упомянула о проблемах с машиной, а не с телефоном. Ведь при любом раскладе она могла позвонить ему, независимо от того, занята или нет. В общем, Эби одолели сомнения.

Не доев, Тед вышел из-за стола и отправился в туалет. Когда он возвращался обратно, Эби подумал, что брат запросто мог бы участвовать в кастинге на роль в каком-нибудь дешевом ужастике, однако все остальные посетители заведения изо всех сил делали вид, будто ничего не замечают, и старательно смотрели в свои тарелки. Эби улыбнулся. Хорошо быть Коулом.

При этом он все время возвращался к разговору с Кэнди и, даже облизывая пальцы в промежутках между блюдами, продолжал о нем размышлять.

«Фрэнк с Джаредом попали в аварию».

Эти слова крутились у нее в голове в режиме нон-стоп, с каждой минутой лишая Аманду остатков самообладания. Костяшки пальцев, сжимавших руль, побелели. Она снова

284

мигнула фарами, потом еще и еще, требуя, чтобы впереди идущая машина уступила дорогу.

«Их забрала «скорая». Джареда и Фрэнка везут в больницу. Ее мужа и сына...»

Наконец водитель перед ней перестроился, и Аманда пролетела вперед, стремительно заполнив проем впереди.

Она уверяла себя, что голос Джареда звучал просто очень взволнованно, не более того.

«Но кровь...»

Джаред сказал в панике, что Фрэнк весь в крови. Аманда попробовала снова набрать номер сына. Несколько минут назад он не отвечал. Она объяснила себе это тем, что он сейчас в «скорой» или в реанимации, где телефонами пользоваться запрещено. Она напомнила себе, что Фрэнк и Джаред находятся на попечении врачей и медсестер и что, когда Джаред наконец ответит, она, без сомнения, поймет, что ее паника была безосновательной. И когда-нибудь эта история — то, как мама летела как полоумная без всякой на то причины — будет предметом обсуждения за ужином.

Но Джаред опять не ответил, Фрэнк тоже. Когда оба звонка переключились на голосовую почту, провал в желудке превратился в широкую бездонную пропасть. Аманда вдруг ясно поняла, что авария серьезная, гораздо серьезнее, чем ей хотел представить Джаред.

Она бросила телефон на пассажирское сиденье и, надавив на педаль газа, приблизилась к впереди идущей машине так, что ее отделяли от нее какие-то несколько дюймов. Водитель наконец уступил ей дорогу, и она пронеслась мимо, даже не кивнув в знак благодарности.

19

Доусону снилось, что он снова на нефтяной вышке. Платформа сотрясалась от взрывов, которые происходили беззвучно, словно в замедленной съемке. Разорвался резервуар-хранилище, и в небо взметнулись языки пламени. Доусон следил взглядом, как в небо поднимается черный дым, медленно приобретавший очертания гриба. Он видел дрожащую рябь разбегавшихся по платформе взрывных волн, медленно сметавших все на своем пути, с корнем вырывавших столбы и оборудование. Последовавшие затем новые взрывы сбросили людей в море. Он ясно видел каждое судорожное движение их рук. Медленно и как-то сонно пожар начал поглощать платформу, которая постепенно распадалась на части.

Но Доусон оставался на месте, сказочным образом неуязвимый для взрывных волн и летящих во все стороны обломков. Впереди, возле подъемного крана, из облака нефтяного дыма возник человек, которому, как и Доусону, окружающие разрушения были нипочем. Окутав его на мгновение, дым, как занавеска, отодвинулся в сторону. Доусон поразился: он узнал темноволосого незнакомца в синей ветровке.

Незнакомец замер. Издалека в мерцающем воздухе его черты были неразличимы. Доусон хотел крикнуть ему и не мог, его губы лишь беззвучно шевелились; хотел подойти к нему ближе, но ноги словно приросли к земле. Поэтому они просто стояли и пристально смотрели друг на друга с противоположных концов платформы. И тут Доусону, несмотря на расстояние, показалось, что он начал его узнавать.

Когда он проснулся, в его крови еще бушевал адреналин. Непонимающе моргая, он стал озираться вокруг, потом наконец понял, что находится в гостинице Нью-Берна, прямо у реки, но даже осознав, что это всего лишь сон, Доусон почувствовал, как по его телу пробежал холодок. Он сел и спустил ноги с кровати.

Посмотрев на часы, он понял, что спал всего час. Солнце за окном почти село, и цвета гостиничного номера поблекли.

«Как во сне...»

Доусон встал и огляделся вокруг. На глаза попались бумажник и ключи возле телевизора. Они напомнили кое о чем Доусону, и он решительно прошел через всю комнату, порылся в карманах пиджака, который носил днем, затем для верности проверил их еще раз, быстро пошарил в сумке и наконец, схватив бумажник и ключи, поспешил вниз, к стоянке.

Он обыскал каждый дюйм своей арендованной машины, методично осмотрел бардачок, багажник, пространство между сиденьями и пол. Но в памяти уже начали воскресать события сегодняшнего дня.

Прочитав письмо Така, он оставил его на верстаке. Когда мимо прошла мать Аманды, он переключил внимание на Аманду, оставшуюся на крыльце, и забыл взять письмо.

Должно быть, оно все еще на верстаке. Можно было бы его, конечно, оставить... вот только он считал для себя это невозможным. Это последнее послание Така, написанное ему, его последний подарок, и Доусон хотел взять его с собой.

Он знал, что Тед с Эби будут прочесывать город в его поисках, но тем не менее уже мчался через мост в Ориентал. Через сорок минут он окажется на месте.

Алан Боннер сделал глубокий вдох, собираясь с духом, и вошел в «Тайдуотер». Народу там оказалось меньше, чем он ожидал: пара парней у барной стойки да несколько человек, в глубине зала игравших в бильярд. Занят был только один стол. Сидевшая за ним парочка отсчитывала наличные и, судя по всему, собиралась уходить. Совсем не то, что бывает в субботу или даже в пятницу вечером. С доносившейся из музыкального автомата музыкой и работающим у кассы телевизором заведение казалось почти уютным.

Протиравшая стойку Кэнди улыбнулась ему и помахала полотенцем. Она была сегодня вовсе не так расфуфырена, как обычно: в джинсах и футболке, с собранными в хвост волосами, но по-прежнему оставалась самой красивой девушкой в городе. Алан разволновался, опять усомнившись, согласится ли она с ним поужинать.

Он стоял вытянувшись. «Никаких отговорок», — подумал он. Вот сядет у барной стойки как ни в чем не бывало и постепенно так подведет разговор к тому, чтобы пригласить ее. Она со мной точно флиртовала, напомнил он себе, и хоть она, как видно, по своей природе кокетка, Алан был уверен, что она к нему отнеслась как-то по-особенному. Он видел это. И каким-то образом знал. Вдохнув побольше воздуха, он направился к барной стойке.

Аманда ворвалась в отделение «Скорой помощи», дико оглядывая толпу пациентов и их родственников. Перед тем она без конца по очереди набирала номера Джареда и Фрэнка, но никто из них не отвечал. В приступе отчаяния она позвонила Линн. Дочь еще была на озере Норман, в нескольких часах езды от Дарема. Новость ее сразила, и она пообещала приехать как можно скорее.

Стоя в дверях отделения, Аманда сканировала взглядом помещение в надежде увидеть Джареда. Она молилась, чтобы ее тревога оказалась напрасной. Но вот в дальнем конце зала она, к своему недоумению, увидела Фрэнка. Тот встал и направился к ней. Судя по всему, он пострадал меньше, чем она предполагала. Аманда бросила взгляд поверх его плеча в поисках сына. Но Джареда нигде не было.

— Где Джаред? — сразу начала она, когда Фрэнк приблизился. — С тобой все в порядке? Что случилось? Что происходит?

Она все еще не переставала спрашивать его, когда Фрэнк взял ее за руку и вывел за дверь.

— Джареда госпитализировали, — проговорил он заплетающимся языком. И это несмотря на то, что с тех пор, как он уехал из гольф-клуба, прошло уже порядочно времени. Видно было, как он старался, чтоб его голос звучал уверенно, но его дыхание и пот были пропитаны перегаром. — Я не знаю, что происходит. И никто, видимо, точно не знает. Хотя медсестра упомянула кардиолога.

Его слова лишь увеличили тревогу Аманды.

— Боже мой, в чем дело?

— Ничего не могу сказать.

— С Джаредом все будет в порядке?

— Когда мы сюда приехали, он, кажется, был ничего.

— Тогда почему он у кардиолога?

— Не знаю.

— Он сказал, ты был весь в крови.

Фрэнк дотронулся до распухшей переносицы, где виднелся иссиня-черный полумесяц и небольшой порез.

— Просто ударился носом, но кровь остановили. Ерунда. Все будет нормально.

— А почему ты не отвечал на звонок? Я пыталась связаться сто раз!

— Мой телефон остался в машине...

Впрочем, Аманда его уже не слушала — полученная ею информация легла на нее тяжким грузом. Джаред в больнице. Ее сын пострадал. Сын, а не муж. Джаред. Ее первенец...

Ей вдруг стало тошно смотреть на Фрэнка, и, чувствуя себя так, будто только что получила удар под дых, она решительно прошла мимо него и направилась к медсестре за стойкой. Изо всех сил стараясь сдержать подступающую истерику, Аманда потребовала сказать, что происходит с ее сыном.

Но медсестра знала не многое и лишь повторила то, что сказал Фрэнк. «Фрэнк пьян», — снова подумала Аманда. Еле усмиряя душивший ее гнев, она со всей силы ударила ладонями по стойке. Все присутствующие повернули головы в ее сторону.

— Мне нужно знать, что происходит с моим сыном! — закричала она. — Сию минуту!

Проблемы с машиной, размышлял Эби. Именно это настораживало его, когда он вспоминал разговор с Кэнди. Ведь если у нее проблемы с машиной, то как она добралась до работы? И почему не попросила его подбросить ее на работу или, наоборот, с работы домой?

Не привез ли ее кто-то другой? Например, тот парень из «Тайдуотера»?

Нет, такую глупость она бы не сделала. Конечно, можно ей позвонить и все выяснить, но есть способ получше докопаться до истины. «Ирвинз» недалеко от ее дома, так что можно смотаться и посмотреть, там ли ее машина. Если там, значит, ее точно кто-то подвез, и тогда им есть о чем потолковать.

Бросив на стол несколько банкнот, Эби поманил за собой Теда. Тот за ужином в основном помалкивал, но Эби чувствовал, что ему, несмотря на плохой аппетит, лучше.

— Мы куда? — спросил Тед.

— Надо кое-что проверить, — сказал Эби.

Дом Кэнди располагался в конце малонаселенной улицы всего в нескольких минутах езды. Это была самая настоящая развалюха, обитая алюминиевым сайдингом, в окружении разросшихся кустов. Но Кэнди состояние дома, по-видимому, мало заботило, и особых усилий, чтобы сделать свое жилище хоть немного уютнее, она не прикладывала.

Остановившись на подъездной дороге, Эби увидел, что машины нет. Наверное, она ее починила, резонно предположил он. Однако, снова сев в пикап и посмотрев на дом из машины, он почувствовал какую-то несообразность. Вроде чего-то не хватало. И немного погодя понял чего.

Не было статуэтки Будды, обычно стоявшей на окне, которое виднелось в проеме зарослей кустарника. Этого Будду она называла своим талисманом, и не было никакой причины его переставлять. Разве что...

Эби открыл дверь пикапа и вновь вышел из машины. Тед посмотрел на него, но Эби отрицательно покачал головой.

— Сейчас вернусь.

Пробравшись сквозь кустарник, Эби поднялся по лестнице на крыльцо. Заглянув в окно, он понял, что статуэтка действительно исчезла. Все остальное выглядело как обычно. Хотя особого значения этому придавать не стоило: дом был арендован с мебелью. Однако исчезнувший Будда настораживал.

Эби обошел вокруг дома, заглядывая в окна, но разглядеть там все в подробностях из-за штор не удавалось. Ничего определенного он сказать не мог.

В конце концов, устав гадать, он, по примеру Теда в доме Така, просто взял и выбил ногой дверь черного хода.

«Что, черт возьми, затеяла эта Кэнди?» — думал он, входя в дом.

Аманда в очередной раз, как делала это каждые четверть часа с момента своего приезда, подошла на дежурный пост справиться, нет ли новостей. Медсестра ей, в свою очередь, терпеливо объяснила, что уже донесла до нее всю имеющуюся информацию. В настоящее время Джареда осматривает кардиолог, и врач в курсе, что она ждет. Как только появится что-нибудь новое, Аманда узнает обо всем первая. В голосе медсестры было слышно сочувствие, и Аманда, прежде чем отойти от стойки, благодарно кивнула ей.

Несмотря на окружающую обстановку, реальность которой была очевидна, она до сих пор не могла понять, что здесь делает и как все это могло случиться. Все, что пытались объяснить ей Фрэнк и медсестра, не доходило до ее разума, да она и не хотела их слушать. Ей нужно было видеть Джареда, слышать его голос, говорить с ним, чтобы увериться, что он жив и здоров. **Когда Фрэнк, пытаясь ус-покоить, клал ей руку на спину, она, словно получив ожог, тут же сбрасывала ее.**

Ведь Джаред оказался здесь по его вине. Если б Фрэнк не напился, Джаред либо остался дома, либо пошел гулять с девушкой или бы сидел в гостях у приятеля и уж никак не попал бы в аварию у этого перекрестка и не угодил бы в больницу. Он пытался помочь. Он взял на себя ответственность.

«Но Фрэнк...»

Аманде тошно было на него смотреть. И она еле сдерживалась, чтобы не наорать на него.

Часы на стене отсчитывали секунды.

Прошла целая вечность, когда наконец дверь, которая вела в палаты пациентов, распахнулась. Аманда повернула голову и увидела врача в хирургической одежде. Он подошел к дежурной медсестре. Та кивком указала на Аманду, которая застыла в ожидании, не в силах пошевелиться от волнения, пытаясь понять по лицу приближавшегося к ней врача, что он сейчас должен сказать. Но его лицо оставалось непроницаемым.

Аманда встала, Фрэнк — за ней.

— Я доктор Миллз, — представился врач и открыл перед ними ведущие в другой коридор двойные двери, приглашая их жестом туда пройти. Вот двери за ними захлопнулись, и доктор Миллз обернулся. Несмотря на седину в его волосах, Аманде показалось, что он моложе ее.

Чтобы полностью разобраться в том, что он сказал, ей, наверное, потребуется еще не раз говорить с ним, но главное она поняла: Джаред, который на первый взгляд не пострадал, на самом деле получил травму от удара дверью машины. При осмотре у него заметили шум в сердце и взяли на обследование. Во время обследования состояние Джареда заметно и стремительно ухудшалось. Врач произнес слово «цианоз» и сказал, что Джареду установили интракардиальный электростимулятор, но его сердечная активность продолжает снижаться. У него обнаружили разрыв правого трехстворчатого клапана, и ее сыну требуется операция по его замене. Джареда, объяснил он, уже шунтировали, и теперь от родителей требуется разрешение на проведение операции. Без операции, заявил он напрямик, их сын умрет.

«Джаред умрет».

Чтобы не упасть, Аманда схватилась за стену. Врач переводил взгляд с нее на Фрэнка.

— Мне нужно, чтобы вы подписали разрешение, — сказал доктор Миллз.

Аманда подумала, что он тоже чувствует исходящий от Фрэнка запах алкоголя, и в этот момент возненавидела мужа по-настоящему. Двигаясь как во сне, она медленно и тщательно, словно чужой рукой, вывела свое имя на бланке.

Доктор Миллз проводил их в смежный корпус и оставил в пустой комнате ожидания. От потрясения сознание Аманды словно онемело.

«Джареду требуется операция, иначе он умрет».

Он не мог умереть. Ведь ему всего девятнадцать. Вся жизнь впереди.

Аманда закрыла глаза и бессильно опустилась на стул. Она все пыталась, но никак не могла осознать смысл происходящего.

* * *

Кэнди это было совсем ни к чему. Тем более сегодня.

Молодому парню, сидящему в конце барной стойки, — Алану, или Элвину, или как там его, — не терпелось пригласить ее на свидание. Но хуже того — дела сегодня шли так вяло, что ей скорее всего даже на бак бензина не хватит. Отлично. Просто отлично.

— Эй, Кэнди? — Опять этот парень. Навалился на барную стойку, как голодный щенок. — Можно еще пива?

Выдавив из себя улыбку, Кэнди откупорила бутылку и принесла ее ему. Когда она приблизилась к концу стойки, парень что-то громко спросил, но в ту же минуту по двери скользнул свет фар — не то машина мимо проехала, не то кто-то зарулил на стоянку. Кэнди повернула голову по направлению к входной двери. И замерла в ожидании.

Но никто не вошел, и она с облегчением вздохнула.

— Кэнди?

Голос парня вернул ее к действительности. Он откинул со лба прядь глянцевых черных волос.

— Извините. Что?

— Я спросил, как у вас сегодня идут дела.

— Супер, — вздохнула она. — Просто супер.

Фрэнк занял стул напротив. Его до сих пор слегка покачивало, а взгляд оставался рассеянным. Аманда изо всех сил старалась его не замечать.

В остальном она ни на чем не могла сосредоточиться, в ней были только страх и мысли о Джареде. Фантастическим образом в этой тихой комнате перед ней мелькали годы жизни ее сына. Вот она держит его, совсем крошечного, на руках, вот причесывает его и упаковывает сандвич в коробку «Парк юрского периода» перед его первым днем в детском саду. Аманда вспомнила, как он волновался перед своим первым танцем в средней школе; как он пил молоко прямо из пакета, хотя она тысячу раз просила его этого не делать. Она вздрагивала время от времени, обеспокоенная звуками больницы, напоминавшими ей, где она и что происходит. И тогда ее снова охватывал ужас.

Врач предупреждал, что операция продлится не один час, возможно, до полуночи, но Аманда все же надеялась, что им сообщат хоть что-то раньше. Она должна была знать, что происходит, хотела, чтобы хоть кто-то ей все объяснил доступным языком. Но больше всего ей хотелось, чтобы кто-нибудь, обняв ее, пообещал, что с ее маленьким мальчиком — пусть он уже почти мужчина — все будет хорошо.

Эби стоял посреди спальни Кэнди. Уяснив обстановку, он плотно сжал губы.

Ее шкаф был пуст. Пусты были и все ящики, так же как и шкафчик в ванной.

Неудивительно, что она не отвечала на телефонные звонки — собирала вещи. А когда наконец ответила? Тогда сказать, что собирается уехать, наверное, забыла.

Но Эби Коула еще никто не бросал. Никто.

А вдруг это из-за ее нового дружка? Вдруг они задумали сбежать вместе?

Эта мысль заставила Эби выскочить из разбитой двери черного хода. Обежав дом, он поспешил к пикапу. Теперь ему нужно в «Тайдуотер», срочно.

Нужно проучить Кэнди с ее дружком. Обоих. Так, чтобы они запомнили его навсегда.

20

Такой темной ночи, как эта, Доусон еще не помнил. Абсолютно безлунной — над головой непроглядная темень, пробиваемая кое-где лишь тусклым мерцанием звезд.

Он находился уже почти на въезде в Ориентал и никак не мог отделаться от ощущения, что, возвращаясь, совершает ошибку. К дому Така надо было ехать через весь город. Он знал, что где угодно мог наткнуться на своих родственничков.

Впереди, за поворотом, навсегда изменившим его жизнь, вверху, над линией деревьев мерцали огни Ориентала. Если все же повернуть обратно, то нужно сделать это сейчас.

Доусон машинально снял ногу с педали и, когда машина замедлила ход, вдруг почувствовал на себе чье-то пристальное внимание.

Эби крепко сжимал руль. Пикап с ревом, скрипя шинами, несся через весь город. Резко крутанув руль влево, Эби въехал на стоянку перед «Тайдуотером» и так резко ударил по тормозам, что машину занесло. Предчувствие драки было настолько ощутимо, что даже Тед, впервые после того, как разнес «стингрей», стал проявлять признаки жизни.

Едва пикап остановился, Эби выпрыгнул из машины. Тед следовал за ним по пятам. У Эби просто в голове не укладывалось, что Кэнди ему лгала. Видимо, она уже давно планировала свой побег и надеялась, что он не узнает. Так, пора показать ей, кто тут главный. «Потому что, видишь ли, Кэнди, это не ты».

По пути к «Тайдуотеру» Эби заметил, что «мустанга» Кэнди с откидным верхом на стоянке нет. Значит, она оставила его где-то в другом месте. Наверное, возле дома кого-то из своих парней. И теперь они на пару посмеиваются над Эби. Он почти слышал, как Кэнди, рассуждает, что за дурак Эби. И от этой мысли ему захотелось вломиться в бар, направить пушку на барную стойку и палить напропалую.

Но он так не сделает. О нет. Потому что сперва она должна понять, что происходит. Должна понять, что это он устанавливает правила.

Тед рядом с ним стоял на ногах удивительно твердо и просто светился от радостного предвкушения. Из заведения доносились приглушенные звуки музыкального автомата. Неоновые буквы названия заведения отбрасывали на лица Эби и Теда красноватый свет.

Эби кивнул Теду и ударом ногой открыл дверь.

Доусон сбросил скорость до минимума и еле полз. Каждый нерв его был напряжен до предела. Где-то впереди смутно различались огни Ориентала. Доусона вдруг охватило ощущение дежа-вю, словно он уже знал, что последует дальше, но вопреки своему желанию был бессилен изменить ход событий.

Он склонился к рулю. Если поднапрячься, можно разглядеть магазин, мимо которого он утром совершал пробежку. Подсвеченный прожекторами шпиль Первой баптистской церкви, казалось, парил над деловым районом города. Галогеновые уличные фонари отбрасывали зловещие отблески на асфальт, высвечивая неясный путь к дому Така, заманивая туда Доусона, словно дразня возможностью никогда до него не добраться. Звезды погасли, и небо над городом стало неестественно черным. Впереди справа, там, где на окраине города шоссе делает изгиб, линия деревьев прерывалась, уступая место низенькому зданию. Доусон внимательно сканировал окрестности, ожидая... сам не зная чего. И его ожидания оправдались: почти тут же за окном с его стороны что-то мелькнуло.

Он был тут, стоял на траве, росшей вдоль шоссе у прочерченной светом фар в воздухе линии. Темноволосый незнакомец.

Призрак.

Все произошло так стремительно, что Алан даже не успел ничего понять.

Он все подкатывался к Кэнди, которая собиралась поставить перед ним еще одно пиво. В этот момент дверь бара вдруг распахнулась с такой силой, что ее верхняя часть слетела с петель.

Алан даже не успел опомниться, но Кэнди моментально все поняла: ее рука с пивной бутылкой остановилась на полпути.

— Черт, — одними губами проговорила Кэнди и выпустила бутылку из рук.

Когда бутылка, грохнувшись о бетонный пол, разлетелась на мелкие осколки, Кэнди уже с воплем бежала прочь.

А за ее спиной ревело на весь паб:

— Что это ты, черт побери, о себе возомнила?!

Алан втянул голову в плечи, а Кэнди тем временем неслась к дальнему концу барной стойки, где располагался директорский кабинет. Будучи завсегдатаем «Тайдуотера», Алан знал, что этот кабинет закрывался на стальную дверь с засовами, потому что там находился сейф.

Съежившись, он наблюдал, как мимо за Кэнди, махнувшей светлым хвостом, пронесся Эби. Он тоже знал, куда бежит Кэнди.

— Стой, сука!

Кэнди в ужасе оглянулась, схватилась за дверной косяк и с криком ринулась в приоткрывшуюся дверь.

Дверь захлопнулась именно в тот момент, когда Эби оперся рукой о барную стойку, чтобы через нее перемахнуть. Пустые бутылки и стаканы полетели в разные стороны. Касса грохнулась на пол, и он почти перемахнул.

Но только почти.

Неловко шатаясь, он приземлился на пол, сбивая с полки словно кегли бутылки под зеркалом.

Но это его почти не остановило. Через мгновение он уже обрел равновесие и стоял у двери в офис. Для Алана, который все это видел, каждая сцена разворачивалась отдельно, с какой-то нереальной безжалостной отчетливостью. Но вот он осознал, что происходит, и каждая клеточка его тела наполнилась ужасом.

«Ведь это не кино».

Эби забарабанил в дверь, бросаясь на нее всем телом.

— Открой эту чертову дверь! — ревел он как ураган.

«Ведь все это на самом деле».

— О Господи... — доносился истерический вопль Кэнди из-за двери.

Парни, игравшие в глубине бара в бильярд, внезапно побросав кии, рванули к запасному выходу. Именно звук роняемых на бетонный пол киев заставил сердце Алана подскочить в груди, и, подгоняемый первобытным инстинктом самосохранения, он бросился наутек.

Нужно уносить отсюда ноги.

Как можно скорее!

Как ошпаренный Алан вскочил, опрокинув табурет, и, чтобы не упасть, ухватился за барную стойку. Повернувшись к перекосившейся входной двери, он увидел в ее проеме манившую к себе парковку и дорогу и побежал туда.

Алан уже почти не слышал, как Эби молотил кулаком в дверь и орал, что убьет Кэнди, если она не отопрет, едва замечал опрокинутые столы и стулья. Главное, добежать до выхода и как можно быстрее вырваться из этого «Тайдуотера» к черту.

Подошвы его кроссовок топали по бетонному полу, но дверь, казалось, оставалась на том же расстоянии. Как аттракцион в парке развлечений...

Откуда-то донесся вопль Кэнди:

— Оставь меня в покое!

Теда Алан вообще не видел, как не видел стула, который тот швырнул в него. Стул попал Алану в ноги. Попытка удержаться на ногах не удалась, и он упал, растянувшись на полу и сильно ударившись головой. В глазах замелькали белые вспышки, потом все погрузилось во тьму.

Однако через какое-то время зрение вернулось.

Алан почувствовал вкус крови. Он попытался высвободить ноги из-под стула и перевернуться, однако его голову, больно врезавшись каблуком в челюсть, приковывала к полу нога в ботинке.

Над Аланом, нацелив на него пистолет, стоял, забавляясь, Сумасшедший Тед Коул.

— И куда ты, спрашивается, собрался?

Доусон остановился у обочины. Когда он вышел из машины, то был почти уверен, что фигура исчезнет в тени, но темноволосый незнакомец продолжал спокойно стоять в высокой, по колено, траве. Он находился ярдах в пятидесяти, то есть достаточно близко, чтобы видеть, как трепещет на вечернем ветру его куртка. Хватило бы и десяти секунд, чтобы добежать до него по траве.

Доусон был уверен, что этот человек не плод его воображения, потому что ощущал его так же ясно, как биение собственного сердца. Не отводя от него глаз, Доусон просунул руку в машину и заглушил двигатель. Фары погасли, но даже в темноте он видел под расстегнутой ветровкой человека белеющее пятно его рубашки. А вот лица, как всегда, разглядеть не мог.

Доусон отошел с шоссе на узкую полоску гравия.

Незнакомец не сдвинулся с места.

Тогда Доусон отважился шагнуть в траву, но человек по-прежнему оставался недвижим.

Не сводя с него глаз, Доусон начал медленно сокращать разделявшее их расстояние. Пять шагов. Десять. Пятнадцать. Днем он хорошо бы его разглядел. При свете дня рассмотрел бы его лицо. Но в темноте его черты оставались неясны.

Еще ближе. Не веря в происходящее, Доусон продолжал осторожно продвигаться вперед. Еще никогда он не подбирался к этой призрачной фигуре так близко. Так близко, что одним прыжком мог бы преодолеть разделявшее их расстояние.

Продолжая неотрывно смотреть на незнакомца, Доусон выбирал время, чтобы рвануть к нему. Но незнакомец будто прочитал его мысли и сделал шаг назад.

Доусон остановился. Незнакомец тоже.

Доусон сделал еще шаг — и человек вновь отступил назад. Доусон быстро сделал два шага, и темноволосый человек, словно отражение в зеркале, в точности повторил его движения.

Не выдержав, Доусон побежал. Человек тоже повернулся и бросился прочь. Доусон ускорился, но расстояние между ним и незнакомцем каким-то сверхъестественным образом оставалось неизменным. Словно дразня Доусона, развевалась ветровка.

Доусон прибавил ходу, и незнакомец отклонился в сторону, меняя направление: теперь он бежал не в противоположную от шоссе сторону, а параллельно дороге, и Доусон следовал за ним. Они неслись в сторону Ориентала, к приземистой постройке в начале изгиба дороги.

«Изгиб дороги...»

Доусон не преуспел в своей погоне, но и темноволосый незнакомец, в свою очередь, не увеличил расстояние. Вот он остановился, чтобы изменить направление, и Доусон понял, что человек целенаправленно ведет его куда-то. Это сбивало с толку, но Доусону, занятому погоней, было некогда над этим подумать.

Каблук Теда продолжал давить на щеку и челюсть Алана. Оба его уха расплющились под ботинком. Нацеленный на него пистолет казался гигантским и вытеснял из поля зрения все остальное. Живот Алана свело судорогой. «Я скоро умру», — вдруг подумал он.

— Ты это видел. — Тед покачал пистолетом, продолжая целиться. — Если я позволю тебе подняться, ты ведь не попытаешься сбежать?

Алан попытался сглотнуть, но у него не вышло, горло словно онемело.

— Нет, — проскрипел он.

Тед еще сильнее надавил на его лицо. Боль стала невыносимой, и Алан вскрикнул. Оба его уха, расплющенные до невозможности, горели огнем. Скосив на Теда глаза, Алан пробормотал что-то невнятное, моля о пощаде. Он заметил, что вторая рука у Теда загипсована, а лицо фиолетово-черное. Интересно, что с ним такое, промелькнуло в голове Алана.

Тед отступил назад.

— Вставай, — велел он.

С трудом вытащив ногу из-под стула, Алан встал, но не смог разогнуться, потому что какой-то острой железякой ему пробило колено. Всего в нескольких футах от него находилась открытая дверь.

— Даже не думай, — прорычал Тед, рукой указав Алану путь к барной стойке. — Мерзавец.

Хромая, Алан направился туда. Эби до сих пор стоял у входа в офис и, изрыгая проклятия, всем телом бился о дверь. Наконец он обернулся к ним.

Склонив голову набок, он с безумным видом уставился на Алана. У Алана снова скрутило живот.

— У меня тут твой дружок! — прокричал Эби.

— Он мне не дружок! — послышался ему в ответ приглушенный дверью крик Кэнди. — Я вызываю полицию!

Эби в это время уже выходил из-за барной стойки, а Тед держал Алана под прицелом.

— Неужели вы думали, что сможете вот так просто сбежать? — спросил Эби.

Алан открыл было рот, чтоб ответить, но от ужаса не мог выговорить ни слова.

Эби нагнулся и, подобрав один из упавших киев, половчее ухватил его, словно бейсбольный отбивающий, готовый идти к «дому», совершенно безумный и бесконтрольный.

«О Боже, не надо, прошу тебя...»

— Думали, я не соображу? Не узнаю, что вы задумали? Я видел вас вместе в пятницу вечером!

Алан стоял всего в нескольких шагах от него, словно пригвожденный к месту, не в силах пошевелиться. Эби замахнулся кием. Тед чуть отступил назад.

«О Боже...»

— Я не знаю, о чем вы, — задыхаясь, выпалил Алан.

— Она у тебя оставила свою машину? — продолжал допрос Эби. — Она там?

— Что... я...

Шагнув к нему, Эби, прежде чем Алан успел закончить фразу, обрушился кием на его череп, и мир для Алана взорвался тысячью ослепительных искр.

Он повалился на пол, а Эби лупил и лупил. Алан вяло пытался закрываться. Послышался тошнотворный звук ломающейся руки. Когда кий развалился надвое, Эби пнул ему в лицо ботинком со стальным мысом. Потом Тед начал бить Алана по почкам, и каждый его удар казался смертельным.

И крики Алана лишь распаляли истязателей.

* * *

Они бежали по траве, постепенно приближаясь к приземистой, уродливой постройке, возле которой виднелось несколько легковых машин и пикапов. Доусон впервые заметил над входом бледное красное свечение.

Пока темноволосый незнакомец без видимых усилий скользил вперед, Доусона не оставляло ощущение узнавания. Расслабленные плечи, ритмичные движения рук, высоко поднимающиеся при беге колени... Ведь он уже видел это когда-то давно, не только в лесу за домом Така. Он никак не мог вспомнить, хотя воспоминание постоянно выплывало откуда-то, но тут же исчезало, словно поднимающиеся к поверхности и тут же лопающиеся пузырьки воды. Мужчина оглянулся через плечо, казалось, он знал каждую мысль Доусона, и Доусон, впервые ясно увидев черты незнакомца, понял, когда видел его.

«Еще до взрыва».

Доусон споткнулся, почувствовав пробежавший по спине не холодок, однако быстро обрел равновесие.

Этого не может быть.

С тех пор прошло двадцать четыре года. Он успел отбыть срок в тюрьме, не один год отработать на нефтяных вышках в Мексиканском заливе. Он любил и потерял любовь, снова нашел ее и снова потерял, а некогда приютивший его человек уже закончил свою жизнь. Но этот незнакомец — ведь он всегда был для него незнакомцем — совсем не постарел. Он выглядел точно так же, как в тот дождливый вечер, когда после приема пациентов совершал пробежку. Это был он, Доусон увидел его удивленное лицо в тот вечер, когда съехал с шоссе, когда вез покрышки для Така, возвращался в Ориентал...

Это случилось как раз здесь. Здесь погиб доктор Дэвид Боннер, муж и отец.

Доусон резко втянул в себя воздух и снова споткнулся, но человек как будто прочитал его мысли. Он кивнул, его лицо оставалось серьезным. Как раз в этот момент он оказался на подъездной дороге из гравия, ведущей на парковку. Он снова устремился вперед, ускорив движение, следуя вдоль фасада здания. Доусон, взмокший от пота, спотыкаясь, вбежал за ним на стоянку. Незнакомец — а это был доктор Боннер, — окутанный зловещим красным неоновым светом, остановился у входа в здание.

Не спуская с него глаз, Доусон приблизился к призраку, но тот повернулся и вошел в заведение.

Доусон влетел следом в тускло освещенный бар, но доктор Боннер к тому времени уже исчез.

Доусон сразу разобрался, что происходит: опрокинутые столы и стулья, приглушенные женские крики в глубине, рев телевизора. Его двоюродные братья Тед и Эби стояли склонившись и методично били кого-то лежавшего на полу ногами, что напоминало ритуальное убийство. И вдруг они остановились. Они увидели Доусона. Глянув мельком на окровавленное тело, распростертое на полу, Доусон сразу же узнал Алана.

«Алан...»

За долгие годы он не раз на многочисленных снимках видел лицо молодого человека и сейчас отметил про себя его поразительное сходство с отцом. С человеком, который являлся Доусону все эти месяцы, с человеком, который его сюда привел.

Все вокруг замерло, пока он созерцал сцену. Тед с Эби застыли на месте, не в силах поверить, что кто-то вдруг осмелился сюда войти. Тяжело дыша, они уставились на Доусона, как терзавшие свою жертву волки, которых неожиданно вспугнули.

А ведь доктор Боннер спас его не просто так.

Эта мысль промелькнула у Доусона в голове одновременно с тем, как в глазах Теда появилось понимание. Тед начал поднимать пистолет, но, когда нажал на спусковой крючок, Доусон уже летел в сторону, прячась за столом. Он вдруг понял, зачем его сюда привели, — он понял свою основную миссию.

С каждым вздохом из груди Алана вырывался хрип и каждый раз ему казалось, что его пронзали ножом.

Он не мог никуда отползти, но сквозь кровавый туман все же различал происходящее.

С тех пор как в бар влетел человек, бешено вращавший головой, словно преследуя кого-то, Тед и Эби перестали его бить и полностью сосредоточились на вновь прибывшем. Алан ничего не понимал, но, услышав выстрелы, свернулся в комок и стал молиться. Человек спрятался за столами, и Алан уже не мог его видеть, но в следующий момент в Теда с Эби над его головой полетели бутылки. Послышался крик Эби и треск разлетевшегося на куски деревянного стула. Тед исчез из виду, но выстрелы его оружия не прекращались.

Алану казалось, что он умирает.

Два его зуба валялись на полу, рот был полон крови. Ребра сломаны. Гульфик брюк был мокрым: не то он обмочился, не то от ударов отказали почки.

Вдалеке слышался рев сирен, но Алан, уверенный в своем неизбежном конце, уже не мог на это реагировать. Стоял грохот ломавшихся стульев и звон бутылок. Вот бутылка с виски ударилась обо что-то твердое, и откуда-то издалека донеслось стенание Эби.

Вот кто-то пробежал мимо к барной стойке. И сразу после этого вслед за криками раздался выстрел. Зеркало за барной стойкой разлетелось вдребезги. Алан почувствовал, как посыпались дождем осколки, обжигающие кожу. Еще один крик, и снова шум. Эби завопил высоким голосом. Его вопль вдруг резко прервался звуком удара об пол.

Что это? Чья-то голова?

Снова шум. Со своего места на полу Алан видел, как Тед, покачиваясь, попятился назад, чуть не наступив на ногу Алану. Тед что-то прокричал, пытаясь сохранить равновесие. Алану показалось, что в его голосе прозвучал страх. Раздался еще один выстрел.

Алан зажмурился, а когда открыл глаза, то увидел пролетающий над его головой очередной стул. Тед снова пальнул в потолок, а незнакомец, схватив его, прижал к стене. Выстрел прогрохотал, и пуля ударила в пол, Теда отбросило в сторону.

Вот незнакомец оказался верхом на Теде, а тот, барахтаясь, исчез из поля зрения. Алан по-прежнему не мог пошевелиться. За спиной снова и снова слышались удары и прерывистый вой. Это Теда били кулаком в челюсть. Потом Тед замолк, но удары все еще продолжали раздаваться: один, еще один и еще, но вот прекратились и они.

Затем все затихло, лишь кто-то тяжело дышал.

Издалека приближался вой сирен, но Алан, лежащий на полу, уже не верил, что ему кто-то сможет помочь.

«Они меня убили», — прозвучало у него в голове, и в глазах потемнело. Вдруг он почувствовал, как чья-то рука обхватила его за талию и потянула вверх.

Невыносимая боль пронзила тело. Конечности не слушались его, но кто-то упорно ставил его на ноги. И как по волшебству его ноги задвигались, когда человек почти волоком потащил его к выходу. Впереди было темное окно, за ним виднелось небо, он смог разглядеть дверь, по направлению к которой они двигались.

И вдруг непонятно почему он крикнул:

— Я Алан, — и обмяк на руках у незнакомца. — Алан Боннер.

— Знаю, — ответил человек. — Я должен тебя вынести отсюда.

«Я должен тебя вынести отсюда».

Едва сознавая происходящее, Тед не мог полностью осмыслить слова, но инстинктивно знал, что происходит. «Доусону опять все сошло с рук».

Его гнев был ужасен, ужаснее самой смерти.

Он заставил себя открыть залитый кровью глаз и увидел, как Доусон неровной походкой двигается к выходу, таща на себе дружка Кэнди. Тед просканировал окружающее пространство в поисках «глока». Вот он. Всего в нескольких футах под сломанным столом.

Оглушительно завыли сирены.

Собрав последние силы, Тед рванулся к пистолету и, схватив его, почувствовал приятную тяжесть в руке. Он направил оружие на Доусона, хотя понятия не имел, остались ли там патроны. Но он знал, что это его последний шанс.

Тед прицелился и нажал на спусковой крючок.

21

К полуночи Аманда совсем обессилела. Она уже много часов провела в комнате ожидания и чувствовала полное эмоциональное и физическое опустошение, находилась на грани нервного срыва. Она листала журналы и ничего не видела, расхаживала туда-сюда и, мучимая страхом из-за сына, тщетно пыталась успокоиться. Однако, когда время стало близиться к полуночи, острое беспокойство понемногу отпустило, превратив ее в выжатую тряпку.

Линн приехала часом раньше. В панике она жалась к матери и засыпала ее бесконечными вопросами, на которые та не могла ответить. Тогда Линн стала теребить Фрэнка, пытаясь вытянуть из него подробности аварии. Он беспомощно пожал плечами и лишь сказал, что кто-то выехал на перекресток на большой скорости. Он уже протрезвел и в полной мере осознал, что произошло с Джаредом, однако не решился сказать, почему Джаред оказался на этом перекрестке и почему он вообще вез отца.

За много часов, что они провели вместе в этой комнате, Аманда не сказала Фрэнку ни слова. Она понимала, что

Линн скорее всего уже заметила царившее между ними отчуждение, но молчала и только беспокоилась за брата. Правда, один раз она спросила Аманду, не нужно ли поехать забрать Аннет из лагеря. Но Аманда просила подождать ее, пока все не выяснится. Аннет еще слишком мала, чтобы в полной мере понять масштабы трагедии, к тому же Аманда не чувствовала сейчас в себе сил заниматься Аннет. Она и без того с трудом держалась.

Часы показали двенадцать двадцать — это был самый длинный день в жизни Аманды, — когда доктор Миллз наконец вошел в комнату. Явно усталый, он, однако, уже снял хирургическую робу. Аманда тут же поднялась со своего места. Линн с Фрэнком за ней.

— Операция прошла успешно, — сразу объявил он. — Мы уверены, что с Джаредом все будет в порядке.

Потребовалось несколько часов, чтобы Джаред пришел в сознание, но Аманде позволили увидеть его, только когда его наконец перевели в реанимационную палату. Она, как правило, по ночам была закрыта для посещений, но для Аманды доктор Миллз сделал исключение.

К тому времени Линн уже отвезла Фрэнка домой. Он заявил, что от полученного удара в лицо у него ужасно разболелась голова, и пообещал приехать утром. Линн намеревалась потом вернуться в больницу, чтобы побыть с матерью, но Аманда не позволила ей этого. Она собиралась остаться с Джаредом на всю ночь одна.

Слушая писк кардиомонитора и неестественное шипение вентилятора, медленно разгонявшего воздух в его легких, Аманда просидела у постели сына следующие несколько часов. Щеки Джареда ввалились, а кожа приобрела какой-то пластмассовый вид. Он совсем не походил на ее сына, каким она его знала, на сына, которого она вырастила. Перед ней был какой-то чужой человек в незнакомой обстановке, ничего общего не имеющий с их повседневной жизнью.

Лишь его руки, казалось, остались прежними, и когда она держала Джареда за руку, его тепло придавало ей силу. Во время смены повязки Аманда ужаснулась, увидев на теле Джареда послеоперационный шов. Это настолько ее впечатлило, что ей пришлось отвернуться.

Врач сказал, что Джаред проснется немного позже. Интересно, он что-нибудь вспомнит об аварии и «скорой помощи», когда очнется, думала Аманда. Испытал ли он страх, когда ему вдруг стало хуже? И хотел ли, чтобы мать оказалась рядом? Тут же представив, что он звал ее, она поклялась, что останется возле его постели так долго, как это потребуется.

С тех пор как она приехала в больницу, она еще ни на секунду не сомкнула глаз. Время шло, а Джаред все не просыпался. Убаюканная мерным, ритмичным звуком реанимационного оборудования, Аманда клевала носом и, склонившись вперед, она уткнулась головой в перекладину кровати. Через двадцать минут ее разбудила медсестра, предложившая отправиться домой.

Аманда отрицательно покачала головой, снова устремив взгляд на сына, желая, чтобы ее сила передалась ему. Она старалась успокоиться и все повторяла про себя слова доктора Миллза о том, что, поправившись, Джаред вернется к прежней жизни. Все могло быть гораздо хуже, сказал доктор Миллз, и она повторяла это как заклинание, призванное отвратить несчастье.

Когда в реанимационную палату стал просачиваться дневной свет, больница снова ожила. Сменялись медсестры, развозили тележки с едой, врачи начинали обход. Вокруг слышалось гудение. Медсестре потребовалось проверить катетер, и Аманда, неохотно покинув палату, побрела к кафетерию. Может, кофеин немножечко ее взбодрит? Ей нужно обязательно быть рядом с сыном, когда он придет в себя.

Несмотря на ранний час, очередь в кафетерии оказалась длинной и состояла в основном из таких же, как она, людей, дежуривших в больнице всю ночь. Перед ней стоял молодой мужчина лет тридцати.

— Моя жена меня убьет, — признался он, пока они стояли.

— Почему? — подняла брови Аманда.

— Она вчера родила, а сейчас срочно отправила меня сюда за кофе. Говорит, у нее от недостатка кофеина начинает болеть голова, а я задержался — не выдержал и завернул в детскую, одним глазком глянул на своего ребенка.

Аманда улыбнулась.

— Мальчик или девочка?

— Мальчик, — ответил молодой человек. — Гейбриел. Гейб. Наш первенец.

Аманда подумала о Джареде. О Линн и Аннет. О Бее. В больнице прошли ее самые счастливые и самые печальные дни.

— Поздравляю, — сказала она.

Очередь ползла еле-еле. Люди неторопливо выбирали еду, заказывали на завтрак какие-то сложные блюда. Расплатившись за чашку кофе, Аманда посмотрела на часы. Она покинула палату всего четверть часа назад. Без сомнения, принести кофе в реанимацию нельзя, поэтому она села за столик у окна. Парковка перед ее глазами постепенно заполнялась.

Покончив с кофе, она зашла в туалет и там еле узнала свое лицо, отразившееся в зеркале. Оно было усталым и помятым. Аманда поплескала на щеки и шею водой и следующие пару минут посвятила тому, чтобы привести себя в относительный порядок, чтобы выглядеть более-менее прилично. Обратно в реанимацию она поднялась на эскалаторе. Когда она подошла к двери, ее остановила медсестра.

— Простите, но туда сейчас нельзя.

— Почему? — Аманда остановилась. Медсестра не ответила, ее вид оставался непреклонным. Аманда почувствовала, как внутри у нее зарождается страх.

Она прождала за дверями реанимации почти час, пока к ней не вышел доктор Миллз.

— Простите, — извинился он, — но произошли серьезные изменения.

— Я т-т-только что была с ним, — заикаясь проговорила Аманда, не зная, что еще сказать.

— Ситуация с вашим сыном ухудшилась, — продолжил он. — Ишемия правого желудочка. — Он покачал головой.

Аманда нахмурилась.

— Не понимаю вас! Объясните мне более доступно!

На лице врача отразилось сочувствие, его голос смягчился.

— Ваш сын, — наконец проговорил он, — Джаред... у него был сердечный приступ. Достаточно сильный.

Аманда заморгала. Стены коридора вдруг стали смыкаться вокруг нее.

— Нет, — пролепетала она. — Это невозможно. Он спал... он приходил в себя, когда я уходила.

Доктор Миллз промолчал, и у Аманды закружилась голова, показалось, что ее тело превратилось в бестелесную оболочку.

— Вы сказали, он будет в порядке, — пролепетала она. — Что операция прошла успешно. Что он сегодня очнется.

— Простите...

— Что за сердечный приступ? — негодуя, потребовала ответа Аманда. — Ведь ему всего девятнадцать!

— Не знаю. Наверное, всему виной какой-нибудь тромб. Возможно, это результат травмы, полученной в аварии, но не исключено, что это связано с операционной травмой. Точно сказать нельзя, — объяснил доктор Миллз. — Это необычно, но в таком серьезном случае может быть все, что угодно. — Он коснулся руки Аманды. — Должен вам сказать, случись такое вне реанимации, он мог бы не выжить.

Голос Аманды задрожал.

— Но ведь он выжил? С ним все будет в порядке, да?

— Не знаю. — На лицо врача снова опустилась непроницаемая маска.

— Как это не знаете?

— Нам стало трудно удерживать синусовый ритм.

— Прекратите использовать профессиональные термины! — воскликнула Аманда. — Объясните доступным языком, что мне следует знать! Мой сын поправится?

Доктор Миллз в первый раз отвернулся.

— Сердце вашего сына не справляется, — проговорил он. — Без... вмешательства. Я не знаю, сколько он протянет.

Аманда пошатнулась, словно ее ударили хлыстом. Она прислонилась к стене, пытаясь осмыслить слова врача.

— Ну вы же не хотите сказать, что он умрет? — прошептала она. — Этого не может быть. Он молод, здоров и силен. Вы обязательно должны что-то сделать.

— Мы делаем все возможное, — проговорил доктор Миллз устало.

«Чтобы только это не повторилось, — молила Аманда. — Нельзя, чтобы он ушел за Беей. Только не Джаред».

— Делайте больше! — выкрикнула она с мольбой в голосе. — Отвезите его в операционную и делайте, что нужно!

— Об операции речи сейчас нет.

— Делайте все, чтобы спасти его! — Ее голос поднялся и сломался.

— Это непросто...

— Почему? — На лице Аманды отразилось непонимание.

— Мне нужно срочно посоветоваться с трансплантологами.

Аманда почувствовала, как последние остатки самообладания покидают ее.

— С трансплантологами? — повторила она.

— Да, — подтвердил врач. Он посмотрел в сторону реанимации, потом снова перевел взгляд на Аманду.

— Вашему сыну требуется новое сердце, — вздохнул он.

Потом Аманду проводили в уже знакомую ей комнату ожидания. Теперь она оказалась здесь не одна — здесь ждали еще трое. У них, как и у Аманды, были напряженные, беспомощные лица. Она рухнула на стул, пытаясь подавить в себе ужасное дежа-вю.

«Не знаю, сколько он протянет».

Господи...

Ей вдруг стало невыносимо находиться в этой комнате ожидания. Запахи антисептика, ужасный флуоресцентный свет, вытянутые, тревожные лица... все это ей с точностью напомнило те недели и месяцы, что она провела в такой же комнате ожидания, когда болела Бея. Безнадежность, тревога... Нужно скорее отсюда вырваться.

Она встала, перекинула сумку через плечо и полетела по выложенным плиткой коридорам к выходу. Очутившись на маленькой терраске, она присела на каменную скамью и жадно втянула в себя утренний воздух. Затем вытащила свой сотовый. Линн была дома — они с Фрэнком как раз собирались ехать в больницу. Аманда рассказала, что случилось. Фрэнк слушал ее, взяв параллельную трубку. Аманда прервала вопросы Линн, на которые не было ответа, и попросила позвонить в лагерь, где находилась Аннет, и забрать сестру. Дорога была длиной в три часа, и Линн запротестовала, желая навестить Джареда, но Аманда настояла на своем. Фрэнк, слушая это, промолчал.

Отключившись, Аманда позвонила матери и сообщила, что случилось за последние двадцать четыре часа. При этом реальность кошмара предстала перед ней в полной мере, и Аманда расплакалась, не докончив рассказ.

— Я еду, — просто сказала мать. — Буду так скоро, как смогу.

Встреча Аманды и Фрэнка с доктором Миллзом состоялась в его кабинете на третьем этаже. Обсуждалась возможность пересадки донорского сердца Джареду.

Аманда все слышала и понимала, но из сказанного доктором Миллзом она по-настоящему уяснила только две детали.

Во-первых, комитет трансплантологов может не одобрить кандидатуру Джареда, потому что он, несмотря на тяжелое состояние, до настоящего времени как пострадавший в автокатастрофе не был внесен в лист ожидания на пересадку органов. Так что никто не может поручиться, что его кандидатура будет одобрена.

Во-вторых, остается проблема найти подходящее сердце — это вопрос удачи.

Иными словами, шансы на успех были ничтожно малы. «Не знаю, сколько он так протянет».

По пути в комнату ожидания Фрэнк выглядел таким же окаменелым, как и Аманда. Ее гнев и его чувство вины создало между ними непроницаемую стену. Через час к ним подошла медсестра и сообщила, что состояние Джареда пока стабилизировалось, поэтому они, если хотят, могут пройти в реанимацию.

Стабилизировалось. Пока.

Аманда с Фрэнком встали у постели Джареда. Аманда видела его ребенком, затем молодым человеком, но ей никак не удавалось совместить эти образы с лежащим перед ней без сознания человеком. Фрэнк шептал извинения, призывал Джареда «держаться», и его слова вызвали в Аманде, старавшейся не сорваться, волну гнева и недоверия.

Фрэнк, казалось, за ночь постарел лет на десять. Он был буквально сокрушен виной и горем, но Аманда, несмотря ни на что, не находила в себе к нему сочувствия.

Она провела пальцами по волосам Джареда, отмечая временные интервалы по писку приборов. Медсестры порхали возле других пациентов реанимации, проверяли внутривенные катетеры, нажимали какие-то кнопки, действуя так, словно это был самый обычный день. Да, это был самый обычный день в насыщенной больничной жизни, но для Аманды и ее семьи ничего обычного в этом не было. Для них это была катастрофа.

Вскоре должно было состояться заседание комитета по трансплантации. Никогда раньше пациенты вроде Джареда не вносились в лист ожидания. Если ее сыну откажут, он умрет.

Линн появилась в больнице вместе с Аннет, сжимавшей в руке свою любимую мягкую игрушку — обезьянку. В качестве исключения медсестры позволили сестрам пройти в реанимацию к брату. Линн побледнела и поцеловала Джареда в щеку. Аннет положила рядом с ним на больничную койку свою игрушку.

В актовом зале несколькими этажами выше над реанимацией шло заседание комитета по трансплантации. Доктор Миллз представил им дело Джареда и срочность ситуации.

— Здесь говорится, что у него острая сердечная недостаточность, — сказал один из членов комитета, хмуро глядя в лежащий перед его глазами отчет.

Доктор Миллз кивнул.

— Правый желудочек пациента серьезно поражен инфарктом.

— Инфарктом, который скорее всего явился результатом автомобильной аварии, — заметил член совета. — Согласно общей политике, донорские органы не выделяются для жертв аварий.

— Лишь потому, что они, как правило, живут недостаточно долго, чтобы получить эту привилегию, — заметил доктор Миллз. — Но этот пациент выжил. Это молодой, здоровый мужчина, у которого отличные жизненные перспективы. Истинная причина инфаркта пока неизвестна, и, насколько мы знаем, острая сердечная недостаточность — диагноз, имеющий показания для пересадки. — Он отложил папку в сторону и подался всем телом вперед, вглядываясь в лица коллег. — Без донорского органа этот пациент может не прожить и суток. Его просто необходимо внести в лист ожидания. — В его голосе появились молящие нотки. — Он еще очень молод. Ему нужно дать шанс.

Несколько членов комитета скептически переглянулись. Он знал, о чем они думали: такого прецедента раньше не было, и времени было в обрез. В общем, шансов почти никаких: найти донора за это время практически невозможно, а значит, пациент скорее всего умрет, что бы они ни решили. Но никто из членов совета не обмолвился о меркантильной стороне дела. Удачная операция означала дальнейшую поддержку программы по пересадке органов, а удачная операция сложного случая, например, такого, как у Джареда, обещала укрепление хорошей репутации больницы, а следовательно, дополнительные ассигнования на исследования и операции, в том числе и на трансплантацию. В перспективе это означало больше спасенных жизней. Поэтому приходилось ставить на кон жизнь одного человека, чтобы многие другие имели шанс выжить. Но доктор Миллз сердцем чувствовал своих коллег-врачей, которые отдавали себе отчет, что жизнь каждого пациента уникальна, что сухие цифры — еще не все. Настоящие профессионалы всегда пойдут на риск, если есть хоть малейший шанс спасти больного. И это главная причина, полагал доктор Миллз, по которой большинство его коллег, как и он, пошли в медицину. В этот день они приняли решение попытаться спасти Джареда.

Рекомендация от комитета по трансплантологии была единодушной. Пациенту был дан статус А1, то есть высший приоритет — в том случае если магическим образом найдется донор.

Услышав от доктора Миллза эту новость, Аманда вскочила и сжала его в своих объятиях со всей силой своего отчаяния.

— Спасибо, — выдохнула она. — Спасибо, — снова и снова повторяла она. Уж очень было страшно сказать что-либо другое, вслух высказать свою надежду, что волшебным образом найдется донор.

Когда Эвелин вошла в комнату ожидания, ей хватило одного беглого взгляда на своих подавленных родственников, чтобы понять: кому-то нужно взять контроль в свои руки. Нужен был кто-то, кто бы мог их поддержать, а не тот, кто сам нуждался в поддержке.

Она обняла каждого по очереди, продержав в своих объятиях Аманду дольше всего. Эвелин отступила назад, огляжела их и сказала:

— Ну, кто хочет есть?

Оставив Аманду с Фрэнком наедине, Эвелин быстро отвела Линн и Аннет в кафетерий. Аманда и думать не могла о еде. Что до Фрэнка, то он ее больше не заботил. Все ее мысли были только о Джареде.

Она ждала.

И молилась.

Когда мимо реанимации прошла медсестра, Аманда бросилась вслед за ней. Нагнав ее в коридоре, она задала ей свой вопрос.

— Нет, — ответила медсестра, — простите. Но пока что о доноре ничего не слышно.

Стоя в коридоре, Аманда закрыла лицо ладонями.

Из комнаты ожидания появился Фрэнк. Он дождался, когда уйдет медсестра, и приблизился к Аманде.

— Они найдут донора, — сказал он.

От его прикосновения Аманда резко развернулась.

— Они обязательно найдут его, — повторил Фрэнк.

— Ты последний, кто мог бы это обещать, — сверкнула глазами Аманда.

— Я понимаю...

— Тогда молчи, — отрезала она. — Не говори того, что не имеет смысла.

Фрэнк потрогал распухшую переносицу.

— Я просто стараюсь...

— Что? — повысила голос Аманда. — Заставить меня почувствовать себя лучше? Мой сын умирает! — Ее голос прозвенел в выложенном плиткой коридоре так, что люди повернули головы.

— Он и мой сын тоже, — тихо проговорил Фрэнк.

Гнев Аманды, который она так долго сдерживала, вдруг вырвался наружу.

— Тогда зачем ты вызвал его? — прокричала она. — Почему ты так напился, что сам не мог ехать?

— Аманда...

— Все ты! — кричала она. Пациенты стали выглядывать из открытых дверей, а медсестры застыли на полпути. — Он не должен был находиться за рулем! Не должен! Но ты так напился, что не мог о себе позаботиться! В очередной раз! Как всегда!

— Это был несчастный случай, — пытался возражать Фрэнк.

— Неправда! Ты что, сам этого не понимаешь? Ты налился пивом под завязку. Все началось с этого. Из-за тебя Джаред оказался в машине!

Аманда тяжело дышала, не обращая внимания на то, что на нее смотрят.

— Я просила тебя бросить пить, — шипела она. — Умоляла остановиться. Но все было напрасно. Тебе всегда было плевать на свою семью. Ты всегда думал только о себе и только делал, что жалел себя после смерти Беи. — Она резко вздохнула. — Я тоже была убита горем. Ведь это мой ребенок. Я качала ее на руках и кормила, меняла ей подгузники, пока ты был на работе. Не отходила от нее, пока она болела. Это все я, а не ты. Я. — Она ткнула себя пальцем в грудь. — Но каким-то странным образом оказалось, что справиться с горем не можешь ты. И что в результате? Я потеряла и ребенка, и мужа. Но я даже тогда как-то сумела выстоять. — Аманда отвернулась от Фрэнка. На ее лице застыла горечь. — Мой сын в реанимации, потому что я не могла найти в себе сил оставить тебя. А должна была бы сделать это уже давно.

В середине этой тирады Фрэнк опустил глаза в пол. Аманда замолчала и отправилась вдоль коридора прочь от Фрэнка.

Однако на мгновение она остановилась, обернулась к нему и прибавила:

— Я знаю, что это был несчастный случай, что ты сожалеешь. Но этого мало. Если бы не ты, он бы там не оказался, и мы оба об этом знаем.

Ее последние слова эхом отдались в коридоре, они прозвучали словно вызов, на который, она надеялась, он ответит. Но он промолчал, и Аманда ушла.

Членам семьи снова позволили пройти в реанимацию, и Аманда с девочками стали дежурить возле Джареда по очереди. Аманда просидела с сыном почти час. Когда в палату зашел Фрэнк, она ушла. Потом к Фрэнку присоединилась Эвелин, но пробыла там всего несколько минут.

Когда все попрощались с Джаредом, Аманда вернулась к нему и оставалась у его постели, пока не сменились медсестры.

О доноре пока не было никаких вестей.

Пришло время ужина. Эвелин наконец вывела Аманду из реанимации и повела в кафетерий. Мысль о еде буквально вызывала у нее тошноту, однако мать тщательно следила за тем, как Аманда молча запихивала в себя сандвич. Наконец она проглотила последний кусок и скомкала целлофановую обертку.

После этого она встала и снова отправилась в реанимацию.

* * *

После восьми вечера время посещений заканчивалось, и Эвелин решила, что детям лучше вернуться домой. Фрэнк отправлялся с ними, но для Аманды доктор Миллз опять сделал исключение, разрешив остаться в реанимации.

Больничная суета к вечеру стихла. Аманда продолжала неподвижно сидеть у постели Джареда. В полусне она замечала действия медсестер, но была не в силах вспомнить их имена. Она снова и снова молила Бога, чтобы он спас жизнь ее сыну, как когда-то молила его сохранить жизнь Бее.

Однако на сей раз она надеялась, что Он все же услышит ее.

Где-то после полуночи доктор Миллз вошел в комнату.

— Вам нужно поехать домой отдохнуть, — сказал он. — Я вам позвоню, если что. Обещаю.

Аманда, упрямо вскинув подбородок, отказалась выпустить руку Джареда.

— Я его не оставлю.

Было около трех ночи, когда снова появился доктор Миллз. К тому времени у Аманды даже не осталось сил, чтобы встать.

— Есть новости, — объявил он.

Аманда повернулась, у нее вдруг появилась уверенность, что он сейчас скажет: ничего не вышло, надежды нет. «Это, — подумала она, — конец».

Но у врача на лице была написана надежда.

326

— Мы нашли пару, — заявил он. — Шанс один из миллиона.

Аманда ощутила, как волна адреналина прокатилась по ее телу. Пытаясь осмыслить сказанное, она чувствовала, как напрягся каждый ее нерв.

— Пару?

— Донорское сердце. Его везут, и операция уже запланирована. Команда врачей наготове.

— Это значит, что Джаред будет жить? — хрипло спросила Аманда.

— Мы на это рассчитываем, — ответил врач, и впервые за все то время, что она пробыла в больнице, Аманда расплакалась.

22

По настоянию доктора Миллза Аманда наконец отправилась домой. Ей пообещали разрешить побыть с сыном какое-то время, когда его будут готовить к операции. Продолжительность такой операции не менее шести часов и больше — в зависимости от осложнений.

— Нет, — произнес доктор Миллз, предупреждая ее вопрос. — Ожидать осложнений повода нет.

Несмотря на душивший ее гнев, Аманда тем не менее, перед тем как отправиться домой, позвонила Фрэнку. Фрэнк, как и она, не спал, и вопреки ее ожиданиям услышать невнятную речь, к которой она уже привыкла, оказался трезв. Он испытал явное облегчение, услышав новость о Джареде.

Дома она не встретилась с Фрэнком. Скорее всего он лег на диване в кабинете, поскольку мать расположилась в комнате для гостей. Превозмогая себя, она решила принять душ и, прежде чем лечь в постель, долго наслаждалась роскошным водопадом.

До рассвета оставалось часа два, и, закрыв глаза, Аманда приказала себе не спать долго, только немного вздремнуть, потому что ей снова надо в больницу.

Однако без сновидений она проспала как убитая шесть часов.

Мать держала в руках чашку кофе, когда Аманда, торопясь вернуться в больницу, металась по коридору и пыталась вспомнить, куда дела ключи.

— Я только несколько минут назад звонила в больницу, — сделала попытку остановить ее Эвелин. — Линн сказала, что у них пока нет никаких сведений, кроме того, что Джаред в операционной.

— Я все равно должна ехать, — пробормотала Аманда.

— Разумеется. Но только после того, как выпьешь чашку кофе. — Эвелин подняла чашку. — Вот, я тебе приготовила.

Аманда разгребала ворох ненужной корреспонденции в поисках ключей.

— У меня нет времени...

— Это всего пять — десять минут, — безапелляционным тоном возразила мать. Она вручила Аманде чашку с дымящимся кофе. — Это ничего не изменит. Мы обе знаем, что ты приедешь в больницу и будешь ждать, только и всего. Для Джареда главное — чтобы ты была рядом, когда он очнется, а этого не произойдет еще несколько часов. Поэтому потрать несколько минут, прежде чем полетишь в больницу. — Мать села на стул и указала на место напротив. — Выпей кофе и съешь что-нибудь.

— Я не могу есть, когда мой сын в операционной! — воскликнула Аманда.

— Понятно, что ты беспокоишься, — сказала Эвелин на удивление мягко. — Я тоже. Но, будучи твоей матерью, я также беспокоюсь о тебе, потому что знаю, насколько остальные члены семьи зависят от тебя. Не подлежит обсуждению, что у тебя будет больше сил, когда ты поешь и выпьешь чашку кофе.

Поколебавшись, Аманда поднесла чашку к губам. Кофе действительно был отлично сварен.

— Ты так считаешь? — Она неуверенно нахмурилась и села рядом с матерью за кухонный стол.

— Конечно. У тебя впереди долгий день. Ты понадобишься Джареду сильной, когда он тебя увидит.

Аманда стиснула в руках чашку.

— Мне страшно, — призналась она.

К изумлению Аманды, мать потянулась к ней и накрыла ее руки своими.

— Я знаю. Мне тоже.

По-прежнему сжимая чашку кофе, Аманда уставилась на наманикюренные руки матери.

— Спасибо, что приехала.

Губы Эвелин чуть тронула улыбка.

— Да у меня не было выбора, — сказала она. — Ты же моя дочь, и я была тебе нужна.

Аманда с матерью поехали в больницу вместе. Там в комнате ожидания они встретились с остальными. Аннет и Линн подбежали к ней и обняли, уткнувшись ей в шею лицом. Фрэнк просто кивнул и пробормотал какое-то приветствие. Мать сразу же почувствовала существующее между ними напряжение, поэтому, взяв девочек, быстро отвела их обедать.

Когда Аманда с Фрэнком остались одни, он повернулся к ней.

— Прости меня, — сказал он, — за все.

Аманда подняла на него глаза.

— Знаю, что ты чувствуешь свою вину.

— На месте Джареда должен быть я.

Аманда ничего не сказала.

— Могу оставить тебя одну, если хочешь, — сказал он, нарушив молчание. — Могу посидеть где-нибудь еще.

Аманда со вздохом покачала головой.

— Сиди. Он ведь и твой сын. Ты имеешь полное право находиться здесь.

Фрэнк сглотнул.

— Я бросил пить, если это что-то для тебя значит. На этот раз окончательно. Навсегда.

Аманда, останавливая его, махнула рукой.

— Только... не надо, ладно? Не хочу снова это затевать. Сейчас не время, и не место, и, главное, результат будет один — ты просто разозлишь меня еще больше. Я это уже слышала много раз и больше не могу.

Фрэнк кивнул. Развернувшись, он направился на свое место. Аманда села на стул у противоположной стены. И пока Эвелин с детьми не вернулись, ни один из них не произнес больше ни слова.

Вскоре после полудня доктор Миллз вошел в комнату ожидания. Все поднялись. Аманда посмотрела ему в лицо, ожидая услышать худшее, но ее страхи почти тут же рассеялись: всем своим видом он выражал удовлетворение.

— Операция прошла успешно, — начал он, прежде чем посвятить их в подробности.

Когда он закончил, Аннет потянула его за рукав.

— Джаред поправится?

— Да, — улыбнулся врач и погладил ее по голове. — Твой брат выздоровеет.

— А когда нам можно будет его увидеть? — спросила Аманда.

— Он сейчас в послеоперационной палате, но возможно, через несколько часов.

— Он проснется к тому времени?

— Да, — ответил доктор Миллз. — Он будет в сознании.

Когда членам семьи сообщили, что они могут пройти к Джареду, Фрэнк отрицательно покачал головой.

— Иди первая, — сказал он Аманде. — Мы подождем. Пойдем к нему, когда ты выйдешь.

Аманда прошла за медсестрой в послеоперационную палату. Наверху ее ждал доктор Миллз.

— Он проснулся, — кивнул он, шагая с ней в ногу. — Но должен вас предупредить: у него было много вопросов, и он не слишком хорошо принял новость. Прошу вас об одном: постарайтесь не расстраивать его.

— Что я должна сказать?

— Просто поговорите с ним, — ответил врач. — Вы сами поймете, что ему сказать. Вы же его мать.

Стоя перед палатой, Аманда сделала глубокий вдох, и доктор Миллз открыл дверь. Она вошла в ярко освещенную комнату и сразу же узнала сына, лежащего в кровати под пологом.

Лицо Джареда было белым как полотно, щеки ввалились. Он повернул голову набок, и на лице его показалась слабая улыбка.

— Привет, мам, — прошептал он, с трудом после анестезии выговаривая слова.

Аманда коснулась его руки, стараясь не задеть бессчетное количество трубочек, медицинского пластыря и чего-то другого, присоединенного к его телу.

— Привет, милый мой. Как ты себя чувствуешь?

— Устал, — пробормотал Джаред. — И больно.

— Я знаю, — сказала Аманда. Она откинула у него со лба волосы и села рядом на пластмассовый стул. — И еще какое-то время будет больно. Но долго ты здесь не пробудешь. Неделю или около того.

Он медленно заморгал. Как делал всегда в детстве перед тем, как она выключала свет у его постели.

— У меня новое сердце, — сказал Джаред. — Доктор сказал, что другого выбора у меня не было.

— Да, — кивнула Аманда.

— Что это значит? — Рука Джареда дернулась от возбуждения. — Я буду нормально жить?

— Конечно, — постаралась успокоить его Аманда.

— Они вынули мое сердце, мама. — Он вцепился в простыню своей постели. — И сказали, что я всю жизнь буду принимать лекарства.

На юном лице отразились тревога и мрачные предчувствия. Он понимал, что его будущее бесповоротно изменилось, и как бы ни хотела Аманда защитить его от этой новой реальности, она знала, что это невозможно.

— Да, — сказала она, твердо глядя на него. — Тебе пересадили донорское сердце. Ты всю жизнь будешь принимать лекарства. Но ты будешь жить.

— Как долго? Даже врачи не знают.

— Разве это сейчас так важно?

— Конечно, важно, — вскипел Джаред. — Мне сказали, что обычный трансплантат живет пятнадцать — двадцать лет. А потом мне, вероятно, понадобится новое сердце.

— Тогда тебе пересадят новое сердце. А до того ты будешь жить и после этого поживешь еще. Как и все остальные.

— Ты меня не понимаешь. — Джаред повернул голову к стене.

Аманда искала слова, чтобы успокоить его, помочь смириться с новой реальностью.

— Знаешь, о чем я думала, пока дежурила возле тебя последние пару дней? — начала она. — Я думала о том, как много ты еще не сделал и не испытал: удовлетворение от окончания колледжа, радость покупки дома или восторга при получении отличной работы или любви с девушкой твоей мечты.

Джаред будто не слышал ее, но по тому, как он застыл, Аманда видела, что он слушает.

— Теперь у тебя все это впереди, — продолжила она. — Ты будешь делать ошибки и преодолевать трудности, как и все, и, если найдешь подходящую пару, почувствуешь себя самым счастливым из всех живущих людей. — Она коснулась его руки. — И донорское сердце не имеет к этому никакого отношения. Ты просто жив и, значит, будешь любить и быть любимым... и в итоге ничто другое не имеет значения.

Джаред лежал неподвижно, так долго, что Аманда уже стала думать, не заснул ли он — действие анестезии после операции еще не прошло. Но вот он медленно повернул голову.

— Ты правда веришь в то, что сказала? — робко спросил он.

И впервые за все время после автокатастрофы Аманда вспомнила Доусона Коула. Она нагнулась к нему поближе.

— В каждое слово.

23

Морган Тэннер стоял в гараже Така, сцепив впереди руки, обводя взглядом груду металла, некогда бывшую «стингреем». Он поморщился, думая, что владелец этому не обрадуется.

Разворотили машину явно недавно. Из задней части кузова, сбоку, торчала монтировка, и он был уверен, что ни Доусон, ни Аманда, если б увидели это, так дело бы не оставили. Сиденье, выброшенное через окно на крыльцо, тоже не их рук дело. Скорее всего тут поработали Тед и Эби Коулы.

Не будучи коренным жителем Ориентала, он уже как-то ориентировался в жизни города. Потом Тэннер понял, что если повнимательнее прислушиваться к разговорам в «Ирвинз», можно побольше узнать об истории этой части света и ее жителях. Конечно, в таком заведении, как «Ирвинз», не все стоит принимать за чистую монету. Слухи, сплетни и домыслы там в таком же ходу, как и правда. И все же о семействе Коулов он знал больше, чем казалось многим. О Доусоне в том числе.

После того как Так посвятил его в свои планы насчет Доусона и Аманды, Тэннер, заботясь о своей безопасности, разузнал все, что мог, о Коулах. Хоть Так и поручился за Доусона, Тэннер не пожалел времени, чтобы поговорить с арестовавшим его шерифом, а также прокурором и государственным защитником. Общество в округе Памлико немногочисленное, и разговорить коллег относительно самых громких дел Ориентала было легко.

И прокурор, и государственный защитник считали, что в тот вечер на дороге была еще одна машина, и Доусон, чтобы избежать с ней столкновения, съехал в сторону. Но судья и шериф в то время водили дружбу с семейством Боннеров, и поэтому ничего сделать не могли. Реальность маленького городка удручила Тэннера. Он поговорил с вышедшим в отставку надзирателем тюрьмы в Халифаксе, который дал бывшему заключенному Доусону Коулу самые лучшие характеристики. Тэннер также сделал звонок бывшим работодателям Доусона в Луизиане и в очередной раз убедился в его честности и благонадежности. И лишь после этого он согласился выполнить просьбу Така.

Теперь ему оставалось урегулировать формальности с имуществом Така и ситуацию со «стингреем» — и после этого его обязанности можно считать выполненными. Принимая во внимание все случившееся, в том числе аресты Теда и Эби Коулов, ему повезло, что его имя не упоминается в разговорах, слышанных им в «Ирвинзе». И, как хороший юрист, он почел за благо ни во что не вмешиваться.

На самом деле все эти события затронули его глубже, чем ему бы хотелось. Дошло до того, что за последние пару дней он сделал несколько необычных звонков, которые очень его растревожили.

Отвернувшись от машины, Тэннер оглядел верстак, отыскивая заказ на выполнение работы в надежде найти там телефон владельца машины. Он нашел его на планшете с зажимом и, пробежав глазами, узнал все, что было нужно. Возвращая планшет на верстак, он заметил уже знакомый ему листок бумаги.

Беря его в руки, он уже знал, что это такое, но с минуту рассматривал его. Взвесив все возможные последствия, он полез в карман за сотовым. Пролистав список контактов, он нашел нужное имя и нажал на кнопку.

На другом конце зазвонил телефон.

Два последних дня Аманда почти не выходила из больницы, сидя на неудобном стуле возле постели Джареда. Пределом ее мечтаний было заснуть вечером в собственной постели. Да и сам Джаред просил ее уйти.

— Мне нужно побыть одному, — сказал он. Впервые, к ее облегчению, Джаред согласился поговорить с психологом. Физически он восстанавливался довольно быстро. Иное дело эмоционально. Аманда надеялась, что этот разговор приоткроет дверь или пусть даже щелочку к новому восприятию Джаредом его состояния. Он страдал, сожалея об украденных из его жизни годах. Он хотел то, что имел раньше, — здоровое тело и радужные перспективы. Но теперь это было невозможно. Теперь, чтобы его тело не отвергло новое сердце, ему приходилось принимать иммунодепрессанты. И поскольку из-за этого у него понижался иммунитет, он принимал большие дозы антибиотиков. Ему также прописали диуретик, чтобы в организме не скапливалась жидкость. На следующей неделе его должны были выписать, но наблюдаться в клинике ему придется по крайней мере в течение года. Кроме того, ему придется пройти курс физиотерапии и все время соблюдать диету. И все это в сочетании с еженедельными встречами с психологом.

Всю семью ждала нелегкая жизнь. Но отчаяние Аманды в эти два дня сменилось надеждой. Джаред оказался сильнее, чем она или даже он сам могли себе представить. Конечно, ему потребуется время, но он обязательно со всем справится. И, как она надеялась, в этом ему поможет психолог.

Фрэнк и мать возили Аннет в больницу и домой. Линн ездила сама. Аманда понимала, что проводит с девочками меньше времени, чем следовало бы. Им тоже приходилось нелегко, но другого выхода не было.

Сегодня вечером она решила купить для домашних пиццу. А потом все они, быть может, посмотрят фильм. Это немного, но на данный момент это все, что она могла им дать. Когда Джаред выйдет из больницы, жизнь постепенно вернется в прежнее русло. Нужно созвониться с матерью и обсудить с ней дальнейшие действия...

Порывшись в сумке, она вытащила свой телефон и увидела на экране неизвестный номер, иконка голосовой почты мигала тоже.

Она набрала номер голосовой почты и прижала телефон к уху, из трубки послышался протяжный голос Моргана Тэннера. Он просил ее перезвонить при первой же возможности.

Аманда тут же набрала его номер, и Тэннер тут же ответил.

— Спасибо за то, что перезвонили, — начал он с тем же формальным дружелюбием, с которым обращался к ним с Доусоном на встрече. — Прежде чем продолжить, позвольте извиниться, что я позвонил в такое сложное для вас время.

Аманда растерянно заморгала, удивляясь тому, что он в курсе ее дел.

— Спасибо... но Джареду сейчас лучше. И это для нас большое облегчение.

Тэннер молчал, словно пытаясь истолковать только что произнесенные ею слова.

— ...Я позвонил вам, потому что сегодня был в доме Така и, осматривая машину...

— Ах да, — перебила его Аманда, — я собиралась вам сказать об этом. Прежде чем уехать, Доусон закончил ее ремонт. Она должна быть готова.

Тэннер снова сделал паузу в несколько секунд.

— Я хотел сказать, что нашел письмо Така к Доусону. Он, наверное, его забыл, и я не знаю, должен ли я передать его вам.

Аманда прижала телефон к другому уху, не понимая, почему он ей звонит.

— Это письмо к Доусону. Поэтому вам нужно отправить письмо ему.

Тэннер вздохнул.

— Вы, насколько я понимаю, не слышали, что случилось в воскресенье в «Тайдуотере»? — медленно проговорил он.

— А что такое? — нахмурилась Аманда, окончательно сбитая с толку.

— Мне трудно сказать вам это по телефону. Не могли бы вы заехать ко мне в офис сегодня вечером или завтра утром?

— Нет, — ответила она. — Я в Дареме. Что все же происходит, что случилось?

— Я считаю, что это можно рассказать только лично.

— Но это невозможно, — сказала Аманда с нотками нетерпения в голосе. — Скажите мне, что случилось в «Тайдуотере»? Почему вы не можете отправить письмо Доусону?

Тэннер помедлил, потом откашлялся.

— В баре случилась... жуткая потасовка. В заведении не осталось живого места. Была перестрелка. Теда и Эби Коулов арестовали, серьезно пострадал молодой человек по имени Алан Боннер. Он до сих пор в больнице, но, насколько я знаю, он поправится.

Услышав эти имена, Аманда почувствовала, как кровь с силой начала стучать в висках. Она, конечно же, знала того, кто связывает их всех.

— Доусон был там? — почти прошептала она.

— Да, — ответил Тэннер.

— Что с ним?

— Насколько мне известно, Тед и Эби Коулы напали на Алана Боннера, когда в бар вдруг вошел Доусон. И вот тогда Тед и Эби Коулы взялись за него. — Тэннер помолчал. — Дело в том, что официальный полицейский отчет еще не составлен...

— Что с Доусоном? — спросила она. — Это все, что я хочу знать.

На другом конце слышалось дыхание Тэннера.

— Доусон тащил Алана Боннера из бара, когда Тед выстрелил. Прямо в Доусона.

Аманда почувствовала, как напрягся каждый ее мускул, готовя ее к тому, что ей предстояло услышать. Эти слова, как и многие другие, что она слышала за последние несколько дней, казалось, невозможно постичь.

— Пуля попала ему в голову, у него не было шанса, Аманда. Его мозг уже был мертв, когда его доставили в больницу.

Аманда выпустила телефон из рук, и он звякнул о землю. Она посмотрела вниз, потом наклонилась и отключила его.

«Доусон. Только не Доусон. Он не может умереть».

Но она снова слышала слова Тэннера. Доусон пошел в «Тайдуотер», там были Тед и Эби. Он спас Алана Боннера, и теперь его нет.

«Жизнь за жизнь, — подумала Аманда. — Жестокий поворот судьбы».

Она вдруг вспомнила, как они, держась за руки, шли по усеянному полевыми цветами полю. Из ее глаз потекли слезы, она оплакивала Доусона и те дни, которые они уже никогда не проведут вместе. Пока, подобно Таку с Кларой, их прах не соединится над залитым солнцем полем, где-то вдали от простых смертных.

Эпилог

Два года спустя

Аманда сунула два противня с лазаньей в холодильник, потом заглянула в духовку проверить торт. Праздновать совершеннолетие — двадцать один год — Джареду можно будет через два месяца. Но сегодня двадцать третье июля, и они считали его вторым рождением. В этот день два года назад он получил новое сердце и второй шанс на жизнь. И это, как ничто другое, требовалось отметить.

Сейчас она была одна дома. Фрэнк на работе, Аннет еще не вернулась с вечеринки, Линн на лето устроилась в «Гэп». Джаред наслаждался последними свободными днями перед стажировкой в фирме, играя в софтбол с друзьями. Аманда предупредила его, что будет жарко, и заставила пообещать, что он будет пить побольше воды.

— Я буду осторожен, — заверил ее Джаред перед уходом. Последнее время он, может, потому, что повзрослел, а может, из-за того, что с ним случилось, кажется, понял, что беспокойство — неотъемлемая часть материнства.

Хотя он не всегда проявлял такое терпение. После катастрофы его почти все раздражало. Если она проявляла заботу, он, не сдерживаясь, заявлял, что она его душит. Выздоровление происходило тяжело. Лекарства, которые он принимал, часто вызывали у него тошноту. Когда-то сильные, его мускулы атрофировались, несмотря на физиотерапию, и он чувствовал себя от этого еще более беспомощным. Его эмоциональное выздоровление осложнилось еще тем, что в отличие от многих пациентов с пересаженными органами, которые по нескольку лет ждали операций в надежде продлить свою жизнь, Джаред считал, что он, напротив, потерял несколько лет своей жизни. Было дело, он срывался на своих друзей, приходивших его навестить. А Мелоди, его девушка, о которой он думал в тот роковой день, через несколько недель после аварии сообщила ему о том, что встречается с другим. Впав в депрессию, Джаред решил пропустить год в школе.

Его путь был тернист, но с помощью своего психолога Джаред начал возвращаться к жизни. Психолог предложил также Аманде с Фрэнком регулярно встречаться с ним, чтобы обсуждать проблемы Джареда. Учитывая историю их брака, им было трудно отвлечься от своих конфликтов, чтобы оказывать необходимую поддержку Джареду, но в конце концов любовь к сыну все победила. Они делали все возможное, чтобы помочь сыну преодолеть горестные периоды потерь и возмущения и в итоге смириться с новыми обстоятельствами.

В начале прошлого лета он поступил на экономические курсы в местный колледж и, к несказанной гордости и облегчению Аманды и Фрэнка, он объявил им, что осенью запишется в Дэвидсон. На той же неделе за ужином он между делом упомянул, что прочел о человеке, который прожил с пересаженным сердцем тридцать один год. А поскольку медицина с каждым годом идет вперед, он надеялся, что сможет прожить еще дольше.

Вернувшись в школу, он морально чувствовал себя все лучше и лучше. Посоветовавшись с врачами, он начал бегать и теперь пробегал по шесть миль в день. Он начал ходить в тренажерный зал по три-четыре раза в неделю и постепенно восстановил прежнюю форму. Заинтересовавшись курсами, он решил, вернувшись в Дэвидсон, сосредоточиться на экономике. В школе он подружился еще с одним будущим экономистом, девушкой по имени Лорен. Они полюбили друг друга и даже поговаривали о женитьбе после окончания школы. Последние две недели они вместе пробыли на Гаити с миссией, организованной ее церковью. Кроме регулярного приема медикаментов и запрета на алкоголь, Джаред вел жизнь обыкновенного двадцатиоднолетнего молодого человека. Но и в этом случае он не сочувствовал желанию своей матери праздновать пересадку его сердца. Спустя два года он наконец понял, что ему повезло. Однако в последнее время в мыслях Джареда что-то изменилось, и Аманда не знала, как к этому относиться. Несколько вечеров назад, когда она возилась с посудой, Джаред подошел к ней и облокотился о посудомоечную машину.

— Мам, ты собираешься заниматься благотворительностью для Дьюка этой осенью?

По понятным причинам, она после аварии не отошла от этих дел. Аманда кивнула:

— Думаю, да, они просили меня снова занять место председателя.

— Потому что не справлялись без тебя? Так сказала мама Лорен.

— Нельзя сказать, что не справлялись, просто дела у них шли не так хорошо, как они планировали.

— Я рад, что ты снова этим займешься. Ради Беи.

Она улыбнулась.

— Я тоже.

— В больнице довольны, что ты будешь собирать деньги?

Аманда взяла полотенце и стала вытирать руки, вглядываясь в лицо Джареда.

— Почему вдруг такой интерес?

Джаред рассеянно почесал шрам под футболкой.

— Я надеялся, что ты с помощью своих контактов в больнице сможешь для меня кое-что узнать, — сказал он. — Это то, что в последнее время меня очень занимает.

Пока торт остывал на стойке, Аманда вышла через заднюю дверь посмотреть на газон. Несмотря на то что Фрэнк в прошлом году установил автоматический разбрызгиватель, трава кое-где пожухла. Перед тем как этим утром уйти на работу, он с хмурым лицом долго разглядывал под своими ногами пожухлый островок травы. За последние пару лет Фрэнк с невероятным энтузиазмом стал относиться к своему газону и в отличие от большинства соседей сам его косил. В ответ на недоуменные вопросы он говорил, что это помогает ему расслабиться после дня, проведенного за установкой пломб и коронок. И хоть Аманда полагала, что в его словах была правда, все же в этой привычке было что-то маниакальное. Дождь ли, солнце, он упорно косил газон, создавая на нем узоры в виде квадратов.

Несмотря на ее первоначальный скептицизм, Фрэнк после аварии ни разу не притронулся ни к пиву, ни к вину. Он поклялся, что бросил это занятие навсегда, и, надо отдать ему должное, сдержал свое обещание. Через два года она уже не боялась, что он в любой момент может вернуться к старому, и в основном лишь поэтому их отношения наладились. Эти отношения не превратились в идеальные, но так плохо, как раньше, уже не было. Сразу после аварии споры у них возникали почти каждый вечер. Боль, чувство вины и гнев превращали их слова в отточенные лезвия, и они часто срывались друг на друга. В течение долгих месяцев Фрэнк спал в комнате для гостей, а по утрам они редко смотрели друг другу в глаза.

Какими бы трудными ни были эти месяцы, Аманда не могла сделать последний шаг и подать на развод. Учитывая неустойчивое эмоциональное состояние Джареда, она не могла нанести ему еще одну травму. Однако ее решение сохранить семью не имело ожидаемого эффекта. Через несколько месяцев после возвращения Джареда из больницы Аманда застала его в гостиной за разговором с Фрэнком. По заведенному у них в последнее время порядку Фрэнк поднялся и вышел из комнаты. Проводив его взглядом, Джаред повернулся к матери.

— Он не виноват, — сказал ей Джаред. — Это я сидел за рулем.

— Знаю.

— Тогда перестань его третировать, — сказал Джаред.

По иронии судьбы именно психолог Джареда убедил Аманду и Фрэнка самим обратиться к психологу, чтобы наладить их отношения. Постоянное напряжение в доме мешало восстановлению Джареда. Если они действительно хотят помочь сыну, то сами должны пройти психотерапию для пар. Без покоя в доме Джареду будет сложно справиться и принять новые обстоятельства.

На свою первую консультацию с психотерапевтом Аманда и Фрэнк ехали в разных машинах. Первая консультация вылилась в перепалку, которую они вели на протяжении многих месяцев. Но уже на второй консультации они могли говорить, не повышая голоса. И с мягкой, но твердой подачи этого психолога Фрэнк, к облегчению Аманды, начал посещать собрания анонимных алкоголиков. Сначала он ходил пять вечеров в неделю, но последнее время ограничился одним, а три месяца назад Фрэнк стал спонсором. Он регулярно встречался за завтраком с тридцатичетырехлетним разведенным банкиром, который в отличие от Фрэнка не мог бросить пить. До этого Аманда не позволяла себе верить, что Фрэнк долго продержится.

Улучшение атмосферы в доме, вне всякого сомнения, пошло на пользу Джареду и девочкам. В последнее время Аманда уже начала думать, что они с Фрэнком смогут начать все заново. Теперь они, беседуя, редко обсуждали прошлое и даже иногда смеялись в компании друг друга. По пятницам они, выполняя еще один совет психолога, ходили на свидание друг с другом. И хоть им обоим это казалось неестественным, они знали, что это важно. Во многих смыслах они впервые за долгие годы словно заново узнавали друг друга.

Каким-то образом это приносило ей удовлетворение. При этом Аманда знала, что ее брак никогда не будет окрашен страстными чувствами. Фрэнк и раньше не вызывал в ней таких чувств. Но она была счастлива, что в ее жизни случилась любовь, ради которой стоило рискнуть всем. Любовь редкая, как райский свет.

Два года. Два года прошло после незабываемого уик-энда с Доусоном Коулом. Два долгих года после того дня, как Морган Тэннер сообщил, что его не стало.

Она хранила письма с фотографией Така и Клары, а также клевер с четырьмя листиками в ящике с пижамой, куда Фрэнк никогда не заглянет. Время от времени, когда боль от его потери становилась особенно нестерпимой, она их доставала, перечитывала письма и сжимала клевер с четырьмя листиками между пальцами, спрашивая себя, кем они были друг другу в тот уик-энд. Они любили друг друга, но не были любовниками, были друзьями, но, находясь столько лет в разлуке, стали чужими. Но при этом их страсть была настоящей и несомненной, как та земля, на которой она родилась.

В прошлом году спустя пару дней после годовщины смерти Доусона Аманда съездила в Ориентал. Она пришла на городское кладбище и в самом конце нашла небольшой холмик у подножия деревьев. Здесь был похоронен Доусон — вдали от Коулов и еще дальше от Беннетов и Колиеров. Стоя у простого камня, глядя на свежесрезанные лилии, положенные кем-то на могилу, она подумала, что если ее по какой-то прихоти судьбы похоронят вместе с Колиерами, ее душа наконец-то встретится с душой Доусона, как это случилось в жизни не один раз, а дважды.

На обратном пути она подошла к могиле доктора Боннера отдать ему долг памяти вместо Доусона и перед его могильным камнем увидела точно такой же букет лилий.

Значит, это Мэрилин Боннер, подумала она. За то, что Доусон сделал для Алана. Она вытерла навернувшиеся на глаза слезы и пошла к машине.

Со временем ее воспоминания о Доусоне не поблекли. Напротив, ее чувства к нему стали еще глубже. Его любовь придала ей сил преодолеть все невзгоды последних двух лет.

Сейчас, сидя на крыльце, под лучами пробивающегося сквозь деревья предвечернего солнца, она закрыла глаза и безмолвно обратилась к нему. Она вспомнила его улыбку, пожатие его руки, их последний уик-энд. Наступит завтра, и она опять будет вспоминать все это. Забыть его или любую мелочь из того уик-энда было бы предательством. А Доусон как никто другой заслуживает верности, такой же верности, которую он хранил ей на протяжении долгих лет. Она полюбила его когда-то, потом полюбила его снова, и ничто не может преуменьшить ее любви. Ведь Доусон подарил ей такое счастье, о котором она и не мечтала.

* * *

Аманда поставила лазанью в духовку и стала смешивать салат, когда домой пришла Аннет, а затем, через несколько минут, Фрэнк. Он быстро поцеловал Аманду в щеку и пошел переодеваться. Аннет, без остановки что-то щебеча о вечеринке, поливала торт глазурью.

Джаред появился с тремя приятелями. Выпив стакан воды, он пошел в душ, а его друзья, устроившись на диване, занялись видеоиграми.

Через полчаса приехала Линн. К удивлению Аманды, Линн тоже приехала с двумя подругами. Вся молодежь перекочевала на кухню. Друзья Джареда заигрывали с подругами Линн, напрашиваясь проводить девушек. Аннет, обняв вернувшегося в кухню Фрэнка, упрашивала сводить ее на детский фильм. Но Фрэнк, решивший немного подразнить ее, допив свой диетический снэппл, предложил боевик с перестрелками и взрывами, чем вызвал взрыв негодования Аннет.

Аманда с тихой улыбкой наблюдала за всем этим словно со стороны. Последнее время вся семья довольно часто собиралась за обеденным столом, хотя это нельзя было назвать обычным. Ее не волновал тот факт, что сейчас здесь присутствовали и чужие люди. Напротив, так было только веселее.

Налив себе бокал вина, она выскользнула на заднее крыльцо и стала наблюдать за двумя кардиналами, которые скакали с ветки на ветку.

— Ты идешь? — спросил выросший за ее спиной Фрэнк. — Народ теряет терпение.

— Принеси им еды, — сказала она, — я буду через минуту.

— Может, принести тебе тарелку сюда?

— Было бы хорошо, — кивнула Аманда. — Спасибо. Но сначала убедись, что досталось всем.

Фрэнк пошел в дом, в то время как Аманда в окно наблюдала, как он пробирался сквозь толпу в столовую.

Через какое-то время дверь снова открылась.

— Мама, с тобой все в порядке?

Она обернулась. Голос Джареда вернул ее к действительности.

— Я в порядке.

В следующий момент Джаред вышел на крыльцо и закрыл за собой дверь.

— В самом деле, — настаивал он. — Такое впечатление, будто тебя что-то тревожит.

— Я просто устала, — ободряюще улыбнулась она. — Где Лорен?

— Скоро придет. Она захотела сходить домой принять душ.

— Она хорошо провела время?

— Думаю, да. Она наконец-то попала по мячу, и это ее чрезвычайно обрадовало.

Аманда подняла на него глаза, оглядывая его плечи, шею, лицо, видя сквозь нынешний облик маленького мальчика.

Он медлил.

— Я спрашивал тебя, можешь ли ты мне помочь, но ты мне так и не ответила. — Он коснулся ногой царапины на крыльце. — Я хочу написать письмо семье, поблагодарить их. Если бы не донор, меня бы здесь сейчас не было.

Аманда опустила глаза.

— Желание узнать, кто донор, естественно, — наконец проговорила она, тщательно подбирая слова. — Но есть веские причины, чтобы он остался неизвестным.

В ее словах была правда, хотя и не вся.

— О... — Его плечи поникли. — Я это предполагал. — Мне только сказали, что ему было сорок два, когда он умер. Я просто хотел... узнать, что за человек он был.

«Я бы могла рассказать тебе о нем гораздо больше, — подумала про себя Аманда. — Гораздо больше». После того звонка Моргана Тэннера она сама связывалась с несколькими абонентами, чтобы подтвердить свое предположение. Она узнала, что Доусона отключили от аппарата искусственного дыхания в медицинском центре Каролины в понедельник ночью. До этого в теле Доусона поддерживали жизнь, потому что его можно было использовать в качестве донора. Его мозг к тому времени был мертв.

Она знала, что Доусон спас жизнь Алана. И жизнь Джареда, а это для нее значило... все. «Я отдал тебе лучшее, что у меня было», — однажды сказал он ей, и с каждым ударом сердца своего сына она знала, что это так.

— Дай, я тебя обниму, — сказала она, — прежде чем мы вернемся в дом.

Джаред закатил глаза, однако раскрыл перед ней свои объятия.

— Я люблю тебя, мама, — пробормотал он, прижимая ее к себе.

Аманда закрыла глаза, прислушиваясь к ровному биению его сердца.

— Я тоже тебя люблю.

Литературно-художественное издание

16+

Спаркс Николас

Лучшее во мне

Роман

Ответственный корректор И.М. Цулая
Компьютерная верстка: Е.В. Аксенова
Технический редактор Т.В. Полонская

Общероссийский классификатор продукции
ОК-005-93, том 2; 953000 — книги, брошюры

ООО «Издательство АСТ»
127006, Россия, г. Москва, ул. Садовая-Триумфальная, д. 16, стр. 3

Наши электронные адреса: WWW.AST.RU
E-mail: astpub@aha.ru

Издано при участии ООО «Харвест». ЛИ № 02330/0494377 от 16.03.2009.
Ул. Кульман, д. 1, корп. 3, эт. 4, к. 42, 220013, г. Минск, Республика Беларусь.
E-mail редакции: harvest@anitex.by

Республиканское унитарное предприятие
«Издательство «Белорусский Дом печати».
ЛП № 02330/0494179 от 03.04.2009.
Пр. Независимости, 79, 220013, г. Минск, Республика Беларусь.